걸프 사태

전후복구사업 참여 1

걸프 사태

전후복구사업 참여 1

한국학술정보

| 머리말

걸프 전쟁은 미국의 주도하에 34개국 연합군 병력이 수행한 전쟁으로, 1990년 8월 이라크의 쿠웨이트 침공 및 합병에 반대하며 발발했다. 미국은 초기부터 파병 외교에 나섰고, 1990년 9월 서울 등에 고위 관리를 파견하며 한국의 동참을 요청했다. 88올림픽 이후 동구권 국교 수립과 유엔 가입 추진 등 적극적인 외교 활동을 펼치는 당시 한국에 있어 이는 미국과 국제 사회의 지지를 얻기 위해서라도 피할 수 없는 일이었다. 결국 정부는 91년 1월부터 약 3개월에 걸쳐 국군의료지원단과 공군수송단을 사우디아라비아 및 아랍 에미리트 연합 등에 파병하였고, 군 · 민간 의료 활동, 병력 수송 임무를 수행했다. 동시에 당시 걸프 지역 8개국에 살던 5천여 명의 교민에게 방독면 등 물자를 제공하고, 특별기 파견 등으로 비상시 대피할 수 있도록 지원했다. 비록 전쟁 부담금과 유가 상승 등 어려움도 있었지만, 걸프전 파병과 군사 외교를 통해 한국은 유엔 가입에 박차를 가할 수 있었고 미국 등 선진 우방국, 아랍권 국가 등과 밀접한 외교 관계를 유지하며 여러 국익을 창출할 수 있었다.

본 총서는 외교부에서 작성하여 30여 년간 유지한 걸프 사태 관련 자료를 담고 있다. 미국을 비롯한 여러 국가와의 군사 외교 과정, 일일 보고 자료와 기타 정부의 대응 및 조치, 재외동포 철수와 보호, 의료지원단과 수송단 파견 및 지원 과정, 유엔을 포함해 세계 각국에서 수집한 관련 동향 자료, 주변국 지원과 전후복구사업 참여 등 총 48권으로 구성되었다. 전체 분량은 약 2만 4천여 쪽에 이른다.

2024년 3월

한국학술정보(주)

| 일러두기

· 본 총서에 실린 자료는 2022년 4월과 2023년 4월에 각각 공개한 외교문서 4,827권, 76만 여 쪽 가운데 일부를 발췌한 것이다.

· 각 권의 제목과 순서는 공개된 원본을 최대한 반영하였으나, 주제에 따라 일부는 적절히 변경하였다.

· 원본 자료는 A4 판형에 맞게 축소하거나 원본 비율을 유지한 채 A4 페이지 안에 삽입하였다. 또한 현재 시점에선 공개되지 않아 '공란'이란 표기만 있는 페이지 역시 그대로 실었다.

· 외교부가 공개한 문서 각 권의 첫 페이지에는 '정리 보존 문서 목록'이란 이름으로 기록물 종류, 일자, 명칭, 간단한 내용 등의 정보가 수록되어 있으며, 이를 기준으로 0001번부터 번호가 매겨져 있다. 이는 삭제하지 않고 총서에 그대로 수록하였다.

· 보고서 내용에 관한 더 자세한 정보가 필요하다면, 외교부가 온라인상에 제공하는 『대한민국 외교사료요약집』 1991년과 1992년 자료를 참조할 수 있다.

| 차례

정리보존문서목록

기록물종류	일반공문서철	등록번호	2021010216	등록일자	2021-01-28
분류번호	760.1	국가코드	XF	보존기간	영구
명 칭	걸프사태 : 전후복구사업 참여, 1991-92. 전6권				
생 산 과	중동1과/경제협력2과	생산년도	1991~1992	담당그룹	
권 차 명	V.1 정세 조사단 중동 순방, 1991.2.24-3.9				
내용목차	* 단장 : 이기주 외무부 제2차관보 * 일정 : 2.24-27 아랍에미리트 연합국 2.27-3.1 이집트 3.1-5 사우디아라비아 3.6-7 요르단				

0001

中東복구 참여길 뚫는다

早期終戰 예상 정세파악단 파견

派兵國우선 우려 외교노력 박차

복구비 2천4백억弗 규모

정부는 걸프戰後복구사업에 적극 참여하기위해 다음주중 李祺周 외무부제2차관보를 단장으로 기획원·외무부·재무부·건설부등 관계부처과장들로 구성된 中東정세파악조사단을 사우디·요르단·아랍에미리트·이집트등지에 보내 현지동향을 점검하고 전후복구사업 전망등에 관한 자료를 수집키로 했다.

21일 경제기획원에 따르면 최근의 걸프전황으로 미루어 전쟁이 곧 끝날 것으로 예상됨에 따라 中東정세파악단을 현지에 파견, 약 2천4백억달러이상 될 것으로 추정되는 전후복구사업에 국내업체들이 참여할수 있는 사전준비태세를 갖추기로 했다.

기획원은 쿠웨이트의 경우▲도로등 사회간접시설피해 2백억달러이상▲정유시설 1백억달러이상▲자동차 30억달러▲항공기 75억달러▲의료시설 10억달러등 모두 4백15억달러이상의 피해가 발생할 것으로 추정하고 있다.

또 이라크의 전쟁파괴규모는 더욱 커 복구비가 2천억달러 이상 될것으로 英國에 있는 쿠웨이트망명정부가 밝히고 있다.

기획원관계자는 『우리나라도 걸프전쟁에 5억달러규모의 분담금을 지원하고 軍의료진과 수송기를 파견했기 때문에 전후복구사업에 참여할수 있을 것으로 보이나 美國이 전투병력을 파견한 나라들을 중심으로 복구사업계획을 짤 우려도 있으므로 정부차원에서 외교적 노력을 기울이고 있다』고 밝혔다.

중앙일보
1991.2.22

0002

I. 訪問 槪要

1. 調査團 構成

o 團 長 : 이기주 外務部 第2次官補

o 團 員 : 김희상 國防部 陸軍准將

김의기 外務部 中東1課長

임상규 經企院 産業4課長

이상용 財務部 經濟協力課長

김균섭 商工部 輸出1課長

권오창 建設部 海外建設課長

o 訪問 國家 및 期間

- 訪問國 : 사우디, UAE, 이집트, 요르단

- 期 間 : 1991. 2. 24 - 3. 9.

o 出張 目的

- 戰後 中東秩序 再編과 關聯된 現地 情勢 및 動向 把握

- 周邊國 經濟支援 事業 協議

- 戰後 復舊와 經濟 復興計劃 關聯 情報 受集

- 現地 進出 我國 業體 및 僑民 身邊安全

0003

2. 航空日程

2.24.(日)	09:00 11:30	KE 617	서울 發 홍콩 着
2.24.(日)	15:25 23:00	CX 751	홍콩 發 두바이 着
2.27.(水)	11:00 13:30	GF 71	아부다비 發 카이로 着
3.1. (金)	11:00 14:00	SV 300	카이로 發 젯다 着
3.3. (日)	16:00 17:25	SV 416	젯다 發 리야드 着
3.5. (火)	17:10 19:00	SV 313	리야드 發 카이로 着
3.6. (水)	07:30 09:30	RJ 508	카이로 發 암만 着
3.7. (木)	19:30 21:45	RJ 507	암만 發 카이로 着
3.8. (金)	12:15 16:05 20:30	AF 119 KE 902	카이로 發 파리 着 파리 發
3.9. (土)	17:40		서울 着

0004

걸프사태 현지 조사단 자료

1991.2.27 - 3.1

1991.2

주 카 이 로 총 영 사 관

0005

목 차

0006

1.경제원조 문제

가.민수물자 지원($8m)

o 현재 내각 관방부에서 주민등록 사업에 이용할 전산화 시설(컴퓨터)도입에 동을 사용하기 위하여 외무부및 국제 협력부와 협의 중임.

o 그러나 동 전산화 사업을 위한 총예산은 약 $70m로 예상되고 있는바,주재국 정 부 당국은 $15m 규모의 제 1단계 사업을 아국이 무상으로 해주기를 희망하고 있음.

나.군수물자($7m)

o 국방부에서 아측이 제시한 품목을 검토하고 있으나 아직 결론을 내리지 못하고 있으며

o 동 품목 선정및 금후 양국 군사협력 가능성을 조사하기 위한 군대표단을 파한할 것을 상부에 재가 상신중임.

다.EDCF Loan($15m)

o 공업부에서 폴리에스터 직물 공장 건설 사업에 동차관을 사용할 것을 국제 협력부에 정식 요청중임.

o 차관 추가도입 자제 방침

-주재국 총부채 : $500억(걸프전 이전)

-부채 탕감액 : $160억

.미 국 : ($70억)

.GCC 국가 : ($70억)

.EC제국등 : ($20억)

-현 부채액 : $340억

2. 전후 중동 질서 재편 전망

가. 아랍권의 분열

1) Arab Solidarity의 퇴조

2) 3개 Camp로 분열된 아랍세계

o 이집트, 사우디(기타 GCC국가 포함), 시리아, 모로코

o 알제리, 튜니시아

o 수단, 예멘, 모리타리아, 요르단, PLO

나. Pan-Arabism; Islam

o 국가 형태 보다는 Koran이 지배하는 "Umma"

o Nation-State 형성이 긴요

다. 이스라엘에 대한 증오 증대

o 두형태의 이스라엘

-실제 이스라엘

-상상속의 이스라엘 : 모든 중동분규의 주원인

o 아랍.이스라엘 문제 해결 중요

라. 미국 역할의 증대

o "Good Broker" ; "Arbiter"

마. 신안보 체제의 구축

o "GCC Plus"

-이집트, 시리아

-미국

-UN

바.군축 노력의 대두

o 선진국의 무기수출 자제

o 아랍.이스라엘간의 합의 도출 노력

사.국내 정치제도의 개혁

o Nation State의 형성

o 민주화 추진;Pan-Arabism의 극복

아.이집트의 역할 증대

o 무바락 대통령,이락의 쿠웨이트 침공 직후부터 반 이락 국제여론 형성에 주도적 역할 수행

o 다국적 연합군에 참여

o 전후 안보체제에 참여

o 풍부한 인력자원

자.시리아의 역할 증대

o 경제발전 잠재력

3.전후 사업 전망

o 일반 소비재,의료품 수요증대 예상

o 전자제품,자동차,사무용기기 수요증대 예상

o 전후 복구사업(쿠웨이트,이락)

-중동 개발은행 설립 전망

o 군수산업

-군비 보충및 확장(쿠웨이트,사우디,시리아,이락)

4. 전후 복구(건설)사업 참여 문제

o 쿠웨이트 전후 복구 사업

-총 소요 금액 : $600억(긴급 복구비 : $10억)

-소요기간 : 5년

o 쿠웨이트 복구사업 관련기관

-쿠웨이트 전후 복구 특별사무소(워싱턴 D.C.)

-Emergency Recovery Programe(ERP):(재사우디 쿠웨이트 망명정부)

.Magid al - Shaheen

-The U.S.Army Corps of Engineers

-Kuwait Emergency Recovery Office(KERO):(Col.Ralph Locurcio)

.8개 분야에 Consultant engineering 회사 지명 예정

.아국 업체

미공병대,KERO,ERP(쿠웨이트)및 미국,사우디,이집트,영국회사등과 협력필요

o 복구참여 중요 외국업체

-미국

Bechtel,Fluor Corp,The Parsons Corp.등

-영국

Crown Agents,W.S.Atkins,GEC Alston,Biwater

John Brown Engineering,Costain등

o 200개 계약 기체결(90일 긴급 복구사업)

-70%:미국회사

-발전,전기,수도

-식료품 및 의약품(인구 800,000추산)

o 복구단계

-조기 긴급복구(90일)

-중간 복구단계

-재건 단계

5. 대 주재국 관계

o 주재국의 역할 증대

-정치, 군사, 경제 : 중동정세 안정의 초석

-GCC국가와의 협력관계 증대

o 발전 잠재력

-인구 : 55백만(아랍인구의 25%):거대한 국내 잠재시장

-군사력

-기술인력

-석유자원

-농업발전 잠재력

-인근 아랍국 시장 수출

o 경제 발전 저해 요인

-산업시설 발달 부진

.수출산업 미발달

-외환 부족

.수입 : $120억

.수출 : $ 30억

.무역수지 : -$90억

-관광 수입 :$10억

-해외 근로자 송금 : $36억

-수에즈 운하 통행료 : $15억 (소계 $61억)

-사회주의 경제

o 해외로 부터의 투자 장려

-신 투자 촉진법

o 경제 자유화 1000일 계획

-무역 자유화

-환률 자유화

-이자율 인상

-공기업의 민간 기업화

o 아국과의 관계

	'89년	'90년(11월)
-수출 :	$11,592만	$14,397만
-수입 :	$11,399만	$11,141만

-합작 투자

.Cairo Far East Bank(79)

.T.V.부품및 마이크로 오븐 합작투자(Lucky Gold Star)

-상담중인 합작투자

.자동차(현대)

.폴리에스터 직물(선경)

.튜브 (한국타이어)

-KAL,91년 하반기 취항예정

-합작 투자 유망분야

.식료품

.관광

.농업

.컴퓨터,Date Processing

.전신,전화

.자동차(타이어,튜브)

.건축자재

-참고(미국의 대이집트 합작투자)

.투자 금액 : $17억(88)

($14억:원유분야)

.투자회사(총 32개 업체)

Colgate Palmalive Co.

Reynolds Alumamium Inc.

Gillte Co.

6

0012

Warnes Lambert Co.

Johnson Wax

Borg-Warnes

Otis Elevator

Pfizer Intl.Inc.

Xerox Corp.

G.M.(Truck,Bus)

American Standard(Bathroom Fixtures)

Chemtex Paints

Trane Air Conditioners

Proctor and Gamble(toiletries)

Johnson and Johnson

Standard Shoes등

o 관계 개선및 증대

-주요 수원국 지정

-경협

-민간 분야 합작투자 장려

-Commodity Import Program(CIP)

-새마을 사업

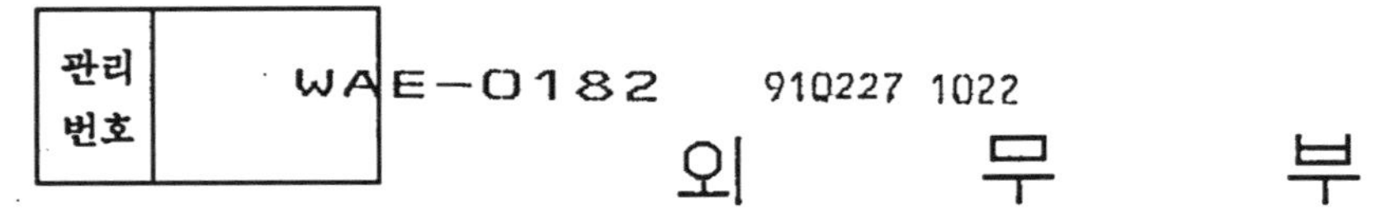

관리 번호	WAE-0182 910227 1022

외 무 부

종 별 :

번 호 : ANW-0044 일 시 : 90 226 1600

수 신 : 장관(미북,통일,중동)

발 신 : 주 아틀란타 총영사

제 목 : 걸프전후 복구사업

연:ANW-0041

1. 당지 CBS 방송은 2.25 저녁뉴스후 해설에서 해설자는 걸프전후 복구사업계획과 관련, 아래와 같이 언급 하였는바, 업무에 참고바람.

가. 미국내 벡텔사등 과기업 중심으로 이미 쿠웨이트 망명정부와 전후 복구계획 추진에 대해 내약 되어있는 것으로 보이며, 이러한 미국이 거의 독점하고 있는데 대해 영국 기업측에서는 걸프전 적극 지원 활동에 비추어 불만을 나타내고있다고 언급함.

나. 한편, 쿠웨이트 전후 복구사업에 있어 독일, 일본, 한국등 걸프전에대한 비교적 참여도가 적은 국가들이 실질적으로 많은 부분의 건설사업에 참여 하기 위해 적극적으로 노력할 가능성이 있음을 경계해야 함.,

2. 상기 발언을 고려할때 아국의 걸프전 참여 및 지원 활동에 대한 홍보를 강화함이 바람직한 것으로 보임.

(총영사 김현곤-국장).

끝.

예고 : 1991.12.31 까지

미주국	장관	차관	1차보	2차보	중아국	통상국	청와대	안기부

PAGE 1

91.02.27 07:05

외신 2과 통제관 FE

0014

관리 번호	91-1378

원 본

외 무 부

종 별 : 지 급

번 호 : IRW-0199 일 시 : 91 0228 2000

수 신 : 장관(중동일)

발 신 : 주 이란 대사

제 목 : 걸프전 이후 복구 사업

대:WIR-0200

연:IRW-0192

1. 대호 사절단의 당지 방문은 전후 이지역 신질서 정립 과정에서 중심적 역할을 담당할 주재국과의 유대 강화라는 관점에서 또한 건설 10 억불, 수출 6 억불에 달하는 아국 시장으로서의 점증하는 중요성을 감안할때 더욱 필요하다고 봄.

2. 당관은 동 사절단의 방문이 양국간 관계 확대에 효과적인 계기가 되도록 모든 준비를 다할것이며, 동 사절단의 당지 방문이 확정될경우 이를 당관에 지급 통보하여 주기 바람. 끝

(대사 정경일-국장)

예고:91.6.30 까지

중아국

PAGE 1

91.03.01 03:17

외신 2과 통제관 CF

0015

홍

관리번호	91-133

외 무 부

종 별 :

번 호 : CAW-0326 (325)

일 시 : 91 0228 1250

수 신 : 장관(중일,미북,경이,기정,청와대,총리실,경기원,재무,상공,건설)

발 신 : 주 카이로 총영사

제 목 : 걸프사태조사단 보고(2)

조사단은 금(2.27) 이집트 외무부 IBRASHI 차관보와 면담(아주국장, 경제국장, 문화국 배석)하고 동 차관보 주최 만찬에 참석하여 걸프사태 및 한. 애 양국관계에 대하여 의견을 교환하였는바 요지는 다음 보고함.

1. 걸프지역 안보체제 구축문제

가. 걸프지역 안보체제는 역내국가 자신들이 INITIATIVE 를 가지고 주축이 되어 구축되어야 하며, 역외 국가가 강제 하여서는(IMPOSE)않됨. 지난주 다국적군 참여 아랍제국 외상회의에서도 걸프지역 안보와 관련 GCC 제국과 이집트, 시리아가 참여하는 집단안보 체제 수립 방안이 논의된바 있으며, 내주 다마스커스에서 다시 회동 이문제를 재협의할 예정임.

나. 이집트는 전후 걸프지역에 미.영등 외국군이 장기적으로 주둔하는 것을 반대하나 평화유지군 형태의 유엔군, 다국적군, 아랍군의 주둔은 수용할 수 있을 것으로 봄. 또한 양자간 협정에 의한 외국군 주둔은 당사국의 내부 문제로서 이에 간섭할 수 없을것임.

다. 이란의 정치, 군사적 위상으로 보아 걸프지역 안보체제문제 협의에 있어 이란을 무시할 수 없을것이며

라. 전후 이라크의 영토는 보전 되어야 하며 카이로 외무장관 회의시 이에 대한 참가국의 보장(ASSUREANCES)을 받았음.

마. 중동지역의 안정을 위해서는 군비축소가 이루어져야 하며 특히 대량살상 무기(핵, 생화학 무기) 는 제거되어야 하며 비핵지대 참가설 문제도 검토되어야 할것임.

바. 스페인, 폴부갈, 이태리, 불란서가 구상하고 있는 CSCE 형태의 지중해 및 중동지역 안보 협력회의에 협조할 용의가 있으나, 현재 이 구상은 IDEA 단계에

중아국	장관	차관	1차보	2차보	미주국	경제국	청와대	총리실
안기부	경기원	재무부	상공부	건설부				

PAGE 1

공람: 국제경제국

91.02.28 22:19

외신 2과 통제관 CF

0016

불과함.

사. 팔레스타인 문제 해결 없이는 중지역 안정이 달성될 수 없으며, 쿠웨이트 방식이 이스라엘의 아랍점령지 철수에도 적동되어야 하며 또한 팔레스타인의 자결권이 인정되어야 함.

금후 팔레슴인 문제해결을 위한 국제적 노력에 누가 팔레스타인을 대표할 것인가는 팔레스타인 자신들이 진정할 문제임(PLO 의 아라파트는 의장을 염두에 둔것으로 생각됨)

2. SADDAM HUSSEIN 의 장래

가. 사담 후세인이 금후 단기적으로 정권을 유지할 수 있을지 모르겠으나 사실상 무조건 항복한 결과가 되었고 수많은 포로들이 이라크에 돌아갈 경우등을 생각하면 조만간 제거될 것으로 봄.

나. 사담후세인은 금번 전쟁에서 몇가지의 중대한 오산을 하였는바

1) 아주 긴밀한 동맹관계에 있었던 소련이 UN 안보리에서 거부권을 행사할 것으로 기대하였던 점

2) 이집트가 반이라크 진영에 가담하지 않을것으로 판단했던점

3) 연합군측의 내부단결이 흐트러져 전쟁(특히 지상전)을 개시 하지는 못할 것으로 판단했던점

4)이스라엘에 대한 미사일이 이스라엘의 참전을 유발할 것으로 판단했던점등임.

다. 사담 후세인 이후 어떠한 성향의 정권이 들어설 것인지 현시점에서 예측키 어려움. 이라크가 분리되지 않을까 하는 시각도 있으나 그렇게 되지는 않을것으로 봄.

3. 전후 복구

가. 전후 지역경제 복구및 부흥에 대한 논의가 진행중이며 다마스커스 회의에서도 이 문제가 계속 협의될 것이나, 아직 중동판 마샬플렌, 부흥은행 설립등 방안이 구체화 되지는 않았음.

나. 1949 년 마샬플렌이 2 차대전후 미국의 경제적 여력을 바탕으로 정치, 경제적 체제가 같은 서구제국의 부흥계획인점에 비추어 여사한 부흥계획이 전후 중동 지역의 여건에 적할할지 미지수이며, 부흥은행 설립을 위해서는 중동지역에 산유국, 비산유국, 산유국중에서도 저개발국등이 있는점등에 비추어 출자자, 수혜자 요건을 어떻게 할 것인지등 문제점이 있을것임.

다. 그러나 전후복구 부흥계획이 어떠한 형태로든 수립될것임에 비추어, 상당한

경제력을 가진 한국의 참여가 불가결함. 중동은 한국의 경제적 이익에 비추어 중요한 지역임으로(원유공급등) 한국이 상당한 기여(CONTRIBUTION)를 해주기 바람.

라. 쿠웨이트 부흥계획에 있어 중요한 PROJECTS 는 미국이 담당당할것으로 알려져 있고, 기타 국가들도 상당한 공사에 참여하게 될것인바(에집트도 공사 수주 문제 협의를 진행중임을 암시), 쿠웨이트에 상당한 경험과 실력을 갖고있는 한국회사와 협력할수 있을것으로 봄.

4. 대 이집트 지원문제

가. 아측은 이집트에 대한 3000 만불의 지원이 우리나라의 대외무상원조 및EDCF 에 있어 최대의 액수임을 강조한후 이집트측의 구체적 계획이 제시되는데로 조속 이에 응할 태세가 되어있음을 설명하였음(이집트 군사대표단 파견제의를 환영)

나. 이집트측은 주민등록 전산화 사업은 수년간에 걸친 계속사업으로서 한국측이 제시한 금액으로서는 부족하기 때문에 금후에도 계속 지원이 요망되며, EDCF 자금은 이자률, 상환기간등 조건이 불리함으로 무상지원으로 전환에 주기 바란다고 말하였음. 이 문제와 관련 국제 협력성 장관이 이차관보와 면담시 새로운 제안을 할것임. 이에 대해 아측은 EDCF 자금을 무상을 전환하는데는 어려움이 있으며 그 조건은 다소 유리하게 할 수 있는 가능성은 있을수 있다하고 EDCF 는 GRANT ELEMENT 로 볼때 상당히 유리한 것임을 강조한후 이집트측이 이를 활용하는 방안을 강구함이 좋을것으로 말하였음.

예고:91.6.30. 일반

1991 . 6 . 30 . 에 예고문에 의거 일반문서로 재분류됨.

PAGE 3

0018

홍

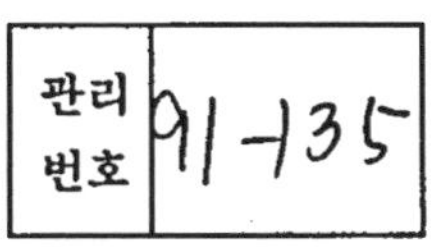

외 무 부

종 별 :

번 호 : CAW-0326 일 시 : 91 0228 1300

수 신 : 장관(중동일,미북,경이,기정, 사본: 청와대, 총리실, 경기원, 재무부, 상기 m

발 신 : 주 카이로 총영사

제 목 : 걸프사태 조사단 보고(3)

연:CAW-0325

조사단장은 금 2.28. 이집트 국제협력장관과 면담하였는바 요지를 다음 보고함(아측 박동순대사 및 관계부처 과장, 이집트측 국제협력성 차관보 배석)

1. 아측은 다국적군에 참여하고 있는 이집트측의 재정적 부담과 걸프전쟁으로 입고 있는 경제적 손실을 지원하기 위하여 3000 만불을 제공키로 하였으며, 이집트측의 조속한 사용계획 제시에 의하여 동 금액이 소진될 수 있기 바란다고 말하였음.

2. 이에 대해 동장관은 800 무상원조는 주민등록 전산사업 보다 우선순위가높은 직업훈련소 설립 및 병원의 의료 기자재 수입에 사용할 것을 검토중에 있으며, 관계부처와 협의가 완료되는 데로 아측에 알려 주겠다고 하였음. EDCF 자금은 현재 이집트가 받고 있는 다른국가와 비교한 조건이 좋지 않음으로 이자률의 인하, 변제기간의 연장등을 고려해 주기 바람.

3. 아측은 우리나라의 경제발전 경험에 비추어 무상원조 못지않게 기업인들의 자조노력을 기르는데 있어서는 장기저리 차관을 유효하게 사용하는 것이 무엇보다도 중요하였음을 설명한후 이집트측이 요구한 조건 완화 문제는 금후 검토할수 있다는 점을 암시하고 동 자금을 이집트측에서 유효하게 활용하여 주기를 바란다고 말하였음.
끝.

예고:91.6.30. 일반

중아국	장관	차관	1차보	2차보	미주국	경제국	청와대	총리실
안기부	경기원	재무부	상공부	건설부				

PAGE 1

91.03.01 05:37

외신 2과 통제관 CA

0019

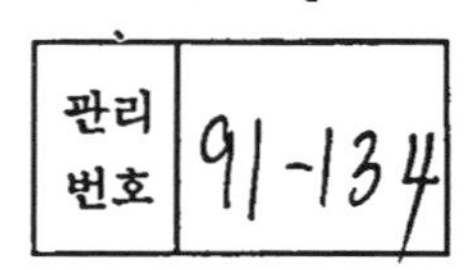

관리번호	91-134

외 무 부

종 별 :

번 호 : CAW-0330 일 시 : 91 0228 2315

수 신 : 장관(중동일,기정, 사본: 청와대,총리실)

발 신 : 주 카이로 총영사

제 목 : 걸프사태 조사단 보고(4)

(MEGUID 부총리겸 외무장관 면담)

연:CAW-0326

조사단장은 금 2.28 13:00 부터 한시간동안 MEGUID 부총리겸 외무장관과 면담하였는바(이측: 외무차관보, 아주국장, 아측: 박대사, 김과장, 홍영사 배석),동요지 다음 보고함.

1. 조사단단장은 먼저 장관님의 안부 말씀을 전달하고, 동장관이 가능한 대로 년내에 방한하기를 희망하는 초청의사를 표명하였음. 한국은 걸프사태관련 유엔 안보리의 제결의에 전폭적인 지지를 표명함과 동시에 다국적군을 지원하기 위하여 재정원조와 의료지원단 및 수송지원단을 파견함으로써 서방제국 및 이지트등 연합군측에 동참함으로써 걸프지역의 조속한 전쟁 종결과 평화, 안정의 회복에 상당한 기여를 한바 있다고 말하였음.

2. 동장관은 장관님의 안부말씀과 초청의사에 사의를 표명하고 걸프전 종식을 위한 한국측의 기여를 높이 평가하며, 한국측의 그러한 기여는 다국적군에 참가한 모든 국가들에 의해 매우 감사하게 받아들여 지고 있다고 말하였음. 금후 중동지역의 주요과제는 전쟁피해국의 경제재건과 이지역 전반의 부흥인바 한국측이 이 중요과제에 대하여도 커다란 기여를 해주기 바라며, 그것은 한국의 국제적지위향상에도 도움을 주게 될것이라고 말하였음. 또한 이러한 복구 부흥사업,특히 건설공사에 있어서는 한국이 과거 중동지역에서 쌓은 실적과 경험을 토대로 이집트와도 협력하여 참여할 수 있기를 기대한다고 하였음.

3. 조사단장은 한. 애 양국관계에 언급, 금년이 영사관계를 수립한 30 주년이 되는바 최근 확대되고 있는 양국의 무역, 경제협력 관계및 인적교류등에 비추어 국교관계를 수립해야 한다는 인식에는 상호 공감하고 있으나 그 시기가 지연되고

중아국	장관	차관	1차보	2차보	미주국	경제국	청와대	청와대
총리실	총리실	안기부	안기부					

PAGE 1 91.03.01 09:47

외신 2과 통제관 DG

0020

있음으로 그 시기를 단축할 필요가 있다는 점을 강조하였음. 또한 서울에는80 여개국이 대사관을 설치하고 있는바 이집트와 같은 중요한 위치에 있는 국가가 서울에 대사관을 가지고 있지않는 점을 상기시키면서, 현재 대한민국과 외교관계를 가지고 있지 않는 중요한 두개국가중 (중국과 이집트) 이집트가 한국과수교하는 최후의 국가가 되지 않기를 바란다고 말하였음. 이에 대해 동장관은 양국간의 실질관계 특히 한국기업의 대이집트 추자와 무상원조등 경제협력관계의확대가 우선 이루어 지는것이 바람직하며(이와 관련 동장관은 아국의 IEDCF 차관 1500 만불을 무상원조로 전화해 줄것을 요청함), 이러한 과정을 통해 외교관계를 격상하려는 것이 이집트의 생각이며, 우선 양국간 경제관계의 강화가 필요하다는 인식하에 서울에 총영사관을 설치할 것을 검토해 왔으며, 현재 그것이 확정단계에 있으므로 곧 이집트 정부의 결정을 통보해 줄것이라 언급함. 동장관은 이어 한국과의 국교관계를 수립함에 있어서는 북한과의 기존 우호관계를 고려하여야 한다는 측면이 있다고 말하였음.

4. 조사단장은 총영사관 설치보다는 대사관의 조속 설치가 더욱 바람직하며이와 관련 쏘련이 북한과 과거 수십년동안 우호동맹 조약을 가지고 있음에도 불구하고 한국과의 전략적, 경제적 이해관계가 보다 중요하기 때문에 북한의 반대에도 불구하고 한국과 국교를 수립한 사실에 주목할 필요가 있으며, 이러한 쏘련측 외교자세의 변화는 이집트에 대해서도 참고가 될 수 있을것이라고 말하였음. 한국이 금번 걸프전에서 이집트와 같이 다국적군측에 동참하였다는 사실, 한국이 아시아에서 정치적으로나 경제적으로나 중요한 위치를 구축하고 있는 점등을 고려할때 양국간 외교관계 수립은 그 시기가 빠를수록 좋을것이라고 말하였음. 동장관은 아측의 설명에 대해 이해하는 바이며, 이집트가 그러한 방향으로 가고 있는 점은 틀림없다고 말하였음.

5. 조사단장은 전후 복구문제와 관련 금후 쿠웨이트, 이라크등 제국의 건설프로젝트에 있어 금번 걸프전쟁에서 주도적 역할을 맡은 이집트와 한국과의 협력이 강화되기 바란다고 말하고, 구체적인 사항에 관하여는 긴밀히 협조해 나가자고 말하였음. 또한 국제무대에서 그 지위와 역할을 증대시켜 나가고 있는 이집트와 한국이 전후 걸프지역의 평화와 안전의 유지에 관한 제문제에 관하여도 상호 긴밀히 협의해 나갈것을 제의하였음. 동장관은 좋은 생각이며 그렇게 해나가자고 대답하였음.

6. 동장관은 전후의 중동지역 안전 보장체제 구축에 있어서는 G2 를 중심으로 그 협의가 본격화 될 것이며, 이집트가 그 주도적 역할을 수행해 갈것이라고 시사하였음.

끝.

예고:91.6.30. 일반

1991 . 6 . 30 .에 예고문에 의거 일반문서로 재분류됨.

PAGE 3

0022

관리번호	91-567

7/2

외 무 부

종 별 : 지 급

번 호 : SBW-0637 일 시 : 91 0302 1710

수 신 : 장관(중일,미북)

발 신 : 주 사우디 대사대리

제 목 : 걸프사태조사단

연:SBW-620

1. 표제 조사단은 금 3.2 12:00 항공편으로 리야드에 도착함

2. 조사단은 KU 정부인사와의 면담이 3.3 밤까지 DAMMAM 에서 이루어질 경우 즉시 현지로 육로 이동할 계획이나, 현재 기획장관 및 주택장관등이 수상을 수행하여 바레인을 방문중인 관계로 아직 면담일정일 잡히지 않고있음

3. 현편 3.4 당지에서의 일정은 하기와같이 확정됨

-09:00 기획성 차관 면담

-11:00 외무성 경제담당 차관대리 면담

-17:00 현지 건설업체 대표와의 간담회. 끝

(대사대리 박명준-국장)

예고:91.12.31 일반

검 토 필 (1991.6.30)

중아국 장관 차관 1차보 2차보 미주국

0023

PAGE 1

91.03.02 23:27

외신 2과 통제관 BW

관리번호	91-136

외 무 부

종 별 : 긴 급

번 호 : SBW-0649 일 시 : 91 0303 2350

수 신 : 장관(중일,미북,경이,기정) 사본:수신처참조

발 신 : 주 사우디 대사대리

제 목 : 걸프사태조사단 보고(5)

연:SBW-637

1. 연호 조사단은 금 3.3 쿠웨이트정부 고위인사들이 본국 귀한을 위해 임시체재하고있는 사우디동북부 담맘시를 방문, 작년 11 월 쿠웨이트국왕특사로 방한한바 있는 AL-SHMEIT 주택장관과 쿠웨이트 전후 긴급복구 사업담당 정부위원회위원장인 AL-HESSAWI 도시지방 행정장관과 면담하였는바(안기부 강공사, 중동 1과장배석)동요지를 다음보고함

가. 주택장관면담

1)조사단장은 쿠웨이트의 국권회복을 축하하고 외국침략으로부터 나라의 위기를 잘극복한 쿠웨이트국민의 용기를 찬양한후 아국이 쿠웨이트를 해방시키기위한 다국적군의 노력에 적극 동참하였음을 언급하고, 그간 우리기업이 중동지역에서 쌓은 공사경험과 잔류장비를 활용하여 전후 쿠웨이트 복구, 부흥사업에 협력할수 있기를 희망한다는 의사를 피력하였음

2)이에 대하여 동장관은 작년 방한시 아국정부가 보여준 환대와 협조에 감사하며, 특히 대통령각하께서 자신을 친히 접견하시는 기회를 허락함으로써 그후여타 방문국 원수예방에 큰도움이 되었다고 말하고, 동방한을 통해 우리나라와국민에대해 강한 인상을 받았다고 언급하였음

3)동장관은 이어 전후 복구사업에 대한 각국의 참여를 그나라가 금번 전쟁승리에 어떠한 기여를 하였는가에 따라 결정하게 될것인바, 아국 정부의 재정지원, 의료단및 군수송단파견등 기여를 높이 평가하여, 공사참여에 있어 응분의 고려를 하게 될것이라고 말하였음, 또한 향후 90 일 동안의 긴급복구사업은 도시행정장관의 책임하에 수행될것이며, 그 이후는 관계부처가 소관사항을 관장 실시하게 될것인바, 피해 상황이 파악되는대로 적절한 경로를 통해 아국의 참여가능 분야를 협의하겠다고

중아국	장관	차관	1차보	2차보	미주국	경제국	청와대	종리실
안기부	경기원	재무부	상공부	건설부				

PAGE 1

91.03.04 08:02
외신 2과 통제관 BW

0024

언급하였음

4)조사단장은 동장관에게 아국의 쿠웨이트 전후건설사업 참여 가능분야 설명서와 1 개월이내에 쿠웨이트에 인도할수있는 130 여개 상품목록을 수교하였던바, 동장관은 상기 설명서와 상품목록을 일별한후 조사단장의 협조요청 공한과 함께 자신과 도시지방행정장관에게 제출해주면 이를 정부위원회에 상정하여 검토하겠다고 하였음

나. 도시지방행정장관 면담

조사단장은 주택장관에 이에 동장관과 면담하고 전후 복구 사업에대한 우리의 참여의사를 표명함과 동시에 전술한 조사단장의 서한(설명서 및 상품목록첨부)을 수교하였음, 이에 동장관은 주택장관과 마찬가지로 쿠웨이트 해방을 위한 한국의 지지와 금후의 복구사업에 있어서는 이러한 한국측의 기여에 대하여 응분의 고려를 하게 될것이라고 말하였음, 이어 아측이 제시한 내용을 충분히 검토한후 한국측과 협의해 나가겠다고 하였음

2. 또한 조사단장의 관계부터 과장들은 쿠웨이트 긴급복구계획(KERP) 사무처 담당부서와 접촉하여 관련자료를 제시하고 우리의 건설및 상품 수출가능분야에 관하여 실무협의를 가졌으며, 구체적 문제에 관하여는 금후 협의해 나가기로 하였음

3. 청와대 김희상비서관은 알누에아리아 아국의료지원단을 방문, 장병들을 격려하고 애로사항을 청취하였음(구체사항은 별도 보고 위계임)

(대사대리 박명준-장관)

예고:91.6.30 일반

수신처:청와대, 총리실, 경기원, 재무부, 상공부, 건설부

1991 6 . 30 .에 예고문에 의거 일반문서로 재분류됨.

관리번호	91-545

외 무 부

종 별 : 지 급

번 호 : SBW-0663　　　　일 시 : 91 0304 2230

수 신 : 장관(중일,미북,국방,기정,사본:청와대)

발 신 : 주 사우디 대사대리

제 목 : 조사단원 쿠웨이트 방문결과 보고

-. 본조사단의 일원인 김희상비서관이 3.3 사우디 동부지역 알누아이리아의병원을 방문, 한국의료단을 격려후 쿠웨이트를 방문하였는바 그내용은 다음과같음

0 쿠웨이트 주재 한국대사관은 파손되지 않았으며, 현지 잔류 한국교민들이쓴것으로 보이는 "무사하며 매일 0900-1000 대사관에서 모임을 갖고 있는바 조속한 구원을 기다리다"는 쪽지가 대사관 유리창에 부착되어 있었음

0 방문시 만난 쿠웨이트 시민들은 식품등 생필품이 크게 부족하다고 호소(이라크군이 식품, 전자제품, 카페드등 가구, 의류를 모두 약탈해갔다고 주장)하는 것을 감안할때 잔류 한국교민들도 극심한 생활난을 겪고 있을 것으로 보임

0 쿠웨이트시내의 병원들은 대부분 분비고 있어 의료지원의 필요성이 절실한것으로 보이기때문에 "적시적인 조치"가 매우 효과적일것임

0 따라서 사우디 알누아이리아의 한국의료지원단으로 하여금 이들 난민들을긴급구호토록 지시하는것이 바람직할것임, 의료지원단은 다국적군의 일원이기때문에 국경통과에 아무런문제가 없는것으로 보이며, 이미 쿠웨이트시내가 평정되어 있을뿐 아니라 쿠웨이트시민들이 다국적군에 대하여 매우 호의적인 태도를 보이기 때문에 특별히 우려할 이유는 없는것으로 보임

0 쿠웨이트시의 전쟁피해 상태는 불에탄 차량정비소등 몇군데의 건물, 총격에의해 파손된것으로 보이는 유리창들, 그리고 사우디 국경에서 부터 20KM 정도에 걸친 도로에 대화구 흔적외에는 사회간접시설등의 대규모 파괴상태가 목격되지않았음, 대규모의 복구공사가 필요한것으로는 보이지 않았음, 그러나 이라크에의하면 파괴되고 방화된것으로 보이는 유전에서는 엄청나 매연이 발생하여 바람의 방향에따라 수십 KM 폭의 상공을 되덮여 대낮임에도 불구하고 어두운 상태였으며, 또한 에너지, 통신시설등이 파괴되어 통신이 불편하고 야간에도 전기를 사용할수없는 상태였음

중아국	장관	차관	1차보	2차보	미주국	청와대	총리실	안기부
국방부								

0026

PAGE 1　　　　91.03.05 06:56

외신 2과 통제관 BW

0 한편 다국적군의 철수가 시작될듯한 징후가 목격되었음, 미군 지휘관들은아직 전쟁상황이 완전히 종료되지않았다고 강조하고있으나 약 2 개여단 이상의해병대(기갑및 기계화부대)가 철수하고있는 상황을 확인하였음

예고:91.6.30 일반

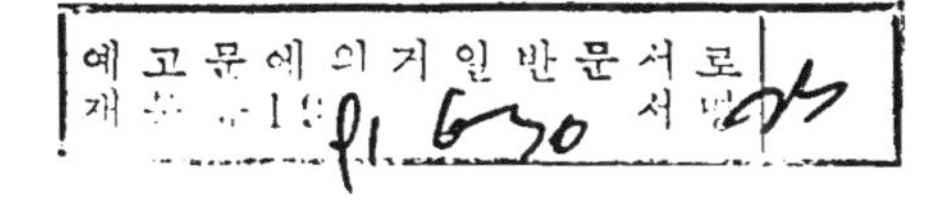
예고문에 의거 일반문서로 재분류 19 91.6.30 서명

PAGE 2

0027

관리 번호	91-615

외 무 부

종 별 : 지 급

번 호 : SBW-0669 일 시 : 91 0305 1600

수 신 : 장관(중일,미북,국방,기정,사본:청와대)

발 신 : 주 사우디 대사대리

제 목 : 조사단원 쿠웨이트 방문결과 보고

연:SBW-663

연호 전문 내용 일부 아래와 같이 정정 보고함

0."무사하며 매일 0900-1000 대사관에서 모임을 갖고 있는바 조속한 구원을기다리다"를 "재 쿠웨이트 한국인 9 명 무사하며, 매일 오전 10:00-오후 1 시까지 이곳에서 모입니다 28.FEB.91"로 정정함

0."쿠웨이트시내의 병원들은 대부분----적시적인 조치가 매우 효과적일것임"을 "단 한국교민들의 경우는 큰피해를 겪지 않았으며, 식량문제도 심각하지 않다는 설도 있음"으로 정정

0. 따라서 사우디 알누아이리아의 한국의료지원단으로 하여금 이들 난민들 "을 긴급" 을 "의 실상을 확인필요시" 으로 정정

0."대규모의 복구공사가 필요한 것으로는 보이지 않음"을 삭제. 끝

(대사대리 박명준-국장)

예고:91.6.30 일반

예고문에 의거 일반문서로 재분류1991.6.30 서명

중아국	장관	차관	1차보	2차보	미주국	청와대	총리실	안기부
국방부								

0028

PAGE 1

91.03.05 23:12

외신 2과 통제관 CH

관리 번호 91-141

외 무 부

종 별 : 지 급

번 호 : SBW-0671 일 시 : 91 0305 1930

수 신 : 장관(중일,미북,경이,기정)사본:수신처참조

발 신 : 주 사우디 대사대리

제 목 : 걸프사태조사단 보고(6)

연:SBW-649

조사단장은 3.4 사우디 외무부 KURDI 경제담당 차관대리 및 SEJINI 기획부 기획차관과 각각 면담하였는바, 동요지 다음 보고함(강공사, 박공사, 중 1 과장,경기원산업 4 과장 배석)

1. 전후 중동지역 안보체제

가. 전후 지역안보체제에 있어서는 우선 GCC 국가 상호간희 ARRANGEMENT 가필요하며, 이를 위하여 이미 특별위원회가 구성되어 구체방안을 협의중에 있음

금번걸프사태에서 입증된 바와같이 무엇보다도 중요한과제는 GCC 국가들의 DETERRENT CAPACITY 를 강화하는것이며, 이를 위하여는 개별국가의 군사적 CAPABILITY 를 일정수준까지 제고하는것임

나.GCC 제국과 일부 아랍권국가(이집트, 시리아등)를 LINK 시키는 COLLECTIVE DEFENCE ARRANGEMENT(MULTINATIONAL ARAB FORCES 구성)문제가 논의되고 있는바, 과도기적 조치로서는 GCC REGIONAL FORCES 를 구성, 합동군사훈련, 군사 연습등을 통해 이지역의 방위력을 강화하는 문제가 구체화 될것임

다. 전후 쿠웨이트의 안전보장을 위해서는 금번 다국적군에 참여한 이집트,시리아의 지상군이 쿠웨이트에 어떤 형태로든(아랍군, 또는 유엔평화유지군의 일부) 잔류할 가능성이 있으며, 미.영등은 공군, 해군의 PRESENCE 를 유지하게 될것임

라. 또한 이지역 안보를 위해서는 군사적안전못지않게 POLITICAL SECURITY ARRANGMENT 도 필요할 것인바, 이를 위하혀는 지역국가 상호간의 신뢰구축과 유엔헌장상의 주권존중 및 무력사용 포기원칙에 합의하는것임

2. 전후 재건부흥사업

가. 전후 이지역의 평화와 안전을 위해서는 군사적, 정치적노력과 함께 역내전반의

중아국 장관 차관 1차보 2차보 미주국 경제국 청와대 총리실
안기부 경기원 재무부 상공부 건설부

PAGE 1 91 3 6

91.03.06 04:56

외신 2과 통제관 CA

0029

경제상태를 개선하는것이 요구되고 있음

종래에도 아랍통화기금, 아랍개발은행등 경제협력을 위한 기구가 있었으며,사우디정부는 과거 15 년간 양자및 이러한 기구를 통해 약 800 억불의 원조를 제공하였으나 지금 그성과는 찾아볼수없음

√ 나. 전후 이지역의 부흥을 위한 은행, 중동판 마샬프랜 수립논의등이 있으나, 과거의 경험으로 볼때 INSTITUTION 의 문제가 아니고 POLICY 즉 이러한 자금을 유효적절히 사용하여, 실제 경제발전을 이룩하는가 하는 것임

현재 GCC 국가간에 "GULF PROGRAMME" 창설을 협의중에있는바, 이 PROGRAMME 은 전술한 POLICY 에 중점을 두는 형태가 될것임

한국이 이지역에서 축적한 실적과 경험을 바탕으로 금후 GULF PROGRANMME 에 기여할수있기를 기대함

3. 유가전망

가. 지금까지 사우디는 국제유가안정을 유지하기위하여 STABILIZER 의 역할을하여 왔으며, 유가안정은 사우디정부의 전략 목표인동시에 일관된 입장이었음

나. 유가형성에있어서는 많은 요인이 작용하고있어 전후 유가가 어떠한 수준에서 안정될지 알수없으나, 베럴당 18-20 불 수준이 산유국이나 소비국 모두에게 적정한 가격이라고 봄

다만 석유가격은 달러화 가치와 연동될수밖에 없을것임(달러화 하락시 유가상승)

다. 쿠웨이트가 현재 파괴된 유전을 복구하여 수출이 가능하기까지는 9 개월내지 1 년의 시일이 소요될것으로 전망함

4. 양국관계

가.GCC 국가들은 금번 걸프전쟁을 통하여 어떠한 국가가 참된 우방이며, 어떠한 국가가 일시적 이해관계만을 위하여 행동하는 국가인가를 판별 할 수 있었음. 걸프사태에 대한 한국의 지지와 기여에 대하여 감사하고 있음

사우디측은 한국과의 우호협력관계에 만족하고 있으며, 앞으로는 양국경제관계를 보다 다변화할 필요가 있을 것임

나. 사우디 국영 ARAMCO 와 쌍용정유간 정유공장 합작사업 추진과 관련하여최근 SAUD 외무장관이 이 외무장관께 친서를 보낸바 있는바, 동 합작사업에 대하여는 사우디정부가 많은 관심을 가지고 있는 사안임을 감안, 실현된도록 협조하여 주시기바람(이에 대해 조사단장은 동건이 현재 관계부처에 의해 검토 중이라고

언급함)

5. 조사단장는 사우디에서 공식일정을 전부마치고 단장은 귀국, 단원들은 요르단 방문후 귀국예정임

(대사대리 박명준-국장)

예고:91.6.30 일반

수신처:청와대, 총리실, 경기원, 재무부, 상공부, 건설부

1991 . 6. 30.에 예고문에 의거 일반문서로 재분류됨.

PAGE 3

0031

관리번호 91-142

외 무 부

종 별 : 지 급

번 호 : SBW-0672　　　　일 시 : 91 0305 1940

수 신 : 장관(중일,경이,미북,기정)사본:수신처참조

발 신 : 주 사우디 대사대리

제 목 : 걸프사태조사단보고(7)

연:SBW-671

조사단은 두바이(2.25), 카이로(2.28)및 리야드(3.4)에서 동지역 진출상사및 건설업체대표들과 간담회를 개최, 전후대중동지역 건설진출및 상품수출확대 방안에 관하여 의견교환 하였는바, 그결과를 다음과같이 종합 보고함

1. 수출확대

가. 전후 중동지역 수출환경변화

1)전전 두바이 지역은 풍부한 INFRASTRUCTURO, 자유무역항 정책 및 활발한 금융기능등에 힘입어 중동및 아프리카지역에 대한 중계무역 기지와 일부 대 동구권 진출기지로서의 역활을 하였으나, 전후에는 두바이의 이러한 역할이 다소 영향을 받을 가능성이 있을것임, 이러한 가능성에 대체하여 UAE 정부는 두바이지역의 물류처리기능 보강및 대쿠웨이트 중계무역기능대행등 자유무역항 정책을 강화할것으로 보여 두바이를 통한 중계수출도 계속 추진해야할것임

2)걸프사태관련하여 GCC 국가들에게 비협조적인 태도를 취한 예멘, 팔레스타인, 수단및 요르단 출신 근로자와 상인의 축출 또는 쿼타감축이 예상됨에 따라인도, 방글라 및 이집트근로자가 대량 유입될 전망이므로 아국산 중저가의 가전제품, 섬유제품등에대한 신규수요가 예상됨, 특히 인구가 많은 이집트의 경우 금번 걸프전으로 인하여 160 억상당량의 외채탕감, GCC 국가에대한 인력송출 쿼타 확대로 인한 해외송금수입증가 및 시장경제체제로의 전환등으로 수입수요가 증대될것으로 보임

3)중동지역중 아국의 최대 수출국인 사우디는 걸프전에 대비하에 작년하반기 주요생필품 및 상품을 대량비축하였기 때문에 전후에는 단기적인 특수요인은 없을것으로 보임

중아국	장관	차관	1차보	2차보	미주국	경제국	청와대	총리실
안기부	경기원	재무부	상공부	건설부				

PAGE 1　　91 3 6

91.03.06 05:04

외신 2과 통제관 CA

0032

그러나 당분간 쿠웨이트 항만시설의 미가동, 쿠웨이트 거상들의 사업기반이사우디지역으로 옮겨진점을 감안 하면 사우디경우 대 쿠웨이트 중계 수출이 활기를 띨것으로 보임

나. 건의사항

1)최근 2-3 년동안 아국산 상품의 가격경쟁력이 크게 약화되고 있을뿐 아니라, 품질마저 크게 떨어져 시장 점유율이 위축되고 있음, 적극적인 노임의 안정및 품질관리를 통한 경쟁력재고가 요망됨

2)중동지역의 시장잠재력이 점점증대하고있으나 본사및 제조업체에서는 재고 처분시장으로만 간주하여 소극적인 마케팅및 수주분에대한 생산일정지연, 주문에대한 응신기피등 아국기업의 신뢰도를 저하시키고있어 시장개척 활동의 강화가 필요함

3)한국의 기술수준과시 및 아국상품의 신뢰도증지을 위해서는 자동차수출이증대되어야함으로 아국 자동차의 적극적인 진출을 유도하여줄것

4)걸프전발발이후 수시로 변화화는 시장정보의 입수와 대응책 마련에 있어 각상사들이 기동력을 발휘하지 못한 사례가 있으므로 그에대한 분석과 평가가 필요할것임

5)걸프전이후의 신규수요에 대비하여 세일즈맨단을 조속히 구성하여 파견할것, 특히 중소기업을 중심으로 구성하되 두바이, 담맘, 리야드, 제다및 카이로 지역에 중점적인 활동전개가 필요함

2. 해외건설

1)걸프전 종료에 따라 전쟁지역이었던 쿠웨이트, 이락의 전후피해복구사업은 물론 인근지역인 GCC 5 개국에서도 국가안보체제 강화를위한 군사시설의 건설과 지역내 정치적 안정을 위한 각종사회간접자본건설이 전개될것으로 전망됨..

2)특히 쿠웨이트의 경우에는 대대적인 전후복구사업이 발주될것으로 예상되나 대규모 기술집약형 공사는 미국, 영국등 선진국의 업체들이 수주할것이기 때문에 아국업체들은 이들 선진국업체들로 부터 하청수주를 도모하는것이 바람직하다는 의견이 많았음

3)우리 해외건설업체들은 본사에 쿠웨이트 전후복구사업참여에 대책 TASK FORCE 팀을 설치, 미국등 선진국업체및 쿠웨이트전후복구사업소(KEPR)및 C.O.E 와 접촉하고있는 것으로 보였음

4)쿠웨이트 전후복구사업참여는 업체의 노력만으로는 어렵기때문에 정부의

외교적인 지원이 기대된다는 의견제시가 있었음

5)현재 아국의 해외건설업체들은 근로자등의 해외근무기피, 임금의 상응, 생산성 저하등의 요인으로 중동지역에서 경쟁력이 심히 저하된 상태이기 때문에 실질적으로 쿠웨이트지역의 전후복구사업참여 가능성은 그렇게 낙관적으로 보지않는 의견을 제시하는 업체가 많았음

6)따라서 쿠웨이트전후복구사업을 비롯한 중동지역에서의 아국의 해외공사을 수주경쟁력 강화를 위하여 진출업체인력의 근로소득에 면세점 상향조정, 주택특별분양배려, 과당경쟁의 사전방지를 위한 규제방안 강구및 쿠웨이트 전후복구사업참여 기회확대를 위한 진출지정제도의 전향적개선등 정부의 적극적인 정책대응이 필요하다는 의견이 많았음

7)쿠웨이트 전후복구사업과관련, 사우디, 이집트, 터키등 업체들이 강력하게 참여를 추진하고 있는것으로 관찰되기 때문에 아국업체와의 수주경쟁이 불가피할것이라고 전망하고있었음

8)한편, 사우디는 쿠웨이트복구사업에 있어 약 30%의 지분을 요구하고있어 사우디기업과 공동으로 수주활동을 전개할 경우 참여가능성이 클것임.끝

(대사대리 박명준-국장)

예고:91.6.30 일반

수신처:청와대, 총리실, 경기원, 재무부, 상공부, 건설부,

1991 . 6 . 30.에 예고문에
거 일반문서로 재분류됨.

원 본

외 무 부

종 별 :

번 호 : SBW-0706 일 시 : 91 0307 1630

수 신 : 장 관(중일)

발 신 : 주 사우디 대사

제 목 : 걸프사태 조사단장 기자회견

1.금 3.7 RIYADH DAILY 지는 2면에 5단기사로 조사단의 주재국 방문목적, 한.사우디, 한.쿠웨이트간 경제협력관계, 한국의 전후 복구사업 참여 한국의 걸프전기여 내용등에 관한 단장의 기자회견내용을 사진과 함께 게재하였음

2.동기사전무 차편 송부위계임

(대사대리박명준-국장)

중아국

PAGE 1

91.03.08 09:51 WG

외신 1과 통제관

0035

주 사 우 디 아 라 비 아 대 사 관

주사우디(영) 20830 - 105　　　　　　1991. 3. 10

수 신 : 장 관

참 조 : 중동아프리카국장

제 목 : 걸프사태 조사단장 기자회견 기사

인 : SBW - 706

연호, 표제관련 3. 7자 RIYADH DAILY 지에 게재된 기사를 별첨, 송부합니다.

첨 부 : 동 기사 사본 1매. 끝.

주 사 우 디 아 라 비 아 대 사

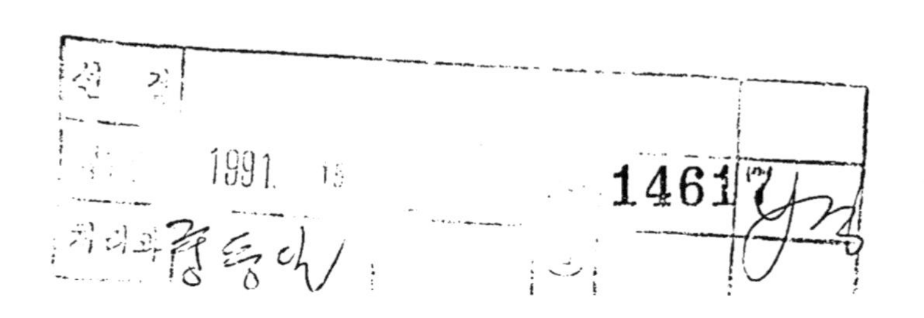

0036

91. 3. 7자 RIYADH DAILY 지

Korean team seeks Kuwait projects

By VINOD MENON
Riyadh Daily Staff

RIYADH — An eight-member fact finding mission from Korea was in the Kingdom this week to explore the possibilities of Korean firms participating in the reconstruction projects in Kuwait.

Korean Assistant Foreign Minister Ki-Choo Lee, who headed the delegation, told *Riyadh Daily* that Korea had over the years accumulated considerable expertise in construction and other activities. "We are prepared to extend our cooperation to the multinational efforts in reconstructing Kuwait," he said.

Asked what areas of reconstruction Koreans could be involved in, he said that the scope was wide. Before commencement of any work, an assessment had to be made by Kuwait on the exact requirements. After this was done, the Kuwait government would invite foreign governments or firms to take up various projects, he said.

On whether Korea would also be participating in reconstruction work in Iraq, Lee said: "That depends upon what kind of leadership will emerge there."

Referring to the business ties, Korea has had with Saudi Arabia and Kuwait, Lee said that his country had "substantial" trade with both these countries. He said Korean companies had undertaken many construction projects in Saudi Arabia and Kuwait since the oil boom. Some

LEE

projects in Kuwait were in the process of completion at the time of the crisis, he said.

Speaking about supplies to the Gulf, he said: "As a result of the war, I think many countries in the region need certain commodities, which my country might be able to supply."

Lee further noted that the Korean ambassador to Kuwait was in touch with the Kuwaiti authorities on the issue of reopening the Korean Embassy in Kuwait. The ambassador was in Kuwait right until November and now he's in Riyadh. No specific timetable has been set for the reopening of the embassy, he said.

The official referred to his visit to the Kingdom as "encouraging." Beside meeting government and business officials, Lee also met Korean nationals here who had preferred to stay on despite the war.

Speaking about the importance attached by Korea to the region, Lee said: "We have great interest in the peace and stability in the region... we are interested in preserving this stability as we have close relations with the countries of the Gulf. In fact, that is the interest of every country in the world."

The assistant minister pointed out that his government had extended full support to the resolutions of the United Nations on the Gulf crisis. Korea has pledged $500 million toward the multinational efforts in restoring peace in the Gulf. Besides, Korea had also despatched a medical team and had sent military transport units during the war. "We believe we have fulfilled our responsibilities toward the international community in efforts to bring peace to the Gulf. We are happy with the results," he said.

0037

「걸프特需」 눈앞에… 자동차·生必品 수출 有望

政府조사단, 現地조사 報告

한달內 공급가능한 1백5개목록 전달

건설業體들은 美社등서 下請受注 추진

0038

지난달 말 걸프전쟁이 끝남에 따라 총1천억달러가 소요될 것으로 예상되는 쿠웨이트 복구사업을 둘러싼 세계 각국의 受注경쟁이 치열한 가운데 우리 정부와 업계도 조만간 中東에 시장개척단을 파견키로 하는 등 걸프 特需가 눈앞에 나타나고 있다.

아직 본격적인 수주가 이루어지고 있는 것은 아니지만 中東지역으로부터 수입의 향서가 계속 접수되는 가운데 종합무역상사를 중심으로 계약체결 등 特需가 가시화 되고 있으며 자동차·건설·섬유·전자 등 분야에서의 다량 수출이 유망시되고 있다.

외무부와 상공부 등 6개 관련 부처 관계자들로 구성, 中東지역에 파견됐다가 지난 9일 귀국한 정부조사단의 中東현지 조사 결과에 따르면 단기적으로는 식품과 의류·생활필수품의 수출이 유망한 것으로 전망되고 있다.

반면 우리나라 건설업계의 복구사업 참여는 앞으로 3개월 동안에 걸쳐 집행되는 총12억8천만달러의 쿠웨이트 긴급복구사업 자금을 美國측이 이미 선점, 하반기 이후에나 가능할 것으로 보인다.

특히 건설분야는 우리나라의 기술력과 인건비 상승 등으로 美國과 독일·프랑스 등에 비해 경쟁력이 뒤떨어지는데다 美·英·프랑스 등 전쟁 주도국의 기득권행사로 직접 참여를 못하고 낙찰업체의 하청을 받거나 日本과의 합작으로 공동참여를 모색하는 것이 바람직한 것으로 지적되고 있다.

현재 걸프전쟁 후 쿠웨이트의 복구사업은 전체의 70%를 美國 기업이, 20%를 英國 기업이 그리고 나머지를 다른 유럽 기업과 기타 국가들이 각각 차지한 것이 확실시된다. 이미 쿠웨이트 정부가 걸프전쟁에의 군사적 기여도에 따라 사업을 발주한 방침을 밝혔기 때문이다.

이번 전쟁에 지원금만 약속하고 군대를 파견하지 않은 日本은 「경제적 동물」이라는 인상을 주지 않기 위해서 공식적으로는 수주활동에 나서지 않고 하청공사 또는 美國기업과의 합작진출을 모색하고 있다.

정부조사단은 이번에 사우디아라비아의 담맘에서 쿠웨이트로 이동하는 쿠웨이트정부관계자들과 접촉, 국내의 재고량이 충분해 1개월이내에 수출이 가능한 1백5개 생필품의 목록을 쿠웨이트측에 전달해 좋은 반응을 얻은 것으로 밝혀졌다.

이에따라 전쟁발발직전 지사원들을 철수시켰던 三星물산·現代종합상사·(주)大宇·럭키금성상사·(주)쌍용 등 국내 종합상사들은 이미 지사원들을 복귀시키고 고위급 수주단을 파견토록 하는 등 수주에 열을 올리고 있다.

이들은 쿠웨이트로부터는 복구사업 1단계인 전후 90일동안 긴급물자 및 서비스공급계획에 따라 철강제품·가전제품·섬유제품의 수요가 늘어나고 사우디아라비아에서는 섬유직물·담요·일용잡화·가전제품·철강·비금속제품 등의 수입이 많아질 것으로 보고 있다. 또 주변국가들도 전후 경기활성화로 수입물량이 크게 늘 것으로 예상하고 있다.

업종별로는 건설분야의 경우 동아건설이 국내 최초로 10억달러가 넘는 쿠웨이트 통신시설복구공사를 따낸 것으로 전해지는 가운데 現代건설·大林산업 등도 건물·도로·교량 등의 복구사업참여를 위해 美國의 벡텔社 등과의 합작 또는 하청을 추진중이다.

섬유는 전쟁의 영향으로 中東국가들의 군사시설이 확대되고 재정상태의 호전이 예상됨에 따라 中東의 구매욕구가 살아나면서 직물류·군복 등 유니폼과 담요·일반의류 등의 수요가 일어 짭짤한 재미를 보고 있다.

걸프전 終戰이후 아직은 별다른 수주가 일지 않고 있는 전기·전자는 전쟁발발전에 수주를 받고 선적하지 못했던 물건들을 일제히 中東으로 출발시키고 있다.

전쟁당사국인 쿠웨이트로부터 앞으로 통신시설외의 컴퓨T·V·VCR·라디오·냉장고·세탁기·에어컨 등의 민수용품에 대한 대량주문이 있을 것으로 업계는 기대하고 있다.

자동차는 아시아자동차가 지난해말 사우디아라비아에 지프·트럭 등 3백32대를 수출한데 이어 終戰후 사우디로부터 다시 1억달러상당의 지프·트럭 1천1백대의 주문을 받아 현재 가격·인도시기 등 구체적인 사항을 협의하는등 수출이 눈에 띄게 늘고 있다.

그러나 中東特需를 놓고 美國등 선진각국들이 새로운 경제전쟁을 벌이고 있는 상황에서 성급한 기대는 절대 금물이다. 국내 업체들은 현지의 정치·경제정세에 대한 정확한 정보가 부족, 中東진출계획수립에 애로를 겪고 있다.

특히 업계의 관심은 현재 美공병단(COE)이 중심이 돼 작성중인 피해복구조사보고서에 쏠리고 있다. 앞으로 中東特需는 이 보고서내용에 따라 좌우될 전망이기 때문이다.

국내업체들은 이 보고서에 따른 복구계획에 많이 참여할 수 있기 위해서는 정부나 민간단체의 보다 적극적인 對美경제외교의 추진을 요망하고 있다.

〈鄭鍾錫기자〉

亡命정부의 復舊대책반서 "密室지휘"

쿠웨이트 再建공사 發注는 어떻게

담맘市 호텔에 40여명 專門家팀 구성

1차 10억弗, 2차 6백억弗 계약 분주

쿠웨이트망명정부가 전후복구사업에 눈코 뜰새없이 바쁜 나날을 보내고 있다.

한국무역진흥공사 中東5개국 무역관이 현지 조사를 통해 수집한 자료에 따르면 쿠웨이트 재건의 핵심역할은 현재 사우디 담맘市 오베로이호텔 22층에 마련된 쿠웨이트복구대책반(KERP)이 맡고 있다.

건축가인 알 샤헨씨(43)가 책임자로 있는 KERP는 40여명의 각계전문가로 구성, 전후 90일간에 걸친 쿠웨이트의 1단계 복구계획및 이와관련된 공사계약체결을 주도하고 있다.

1단계 복구계획의 주요내용은 ▲식품 수도및 방역사업▲이라크가 파괴한 5백여개의 유전시설▲정부건물및 호텔등이다.

샤헨씨는 최근 이들의 복구비용으로 기본시설및 서비스복구비로 8억~10억달러를 잡았으나 유전등의 피해액수는 정확히 집계되지 않았다고 밝혔다.

또 2단계 사업인 쿠웨이트市 재건에는 美애리조나州의 피닉스市를 새로이 건설할 때와 같은 6백억 달러이상이 소요될 것으로 美공병대측이 밝히고 있다.

이같은 막대한 수주물량을 두고 각국은 수주모비및 계약 따내기에 혈안이다.

샤헨씨는 현재 2백여건 8억달러규모의 공사계약이 체결되었으며 이중 70%가 美國기업에 낙찰되었다고 밝혔다.

공사를 따낸 美기업들중 공개된 것은 ▲벡텔사의 원유산업복구▲캐터필러사의 할전시설▲모토롤러사의 통신시설▲레이선사의 공항관제시설▲오브리언 고잉 심프슨사의 유전화재진화 등이다.

이러한 美업체의 독주에 가장 불만을 보이고 있는 국가는 英國.

英업체들은 현재 1단계공사량의 22%를 따낸 것으로 알려졌으나 더 많은 계약을 확보하기 위해 특별전담반을 설치하고 6명의 고위정부인사를 쿠웨이트 망명정부측에 파견, 수주활동을 전개중이다.

프랑스도 수주활동에 나섰으나 쿠웨이트에는 큰 기대를 걸지않고 관련공사및 채권이 많은이라크에 눈독을 들이고있다.

日本의 경우는 쿠웨이트측으로부터 환영받지 못하고 있는 실정이나 美건설사및 엔지니어링사와의 합작투자를 모색중이다. 그러나 이같은 각국간의 수주경쟁및 계약체결내용은 일체 비밀에 부쳐져 파악이 어려운 상태이며 KERP측도 폭주하는 내방객및 국제교신으로 특정인사를 제외하고는 면담조차 거절하고 있는 실정.

이때문에 英·美대기업을 뺀 美중소기업과 다국적군에 참가하거나 지원했으면서도 제대로 대접받지 못하는 獨逸·日本·이집트업체의 불만이 대단하다.

우리나라 역시 현지에 진출한 美기업과 협회측과 접촉을 시도했으나 이들이 『아직 계획이 구체화되지 않았다』는 식으로 외면하거나 계약내용을 비밀에 부쳐 애를 먹고있다.

우리나라는 복구사업에 대한 직접참여가능성이 희박, 낙찰업체의 하청이나 日本과 함께 합작을 통해 공동참여하는 방법이 바람직하다는 분석이다.

유망진출분야는 기존의 건설프로젝트와 생필품, 전자, 발전설비등이 점쳐지고 있다.

이같은 전후복구비조달을 놓고 쿠웨이트측의 고심은 이만저만이 아니다.

현재 美·英등에 있는 부동산과 주식등 해외자산이 1천억달러에 달하나 이를 당장 복구자금으로 전환할 수 없기 때문.

이와관련, 알사바재무장관은 지금 『이러한 해외자산의 처분은 없을 것이며 해외차관을 통해 복구비를 충당할 계획』이라고 밝혔다.

이를 위해 쿠웨이트는 이미 신화폐를 英國에서 인쇄, 구화폐와 교환·통용시킬 예정이며 기업들에게 14억달러의 자금을 저리로 융자해 주고있다. 또 쿠웨이트는 수개월후부터나 재개될 원유생산대금으로 6백억달러에 달하는 전비및 복구비용을 충당할 것으로 보인다.

〈朴先和기자〉

이라크군이 철수하면서 파괴한 쿠웨이트市의 발전소가 화염과 함께 검은 연기를 내뿜고 있다. 쿠웨이트는 이라크군의 점령 7개월동안 산업시설의 대부분이 파괴돼 복구에 최소한 6백억달러, 10년가량 걸릴 전망이다.

全産業시설 파손…복구비 2천~4천억弗

美·英·佛등 西方국가의 도움없인 不可能

이라크復舊사업 불투명

쿠웨이트의 전후복구사업이 활발히 추진되고 있는 것과는 대조적으로 이라크의 경우는 內戰 등의 영향으로 극히 불투명한 상태다.

이라크는 다국적군의 공습으로 거의 전산업시설이 파괴돼 수출입은 물론 모든 제조업체의 가동이 거의 중단됐으며 식료품·유류·식수 등의 일반경제활동도 마비상태에 빠져있다.

분야별 피해규모는 통신분야의 경우 전체의 25%가 파괴됐으며 ▲석유생산시설 80%▲발전시설 60%▲화학제품 생산시설 50%▲생산공장의 70%가 가동이 중단된 상태이다.

또 주요도로와 바스라·카사르항등 주요항만, 교량및 정부주요건물과 가옥이 대파됐다.

이같은 피해규모로 볼때 서방측은 이라크의 피해복구 비용이 최소한 쿠웨이트의 2배인 2천억달러, 많게는 4천억달러까지 잡고있다.

피해복구에만도 최소 10년이상이 걸릴 전망이다.

그러나 이같은 피해복구는 美·英·佛등 서방측의 도움없이는 불가능하다.

이라크는 현재 서방측에 약 8백억달러의 외채를 지고있으며 이란과의 8년전쟁과 걸프戰에 충당한 군비 등으로 재정능력이 없는데다 연간 1백20억달러(89년기준)에 달하는 원유수출 수입마저 끊긴 상태이다.

이때문에 현재 전쟁당사자인 美·英·佛 등은 향후 이라크정권의 향배를 봐가며 조심스레 對이라크진출을 모색중이다.

서방측은 기존의 프로젝트와 연계, 油化·전력등 기간산업에 진출한다는 전략을 세워놓고 있으나 이라크에 대한 정보부족으로 이렇다할 실적을 올리지 못하고 있다.

단지 프랑스는 지난해 나시리아의 알루미늄공장건설을 수주, 선수금을 받은바 있어 향후 이공장복구에 대한 기득권에 희망을 걸고있다.

또 이라크 카르그섬의 원유터미널 재건공사를 戰前에 15억프랑에 수주한 ETPM社와 80년대초 바그다드 용수공급망을 건설한 무송社 등이 수주를 위해 사전준비에 들어갔다.

현재 이라크는 12개국에 설치했던 무역센터중 요르단 암만센터를 제외하고 모두 철수, 서방측이 제대로 이라크측과 접촉을 못하고 있다.

서방측의 도움 없이는 불가능한 이라크의 복구대책은 종전협정과 이후에 대금결제방식이 선결돼야만 가능할 것 같다.

이라크는 현재 원유로 공사대금을 지불하는 방안과 延拂지불방안을 요구하고 있으나 이 또한 향후 이라크정권의 향배에 따라 서방측이 받아들인 것이냐에 달려있어 이라크에 큰 부담이 되고있다.

3.14 조선

걸프復旧 5월 본격화

조사단보고 내주초 종합대책 마련

정부는 걸프사태정부조사단(단장 李祺周외무부제2차관보)이 중동지역현지조사를 마친데 이어 13일오후 李廷彬외무부 제1차관보가 美国과의 협의를 끝내고 귀국함에 따라, 다음주초 관련부처 국장들로 구성된 「걸프사태전후 대책위」(위원장 柳宗夏외무차관)를 열어 종합적인 대책을 마련할 예정이다.

대책위에서는 정부조사단의 보고를 토대로 국내기업의 戰後복구사업 참여를 위한 지원방안과 대중동외교방향등이 집중 협의될 예정이다.

지난달 24일부터 지난 9일까지 걸프지역국가들을 둘러보고 귀국한 李祺周차관보는 13일 「쿠웨이트긴급복구위(KERP)에 민생안정용으로 사용될 1백50개의 수출가능상품품목과 우리 건설업체의 참여실적등을 제시했다」고 밝히고 「쿠웨이트정부지도자들은 아시아국가중 사태해결을 위해 많은 기여를 한 한국에 복구사업참여기회가 많이 부여될 것이라고 말했다」고 전했다.

李차관보는 또 「쿠웨이트등 걸프지역국가들의 복구사업은 오는5월쯤부터 본격화될 것으로 보인다」고 말했다. <관련기사 6면>

中東복구 참여 外交교섭 강화

정부는 오는 5월부터 쿠웨이트등 걸프지역 국가들의 전후복구사업이 본격화될 것으로 보고 우리업체의 참여를 위해 해당국가들과의 외교교섭을 강화해나가기로 했다.

지난 2월24일부터 3월7일까지 정부 조사단을 이끌고 걸프지역국가들을 둘러본 뒤 귀국한 李祺周외무부제2차관보는 13일 「쿠웨이트 긴급복구사무처에 쿠웨이트부흥계획에 참여할 건설분야계획서와 민생안정용으로 우리업체가 공급가능한 1백50개 상품목록을 제시해 긍정적인 반응을 얻었다」고 밝혔다.

동아 3.13

3.14 조선

"戰後복구 한국참여 긍정 분위기 企業경쟁력 강화가 成敗 가름"

인터뷰

아랍4国순방 외무부 제2차관보 李祺周씨

「걸프지역전후복구사업참여에서는 우리기업들이 어떻게 경쟁력을 강화하느냐가 관건입니다.」

지난달 24일부터 아랍에미리트연합 이집트 사우디 요르단등 4개국 순방을 마치고 최근 귀국한 李祺周외무부제2 차관보(55)는 13일 「쿠웨이트를 비롯한 대부분국가들이 다국적軍에 대한 우리나라의 기여를 고려하겠다는 입장을 분명히하고 있어, 우리 기업의 진출여건은 충분히 만들어져 있다」며 이같이 말했다.

◇한국의 쿠웨이트 복구참여가 희망적이라고 말하는 李祺周외무부제2차관보

—우리나라의 기여에대한 현지의 평가는.

「매우 높게 평가하고 있었다. 특히 아시아국가중 의료진과軍수송단파견, 경제지원등 3가지를 모두 지원한 나라는 韓国뿐이란 점을 높이 평가했다.」

—우리기업이 경쟁력강화가 관건이라고 했는데.

「우리 건설업계의 해외진출방식이 과거와는 많이 달라져 있다. 인건비가 높고, 근로자들의 작업태도도 과거와는 다르다. 또 中東국가들도 단순건설공사는 현지업체들이 맡아서하는 추세다. 우리기업들이 기술, 임금, 사업선정등 변수를 어떻게 조합해 경쟁력을 강화하느냐에 따라 제2의 중동 건설붐 성공여부가 달려있다고 본다.」

—쿠웨이트복구사업의 진행은.

「쿠웨이트정부는 긴급복구및 민생안정을 위해 KERP(쿠웨이트긴급복구위)를 구성했다. 앞으로 90일간 전기 도로 유전시설등의 복구를 KERP가 일괄적으로 맡아서 하고, 이후부터는 관계부처별로 나눠 추진할 계획이다.」

—쿠웨이트복구사업의 규모는.

「약6백억달러규모가 될 것이란 보도가 있으나 아직 정확한 액수는 추산하기 어렵다. 이중 미국이 복구사업의 70%를 차지할 것이란 전망이 많다.」

—中東부흥개발은행 설치는.

「현지분위기는 IBRD등을 이용하면 되지, 새로운 은행을 만들 필요가 없다는 분위기였다. 다만 걸프 전후복구와 域內貧国지원에 사용하자는 논의는 진행되고 있었고, 우리도 여기에는 참여할 계획이다.」

<金昇泳기자>

0039

3/14 KOREA Herald

'Outlook bright for Korean cos. to join in Kuwaiti rebuilding'

Kuwaiti officials have promised "favorable" treatment for Korean firms which seek to participate in postwar reconstruction of their country, Lee Ki-choo, assistant foreign minister for economic affairs, said yesterday.

He said he offered Kuwaiti officials a list of construction projects in which Korean firms wish to participate and another list of 150 goods for possible export.

Lee K.C.

Lee met them in Taif, Saudi Arabia, last week.

The Kuwaitis showed a "favorable" response and pledged that they would study the lists "positively," said Lee who has just returned from his trip to four Middle East countries — the United Arab Emirates, Egypt, Saudi Arabia and Jordan. He led a government mission on the Gulf war.

Officials of the government-in-exile of Kuwait appreciated Korea's active support for the allied forces during the war, according to Lee.

They were quoted as saying that Korean firms could participate in many projects thanks to Korea's "considerable contribution" during the war.

Lee expects contracts for reconstruction of Kuwait will be made in full scale after the U.S. Army Corps of Engineers completes emergency relief work and damage assessment in May.

Korean firms may make bids for contracts for most projects including those for reconstruction of roads and water and communications facilities, he said.

They may offer bids on their own or seek joint ventures with the United States, Britain and France, Lee said. The firms may also seek partnership with firms of Saudi Arabia and Egypt.

"What seems important now is how internationally competitive and how determined the Korean firms are," he said. He alluded to the rising labor costs in Korea.

When these are overcome, postwar construction in the Gulf will become a chance for the second takeoff for Korean construction firms, Lee noted.

Many Korean firms have been engaged in labor-intensive construction works in the Middle East.

He said many officials of the Middle East countries did not take seriously the proposals for setting up a Middle East reconstruction and development bank or a Marshall Plan for their reconstruction.

They seemed to take the problems facing them more as a matter of policy than as an institutional one, he said.

Asked about the possibility of upgrading consular relations between Seoul and Cairo to diplomatic ones, Lee said Egyptian officials he met in Cairo generally agreed on the necessity.

Lee said the officials indicated that the failure is due to a "special international situation" facing Egypt, by which they apparently meant their relations with Pyongyang.

But the Egyptians expressed satisfaction with growing economic relations between Seoul and Cairo, the assistant minister said.

0040

3/14 서울신문

中東복구 참여폭 클듯

政府조사단장 회견 "쿠웨이트서 공정 반응"

걸프사태 정부조사단 단장인 李祺周외무부제2차관보는 13일 「쿠웨이트 정부는 韓國이 걸프사태에서 다국적군을 위해 많은 기여를 한 만큼 韓國기업들이 쿠웨이트 복구 및 부흥사업에 상당부분 참여할 수 있는 기회를 줄 것이라고 밝혔다」고 말했다.

李차관보는 이날 기자들과 만나 지난달 24일부터 14일동안 아랍에미리트연합·이집트·사우디아라비아·요르단등 걸프지역 4개국을 순방, 戰後복구사업참여및 걸프지역질서재편에 대한 현지조사결과를 설명하면서 이같이 밝히고 「현지조사 결과 우리나라의 원유공급은 전혀 문제가 없다」고 말했다.

李차관보는 또 「쿠웨이트정부의 쿠웨이트긴급복구위(KERD)책임자등과 회담을 갖고 미리 준비해 간 쿠웨이트 복구및 부흥참여계획서와 민생안정용 1백50여개의 생필품목을 제시했으며 쿠웨이트측은 앞으로 한국과 긴밀히 협조해 나가겠다며 긍정적인 반응을 보였다」고 말하고 「앞으로 민간기업이 본격적으로 복구사업 참여활동을 벌이고 정부는 美國·쿠웨이트·사우디등 관련국과 외교경로를 통한 협의를 통해 측면지원활동을 벌일 것」이라고 밝혔다.

3.14

세 계 일 보 1

『제2中東特需 전망 밝다』

걸프4國 순방한 李祺周 외무2차관보

◇李祺周 차관보

인터뷰

"새로운 도약, 業界노력여하에 달려"

『쿠웨이트정부는 한국의 걸프전쟁 지원에 매우 고마워하고 있었습니다. 앞으로 기업들의 노력여하에 따라 전후복구사업에의 참여가능성은 상당히 크다고 봅니다』

정부조사단 단장으로 지난달 24일부터 사우디등 걸프지역 4개국을 순방하고 돌아온 李祺周 외무부2차관보는 13일 美國등 다국적군 주도국의 「獨食」으로 우리몫은 별로 없을 것이라는 당초 전망과는 달리 잘만 대처하면 제2의 中東特需를 맞이할 수 있을 것이라고 조심스럽게 전망했다.

『쿠웨이트나 사우디정부 관계자들과 접촉해보니 「걸프전쟁 기여도에 따라 공사를 배분하겠다」는 게 그들의 방침이더군요. 한국의 기여도에 대한 평가도 상당했구요. 어떤 관계자는 「참된 친구는 어려울 때 알 수 있다」면서 한국에 고마움을 표시했습니다. 한마디로 「한국은 아시아에서 人的 物的지원을 동시에 한 유일한 나라」라는 게 걸프지역 국가들의 공통인식인 것 같았습니다』

李차관보는 외교관계가 없는 이집트에 들렀을 때도 이집트정부측으로부터 수교국이상의 대접을 받았다고 전했다.

『이번 순방중 쿠웨이트측에 우리기업이 참여할 수 있는 건설공사 계획서와 공급가능한 1백50여종의 生必品리스트를 제시했습니다. 앞으로 문제는 업계의 노력에 달려있다고 봅니다. 우리 건설업계는 인건비도 상당히 올랐고 기술수준은 선진국에 못미칩니다. 그러나 업체들이 열심히 뛰면 건설업계가 새로운 도약기를 맞이할 수 있습니다. 몇몇 업체들은 이미 美國 쿠웨이트쪽과 활발한 접촉을 갖고 있는 것으로 압니다』

李차관보는 우리가 따낼 수 있는 공사규모에 대해서는 「정확한 규모산정이 곤란하다」고 구체적 언급을 피하면서도 지금까지 쿠웨이트내 건설공사에 대한 우리업체 수주비율 6%선은 넘어야되지 않겠느냐고 말했다.

『전쟁으로 파괴된 시설들의 복구공사가 끝나고 중동지역의 장기적 안정을 위한 부흥계획이 시작되면 우리의 참여폭은 더욱 늘어날 수 있을 것으로 봅니다. 中東국가들은 짧은 기간 급속한 산업화를 이룬 한국의 경험에 큰 기대를 갖고 있습니다』

〈朴正薰기자〉

0041

정 리 보 존 문 서 목 록					
기록물종류	일반공문서철	등록번호	2021010217	등록일자	2021-01-28
분류번호	760.1	국가코드	XF	보존기간	영구
명 칭	걸프사태 : 전후복구사업 참여, 1991-92. 전6권				
생 산 과	중동1과/경제협력2과	생산년도	1991~1992	담당그룹	
권 차 명	V.2 대책, 1991.2-4월				
내용목차	* 대책회의 및 자료 등				

0001

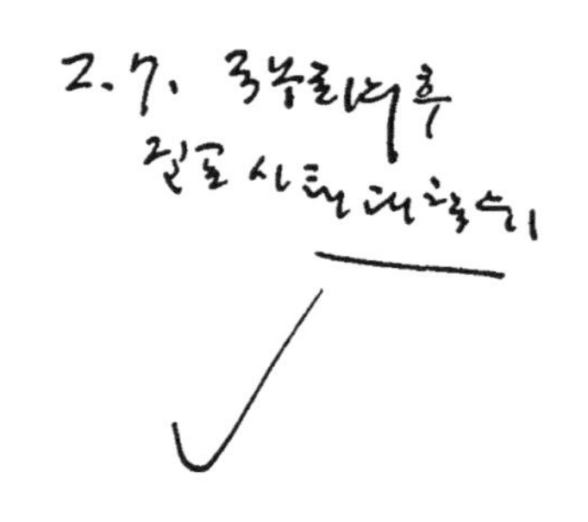

걸프事態 特別對策

推進狀況 및 向後對策方向

1991.2.7.

國務總理行政調整室

(걸프事態綜合狀況室)

0002

目　次

0003

Ⅰ. 戰況 및 國內.外 動向

> ㅇ 多國籍軍의 이라크에 대한 大規模 空中爆擊으로 시작된 걸프戰은 이라크의 空軍力 喪失이 致命的이지는 않으며 地上軍이 健在한 가운데 이스라엘.사우디에 대한 간헐적인 SCUD미사일 攻擊등으로 開戰初의 短期戰 展望을 깨고 長期戰의 양태를 보이고 있음.
>
> ㅇ 이에따라 兩 陣營은 地上戰을 앞둔 前哨戰的 攻防을 交換하는 가운데 雙方이 적지 않은 被害를 보고 있으며 最近 多國籍軍에 의한 함포사격등은 本格的 地上戰이 臨迫함을 示唆하고 있음.

□ 多國籍軍

ㅇ 壓倒的으로 優勢한 海.空軍力을 利用, 開戰以後 47千回以上의 大規模 空襲實施로 海.空權 完全 掌握
- 通信情報 및 兵站施設, 核.生物.化學武器 製造施設의 大量 破壞등 이라크에 대한 源泉的 戰鬪遂行能力 破壞
- 本格的 地上戰 突入을 위한 整地作業으로 이라크-쿠웨이트 補給路 遮斷에 注力

□ 이라크軍

ㅇ 이스라엘.사우디에 대한 간헐적 미사일 攻擊, 사우디 奇襲侵攻등으로 이스라엘 參戰을 誘導 宗敎戰爭化, 地上戰의 早期擴戰을 통한 反戰무드의 造成에 注力
- 사우디 "카프치"市 奇襲侵攻(1.29)
- 후세인, 一線司令官에 化學武器 使用承認說

0004

- 1 -

□ 國際政治.外交動向

o 美國 부시大統領은 걸프戰爭이 "當初計劃대로 蹉跌없이 遂行" 되고 있으며, 곧 美國防長官을 사우디에 派遣 "戰況分析과 地上攻擊時期를 檢討"케 하는등 戰爭遂行意志를 強力히 表明하고 있는 反面

o 이라크의 후세인은 汎아랍圈의 團結을 호소하면서 決死抗戰 決意를 表明

o 한편 이란의 라프산자니 大統領이 中東事態解決의 仲裁役을 자임하고 있으며 蘇聯,佛蘭西등도 이에 呼應하는등 中東事態의 平和的 解決움직임이 胎動하고 있음.

□ 國內外 經濟動向

o 事態勃發 初期에는 걸프戰爭이 短期戰이 될 것이라는 展望에 따라 國內外 金融市場 共히 株價가 急騰하고 달러貨, 金利등도 安定勢를 보임

o 그러나 걸프事態가 3週日에 접어들고 戰爭이 長期化 조짐을 보이면서 國際金融市場은 平常時와 같이 諸般 經濟事情에 따라 小幅 騰落하고 있음.

o 原油價格도 初期에 급락하였다가 現在 戰爭前보다 下落한 水準에서 安定勢를 維持

0005

Ⅱ. 特別對策 推進狀況

1. 政府의 非常對應態勢 確立

<table><tr><td>o 對外的으로 "多國籍軍에 대한 支持를 천명"함으로써
우리의 國際社會에서의 役割을 分明히 하고
o 對內的으로 國家安全保障會議 및 緊急臨時國務會議등을
開催, 汎政府的 對應態勢를 迅速히 構築</td></tr></table>

□ 公職者 非常勤務態勢 強化

o 公職者 服務態勢強化 및 關係長官 現場確認 督勵
(1.16,1.19國務總理指示)

o 걸프綜合狀況室(國務總理室)을 비롯 各部處別 狀況室
設置運營(20個 機關)

□ 全軍 警戒態勢 強化

o 早期警報 및 戰爭監視 活動強化(1.14)
o 對테러 豫防活動 및 危機措置班 強化運營(1.17)
o 美8軍, 全駐韓美軍에 夜間 通禁實施(1.26)
o 大統領, 全軍 警戒對備態勢強化 再強調 指示(2.3)

□ 警察勤務態勢 強化
o 外國公館邸 警備強化(837名 → 2,286名)
o 空港灣 및 主要施設 警戒強化
- 空 港 灣 (288名 → 630名), 主要施設 (277名 → 408名)

□ 出入國管理 및 安全對策 推進
o 不純 危害分子 潛入防止를 위한 動向監視強化
o 出入國管理 強化

0006

2. 僑民安全 및 撤收

撤收希望僑民에 대한 特別機 運航, 現地公館을 통한 現地僑民 및 勤勞者 安全地域 待避誘導등을 통하여 僑民安全 圖謀

□ 僑民輸送을 위한 特別機 運航(4回)
- o 僑民 1,286名, 醫療陣 等 160名 輸送

□ 僑民安全對策
- o 걸프地域 殘留僑民(8個國 4,809名) 安全地域 待避誘導
- o 防毒面 支援 : 7,609個(政府支援 2,232個)

3. 多國籍軍 活動支援

유엔의 國際平和努力에 同參하여 韓國의 國際的 位相을 提高시키며 韓半島 有事時 集團安保基盤 擴充과 韓.美安保協力關係의 增進을 圖謀

□ 軍醫療支援團 派遣
- o 醫療支援人力(154名) 派遣(1.23)

□ 韓國 空軍輸送團 派遣 — 國會同意後 早期派遣
- o 2.5 軍輸送支援 事前協調團 派遣(14名)

□ 軍費支援 : 500百萬弗(1次 220百萬弗, 2次 280百萬弗)

0007

4. 石油需給 安定施策

o 當初豫想과 달리 國際原油價 및 需給狀況이 安定勢를 維持함에 따라 國內導入 原油確保 및 油類價도 安定基調를 維持 * 開戰初期 등유 및 경유에 대한 一時 假需要가 있었으나 政府備蓄分 緊急放出로 現在 正常回復

□ 原油輸送 圓滑化 措置

o 걸프地域 사우디入港 統制基準 緩和(1.22)

* 原油導入 및 確保狀況(1.31, 現在)

- 原油導入 : 27.56百萬 배럴(1月目標 對比 97.2%)

- 原油備蓄 :100.9百萬 배럴(88 日分)

□ 石油需給 安定措置

o 暖房炊事用 油類 政府 備蓄分 放出

- 1.16 ~1.31 간 경유 513千배럴, 등유 333千배럴

o 石油類 流通秩序確立

- 全國注油所 合同團束實施 : 586個業所

. 등유販賣記錄簿 未備置등 164個業所 摘發

- 石油販賣所의 出庫制限.配達忌避.價格違反등 指導.團束

0008

5. 經濟安定施策

> o 戰爭勃發 初期段階에서 라면등 一部 生必品과 등유등의 사재기現象이 있었으나 漸次 國民의 心理的 安定 回復과 政府의 迅速한 對應措置로 現在 正常으로 回復된 反面
>
> o 戰爭長期化에 따른 輸出 및 海外建設部門의 隘路要因이 增大되고 있고 國內與件의 複合的 作用에 의한 物價上昇이 두드러지고 있어 이에대한 多角的 對應策 講究가 要求되고 있음.

□ 輸 出

o 貿易金融 融資期間 延長(51億원)
o 輸出 환어음 不渡處理 유예(788億원)
* 걸프事態關聯 輸出蹉跌額 : 606百萬弗

□ 海外建設

o 未收債權關聯 증빙書類確保
o 殘存 裝備.資材에 대한 現地人 委託管理措置
* 海外建設 未收債權 現況 : 1,401百萬弗

□ 物價安定

o 上半期中 公共料金引上 不許(大衆交通 料金만 引上)
o 農畜産物 緊急輸入 및 政府保有米 放出
o 石油.生必品 價格不當引上 및 買占賣惜 團束

0009

6. 에너지節約 및 汎國民 消費節約運動

> ㅇ 政府의 에너지節約 關聯施策에 대한 國民들의 積極的 支持 및 協調로 에너지節減의 實效를 거두고 있으며 (電力消費量 1.9%減少, 휘발유 消費 10%이상 節減)
>
> ㅇ 또한 政府의 多角的인 對國民弘報.啓導活動과 言論, 民間運動團體등에서 輿論先導에 솔선 參與하고 있어 새秩序.새生活運動의 擴散契機가 되고 있음.

□ 에너지 節約

ㅇ 自動車 10部制 運行(1.21까지 啓導 1.22부터 團束)

* 一部 施行上 隘路部門 補完施行

- 大學入試 試驗日 受驗生 搭乘車輛에 대한 團束 留保
- 車輛番號 끝자리 "1"인 車輛의 31日 解除
- 설날 特別輸送期間中 全車輛 解除(2.14 ~ 17)

ㅇ TV放映時間 短縮 : 2.4부터 2時間 短縮

ㅇ 街路燈 隔燈制 및 大型 네온사인 使用 全面禁止

ㅇ 建物 室內溫度調整, 에너지多消費業體 定期休日制(週1回) 實施등

□ 汎消費節約 國民運動實踐

ㅇ 民間 團體의 積極呼應
(經實聯, 主婦클럽聯合會, 基督敎總聯合會 등 各民間團體)

ㅇ 消費節約 市民運動展開(各 地方自治團體)

0010

Ⅲ. 向後對策 推進方向

□ 開戰初期 緊急狀況에 대한 "期間槪念"의 對應態勢를 戰爭의 長期化 및 國際經濟動向에 맞추어 보다 安定的으로 調整施行

⇒ 걸프事態의 狀況設定에 대한 槪念 再定立

(1.30 걸프事態特別對策實務委員會 開催)

- 現在의 初短期(10日), 短期(1~3個月), 長期(3個月以上)로 되어 있는 "期間槪念"대신
- 戰爭變化推移와 이에 따른 油價 및 原油需給狀況, 經濟.社會的 與件등을 考慮 政策對應段階를 彈力的으로 設定

⇒ 戰爭狀況의 特別한 變化가 없는 한 現行 걸프事態關聯 政府措置의 持續實施

□ 戰爭 長期化에 따른 隘路部門支援策 講究등 經濟安定施策推進

⇒ 걸프事態關聯 海外建設.輸出등 支援策

0011

□ 戰爭狀況으로 造成된 消費節約 및 에너지節約에 대한 國民的 각성을 國民의 意識속에 日常 生活化

⇒ 汎國民的 勤儉.節約運動의 擴散

(새秩序.새生活運動과 連繫推進)

□ 걸프戰爭 遂行過程 및 그 以後의 國際秩序 變化 可能性에 銳意 對處

⇒國際的 協力基盤 強化 및 實利外交追求

걸프사태로 인한 수출업계 애로해소방안

1991. 2. 7

상 공 부

0013

Ⅰ. 걸프사태의 영향과 무역업계 실태

1. 걸프사태로 인한 수출차질현황

o 걸프연안지역의 불안으로 네고업무 일부중단, 선박기항 제한 및 보험료인상등으로 동지역에 대한 수출업계의 자금난 심화

- '91.2.6 현재 8개 종합상사를 포함한 207개 업체가 약 606백만불의 직접적인 수출차질 발생

< 직접적인 수출차질 현황 >

(단위 : 백만불)

계	네고후 미회수	선적후 미네고	생산후 미선적	생산중단, 미생산
606	7	140	76	383

- 수출대상국별 피해로는 사우디와 UAE가 전체의 25%를 차지

- 품목별로는 섬유가 전체의 38%를 점하고 있어 특히 그간 수출부진으로 어려움을 겪고 있던 섬유업계에 어려움을 가중

< 수출피해 품목별 비중 >

(단위 : 백만불)

계	섬 유	전자・전기	철강・금속	기 계	기 타
606	230	28	174	19	155

1

0014

2. 최근 무역업계실태

o 작년 8월 이라크의 쿠웨이트 침공이후 대중동수출이 급격히 둔화된데다 금년 1.17 걸프전 발발이후 신규상담 및 주문이 거의 단절된 상태로 중동지역 의존 수출업체의 타격이 큼

- 대중동 수출증가율 : '90.1~7 월 △1.4% → '90.8~11월 △19.2%

- L/C 래도후 생산·선적이 1~2 개월 소요된다고 볼 때 단기전으로 끝나더라도 1/4 분기 대중동 수출은 상당한 차질 예상

o 걸프전쟁은 대중동지역에 대한 직접적 수출차질 뿐만 아니라 세계 경기침체에 따른 중동이외지역의 수입수요감소를 유발하여 우리의 전체수출에도 커다란 영향

- 대업계 실태조사결과 (1.18~1.24, 중동수출의 70%를 점하는 56 개사), 1개월내 종결시 751백만불, 3 개월 지속시 1,861백만불, 장기화시 2,900백만불 차질예상

o 무역업계는 정부의 무역금융 융자기간 연장등의 조치도 불구하고 자금난을 호소

- 전쟁 발발후 신규주문 중단, 재고 누적등으로 자금난을 겪고 있어 사태지속시 자금력이 취약한 중소기업의 연쇄도산 우려

- 주문이 있어도 수출보험 미인수, 선박회사 운항스케줄 미확정으로 선적지연

- 대중동 수출분의 수출선전환도 국내업체간은 물론 일본등 주요국도 여타지역으로 전환하므로써 경쟁격화

- 대부분의 종합상사들은 미수금의 일부상환 및 연체이율 적용, 하청업체 생산자금 결제등으로 심한 자금난을 겪고 있으며 걸프전이 장기화될 경우 자금난이 더욱 심화될 것임

2

0015

II. 그동안 상공부에서 조치한 사항

1. 걸프사태 비상대책반 운영

o 상공부 비상대책반 확대운영 ('91.1.17)
 - 대책반장 : 제1 차관보
 - 실무반장 : 상역국장 및 산업정책국장
 - 1.17부터 사태종결시까지 24 시간 철야근무체제 실시

o 수출유관기관등의 비상대책기구 운영 ('91.1.17)
 - KOTRA, 무역협회, 수출입은행 및 삼성물산등 대중동 수출입업체에 비상대책반 설치운영

2. 걸프사태로 인한 수출차질현황 일일점검

o 각 수출유관기관 및 업체로부터 보고받은 수출입피해 현황을 일일 점검하여 지원대책 강구

3. 대중동 수출업체 지원대책 강화

o 수출어음보험 인수관련조치

 - 당초 한국수출입은행에서는 중동12개국 전체에 대하여 수출어음보험 인수를 중단할 계획이었으나 우리부요청으로 인수범위조정 ('91.1.18)
  . A 그룹 : 전쟁발발 즉시 인수중단
  . B 그룹 : 사태의 추이에 따라 인수중단여부 추후 결정

A 그룹 :	이스라엘, 사우디아라비아, 요르단, 시리아 (전쟁당사국이 될 것으로 예상되는 국가)
B 그룹 :	이집트, 터어키, 이란, UAE, 카타르, 바레인, 오만, 예멘 (확전이 되는 경우 전장화 가능국가)

 - 현재 대중동지역 대금결재와 상품인도에 차질이 없으므로 인수중단한 A 그룹국가에 대해서도 2.4일자 선적분부터 전면인수재개 ('91.2.1)

3

0016

o 각 외국환은행에 대중동 수출업체 애로사항 지원협조 요청('91.1.19)

- 우리부에서 1.15 요청한 사항에 대하여 한국은행에서 각 외국환은행에 최대한 협조토록 지시
  . 외국환은행의 대중동 수출환어음 네고기피 방지
  . 네고후 수출대금 미회수분에 대한 제재면제
  . 무역금융 융자한도 초과지원 협조
  . 무역금융 및 무역어음 상환기간 연장 (90일 → 135일)

4. 주요물자 수급동향 점검

o 생필품 매점매석, 사재기등 동향점검
  - 한국수퍼체인협회, 한국백화점협회, 전국수퍼마켓 협동조합연합회등 6 개 유통관련단체에 수급동향보고 지시

o 생필품 수급동향조사
  - 전쟁발발 직후인 17 일, 18일에는 라면, 쌀, 부탄가스등의 수요가 급증하였으나 19 일에는 정상수준으로 환원

o 공산품수급 및 가격안정대책 시행 ('91.1.30)
  - 국제원자재 가격하락 및 세제개편등에 따라 가격인하가 가능한 18개품목 (화장지, 모직물, 가전제품등) 가격인하
  - 물가비중이 큰 150개 주요공산품의 가격동향점검
  - 기초원자재 및 주요건축자재의 수급 및 가격동향점검

5. 자동차의 10 부제 운행제한에 따른 제조업체의 애로사항 일부해결

o 제조업체 명의로 등록된 자동차로서 생산직 근로자의 출퇴근용으로 사용하는 대형버스 (36 인승) 에 대하여는 시. 도지사가 발급하는 " 운행제한예외" 표시를 부착할 경우 운행가능토록 함 ('91. 1. 21)

o 동완화조치로도 중소기업체의 불편이 완전히 해소되지 않아 추가완화 방안을 교통부, 동자부등 관계부처와 협의중임

6. 수출업계에 대한 현장점검

국장이상 간부급 직원의 수출차질업체 방문점검 (1.26 - 2.2) 을 통하여 파악된 수출업계의 애로사항은 다음과 같음

o 무역금융 및 무역어음 관련사항

- 수출기업의 경영애로타개를 위하여 대기업에도 무역금융 재개요망
- 무역어음도 한국은행에서 재할인되도록 요망

o 자금지원 및 L/C 관련사항

- 대기업들이 LOCAL L/C 취급을 기피하지 않도록 제도개선 필요
- 네고시 L/G 조건등을 달지 않도록 외국환은행과 협조필요
- 중동지역에 대한 섬유수출등 타격이 심한 대구지역업계의 특별자금 (1,500억원) 긴급지원 요청

o 중소수출업체 근로자의 출퇴근에 필요한 소형버스 (9 인승) 및 전세버스는 차량10부제 운행제한에서 제외

III. 향후대책

o 단기적으로는 정부가 기발표한 시책이 차질없이 시행되도록 실효성을 확보하고 수출차질에 따른 외국환관리. 자금지원대책등을 마련하며 o 사태의 추이를 면밀히 분석하여 전쟁이 장기화될 경우 수출기업의 경영안정대책, 신시장개척활동강화 및 산업구조조정 작업을 촉진해 나가겠음

5

0018

단기대책

o 기발표시책의 실효성 확보

- 대중동수출 환어음 네고 원활화

. 대중동 수출환어음의 네고가 1월 22 일부터 재개되고 있으나 일부 에서는 아직도 Clean 네고를 거절하거나 추심 또는 L/G네고를 강요

- 무역금융 융자한도초과 특인실적 전무

. 무역금융 융자기간의 연장은 1.30 현재 246건 64 억원으로 순조롭게 실시중이나
. 융자한도초과 특별승인의 적극 허용조치에도 불구하고 현재까지 특인실적이 없는 바 기간연장분에 대하여는 한도외로 관리허용

- 일반자금 대출전환 지원실적 미미 (9건 6억원)

. 무역금융 기한 만료분이나 내국신용장 결제를 위한 일반자금지원 실적이 저조
. 중동지역 수출기업의 심한 자금난을 감안하여 일반자금의 적극적 지원확대가 필요함

- 수출환어음 부도처리 유예 (1.30 현재, 788 억원)

. 기존미수금에 대한 6개월마다 만기연장시 10%씩 원금상환을 하고 있는데, 자금사정을 감안하여 이를 유예해 주고 이자율도 경감 (현재 정상환가료 + 1.5% 환가료 적용)

o 대중동 수출상품재고 부담업체 및 선적대기중인 업체에 대하여 수출 보험기금등을 활용하여 자금난 조기해소방안 강구

6

0019

중장기 대책

o 전쟁이 장기화될 경우 중소기업과 무역금융 혜택을 받지 못하고 있는 대기업에 대해서는 관계부처와 협의하여 자금압박해소 지원방안을 강구하겠음

o 수출보험기금의 확충으로 신시장개척활동 촉진

- 정부기금 출연에 의한 수출보험기금 확충 및 수출보험부보의 원활화 도모

- 소련, 중남미등 신시장지역에 대한 수출보험의 적극 인수로 중동지역의 수출감소 보완검토

- 수출업계의 보험사고시 보험금을 즉시 받을 수 있는 수출신용보증제 도입검토

o 에너지다소비형 산업등에 대한 산업구조조정 촉진

- 에너지소비형 산업 및 경쟁력약화산업에 대하여 에너지절약 시설 투자확대 및 자동화, 정보화사업을 촉진시켜 에너지이용 효율제고 및 생산성향상 노력 배가

- 공업기반 기술개발사업 자금 및 중소기업 구조조정기금을 활용하여 에너지절약 기술 및 신제품개발에 대한 지원강화

o 주요원자재 가격상승시 수급안정 및 국내물가안정을 위한 대책강구

- 주요원자재에 대한 탄력관세제도 운용

- 원자재 수입금융실시 및 원자재에 대한 외화대출 지원등 원자재 확보방안 강구

7

0020

걸프事態에 따른 海外建設 對策

'91. 2. 7.

建　設　部

0021

目 次

0022

I. 現 況

1. 建設進出

- '90.8.2 걸프事態 勃發 當時 쿠웨이트,이라크 및 사우디東部地域에 9個 業體가 23件 3,523百萬弗의 工事를 施工中이었으나 同事態로 인하여 모든 工事를 中斷하고 撤收
- '91.2.7 現在 施工殘額은 19個 現場에 964百萬弗이며, 保有裝備는 3,008臺임

區分	進出業體	契約額	施工殘額	裝備
計		3,523 百萬弗	964百萬弗	3,008 臺
쿠웨이트	現代	209	82(4건)	779
이라크	現代	2,691	755(2건)	1,785
사우디東部	大林등 9個社	623	127(13건)	444

2. 人力撤收

- 걸프事態 勃發에 따라 進出人力의 身邊安全을 最優先으로 하여, 緊急待避 및 撤收토록 措置
  - 쿠웨이트 進出人力 313名은 全員 撤收 完了('90.8.27)
  - 이라크 進出人力 627名中 614名이 歸國하였고, 3名은 이란을 經由하여 撤收中이며, 殘餘 10名도 이란 國境隣近 安全地域에 待避中에 있어 數日內 이란을 통하여 撤收 豫定
  - 사우디東部地域 進出人力 703名 全員은 安全地域인 中·西部로 待避하였으며 이중 201名은 歸國

3. 工事管理狀況

- 事態勃發로 契約條件上의 特別危險 또는 不可抗力狀況이 發生,契約履行이 不可能함을 發注處 및 監理社에 通報하고, 工事 中斷 撤收
- 工事現場의 裝備 및 資材등 現物資產은 現地人에 管理委託 또는 盜難防止 施設을 하여 流失 및 損壞 防止
- 事態鎭靜後 클레임 提起時 發注處와의 紛爭에 對備, 工事旣成部分에 대한 寫眞記錄등 諸般 證憑資料 確保

Ⅱ. 懸案課題 및 對策

1. 進出業體 資金壓迫 解消支援

《 資金壓迫 事由 - '91.3月末 基準 》

- 未收金등 債權回收 中斷狀態
  - 旣成 未收金 : 154 百萬弗
  - 留保金 : 282 "
- 現地金融등 償還期日 到來
  - 現地金融 : 52 百萬弗
  - 賣却어음 : 56 "
  - 機資材등 外上代金 : 國外 68 百萬弗, 國內 55억원
- 人力撤收등 追加費用 發生
  - 人力撤收費用 : 國外 14 百萬弗, 國內 30억원
  - 其他 金融費用 : 國外 11 " , 國內 156억원

《 不足資金 現況 》

區 分	計(百萬원)	國外(千弗)	國內(百萬원)
計	167,963	201,258	24,064
現地金融 償還	36,908	51,620	-
賣却어음 再買入	40,064	56,033	-
機資材 외상代金	54,353	68,326	5,500
人力撤收費	12,856	13,763	3,015
金融費用	12,836	5,629	8,811
其 他	10,946	5,887	6,738

※ 1$: 715원 適用

《 支援方案 》

o 現地金融支援

- 償還延期 : 52百萬弗
- 新規借入 : 93 "

o 賣却어음 再買入資金支援

- 新規借入 : 56百萬弗

o 國內 特別金融 支援

- 國內 發生 費用 : 241 억원

o 租稅徵收 猶豫 또는 分納

- 該當業體의 法人稅 및 附加價値稅에 대한 徵收猶豫 또는 分納 (國稅徵收法 第15條 第1項 第2號 및 第3號)

2. 進出人力 安全保護

- ㅇ 이라크 未撤收 現代建設 勤勞者 10名

  駐 이란 大使館과 緊密히 協助하여 安全撤收토록 支援

- ㅇ 사우디 殘留 勤勞者

  - · 東部地域 待避 勤勞者 및 中西部地域 勤勞者에 대하여는 事態 推移에 따라 安全地域으로 待避 또는 撤收

- ㅇ 其他 걸프地域

  - · 擴戰의 경우에 對備하여 勤勞者 安全對策 講究

3. 工事損失 및 追加費用 補塡

- ㅇ 工事中斷이 契約條件上 不可抗力狀況 發生에 의한 것임을 說得시키고 事態鎭靜후 迅速한 工事再開를 保障하는등 施工者로서의 誠實한 姿勢를 堅持

- ㅇ 事態鎭靜후 追加費用은 契約條件등 關聯 規定에 依據 클레임을 提起

  - · 專門 國際辯護士등을 積極 活用하고 與件이 같은 外國業體와 共同으로 對處

  - · 政府는 補塡을 위해 外交次元에서 積極 交涉

  - · 補塡이 如意치 않을 경우 國際司法裁判所에 提訴

- ㅇ 再着工時 物價上昇分은 發注處 및 監理社와 協議, 補塡方案 講究

- ㅇ 債權 早期回收를 위한 原油受領 方案檢討

5 - 4

0026

Ⅲ. 向後 中東建設市場의 展望과 對應方案

1. 市場展望

ㅇ 短期的으로는 中東情勢의 緊張持續과 軍事費支出 增大로 工事發注中斷, 延期 및 取消등으로 中東建設市場은 당분간 萎縮될 것으로 豫想되나

ㅇ 長期的으로는 油價引上에 따른 中東産油國의 收入增大로 建設發注量은 多少 擴大될 것으로 展望됨

· 사우디, 리비아, 이란등에서의 軍事施設과 石油採堀, 送油, 貯油施設, 石油化學 플랜트 및 都市基盤施設 部門의 發注 增加

· 쿠웨이트, 이라크에서는 戰後 復舊事業 活潑豫想

2. 對應方案

ㅇ 걸프事態鎭靜後 先進國業體와의 緊密한 事前協助로 걸프地域 戰後復舊事業에 積極 參與하되, 發注國의 社會安定, 財政狀態 등을 綜合檢討後 收益性 있는 工事에 한하여 選別受注

· 쿠웨이트

海外保有資産(1,500~3,000억불 推定)과 石油資源이 豊富하므로 優先的으로 시행될 石油生産, 貯油, 精製施設 및 石油化學施設 復舊工事에 參與

· 사우디, 리비아, 이란등 周邊國

石油收入 增大로 投資가 늘어날 것으로 豫想되는 軍事施設 關聯工事, 石油化學 플랜트 및 都市基盤施設 關聯工事에 參與

· 이라크

8年間의 對이란戰 및 걸프戰爭으로 代金支拂能力에 限界가 있을 것이므로 愼重을 기하되

世界銀行등 國際金融機關의 復舊資金支援 工事 및 先進國業體와 共同施工이 可能한 分野에 共同參與.

ㅇ 工事遂行方式을 旣存의 "直接施工" 爲主에서 "管理監督型"으로 점차 轉換推進

쿠웨이트 전후복구 참여방안

1991. 2

해 외 건 설 협 회

0028

1. 전후복구 규모 : 약 800억불

- 영국 무역공업부 (TDI) 추정

○ 인프라 (도로, 공항, 항만, 상하수도, 주택등) : 390억불
○ 긴급물품구매 (식량, 의약품, 가구, 자동차, 컴퓨터, 전화기)
○ 산업설비 (정유, 발전, 담수화, 석유화학공장등)
○ 산유, 송유시설
○ 군사시설

2. 재 원

○ 해외투자 유동재산 : 500억불 (KIO (Kuwait investment office) 해외 총 투자 1,000억불, 기타 민간분야 상당액)

○ 원유생산 및 송유시설 긴급복구로 원유수출 회복
  - 전쟁전 생산능력 : 일 220만 배럴 (OPEC 쿼타 : 일 150만 배럴)

3. 추진주체

○ 쿠웨이트 망명정부 : 사우디 타이프시 소재

○ 쿠웨이트 긴급복구 사무소 (KERP) : 미국 워싱턴 소재

4. 추진전망

. 쿠웨이트 정부회복 -> 다국적군의 전후에 의함 . 쿠웨이트 망명정부 : 복구계획 수립 및 추진능력 없음	=>	미국(영, 불) 업체의 턴키 수주

0029

ㅇ 다국적군을 리드하는 미국이 쿠웨이트 망명정부와 협상하여 전후복구 각 분야에서 유리한 고지점령

ㅇ 영국 (전쟁참전 2위)이 쿠웨이트 망명정부 및 미국과 협력하여 상당부분 할애

ㅇ 불란서도 어느정도 참여가능

ㅇ 일본, 독일 : 전후복구에 장비, 물자 수출 기회

5. 선진업체의 움직임

ㅇ 미국 : . 벡텔, 후루어다니엘등 => 망명정부와 분야별 수의계약 추진 (브라운앤드루트, IBM, 모트롤러)

. C.O.E. : 전쟁후 군사시설 담당

ㅇ 영국 : 트라팔가하우스(해운) + 에이셔 (엔지니어링) => 상수도 참여

크리브랜드 브리지트 미들이스프 -> 벡텔과 합작추진.

윔피등 대형업체 => 망명정부 접촉.

6. 아국업체 참여 가능성

ㅇ 총 30-40억불 추정

- 쿠웨이트국 총수주 2,955백만불
- 쿠웨이트 건설시장 점유율 5.5%

(단위 : 백만불)

년도	'81	'82	'83	'84	'85	'86	계
발 주 액	3,279	4,691	3,310	1,880	1,997	960	16,117
아국수주	99	89	130	214	340	15	887
점유율 (%)	3.0	1.9	3.9	11.4	17.0	1.6	5.5

0030

7. 아국 대응방안

- ㅇ 미국 대형업체 (벡텔, 후루어다니엘) 및 영국의 컨설팅 회사와 협력 (J/V) 하여 턴키로 참여하는 방안

- ㅇ 선진업체가 턴키로 수주한 프로젝트에 경쟁입찰 또는 하청형식으로 참여

- ㅇ 한국업체 공동으로 어느 특정분야 (주택, 공항, 항만, 도로, 프랜트) 집중 공략하여 턴키로 수주

  - 정부의 외교지원 (쿠웨이트 망명정부에 아국지원 사항 설명)
  - 장비, 경험, 과거 유대관계등 활용

8. 아국업체의 문제점

- ㅇ 기능인력의 고임금 및 해외 기피현상 => 경쟁력 상실 및 외화가득 감소
  - 해외근무 기능인력에 병역 및 세금감면 혜택 부여

0031

Gulf終戰後 國際經濟秩序 變化에 따른 우리의 對應方向(作業計劃)

1. 目 的

- 이라크의 일방적인 철수로 걸프전은 사실상 미국등 다국적군의 승리로 종결 전망

- Gulf 종전은 미국등 선진국경기에 대한 영향과 함께 국제경제질서개편 움직임에 중요한 변수가 될 것임

  0 미국등 주요 국가들은 걸프전 종전후의 정치.경제적 구상등 종전대책 수립에 한창

  0 UR협상 재개, 북미자유무역권 형성, EC통합등 기존의 국제경제.통상과제의 가속화 추진

- 한편 전후 중동지역의 복구사업등 건설 및 물자공급을 둘러싼 각국의 경합 치열

  * 미국은 쿠웨이트 망명정부가 실시한 170여건의 긴급복구사업중 70% 이상을 독점 수주

- 이러한 전후 세계경제의 흐름과 국제경제질서 개편에 능동적으로 대응하고 전후 복구사업에 참여하기 위한 대책수립이 긴요

  * 2.21 기획원 업무보고시 대통령께서도 걸프종전후에 대한 대응책 수립을 지시

2. 주요검토사항

- Gulf 종전과 국제경제질서의 개편

  0 중동지역 개편 및 국제역학관계 변화

  0 국제경제사회에 있어서의 미국의 영향력

    . UR협상, 자유무역협정, EC통합등에의 영향 및 전망

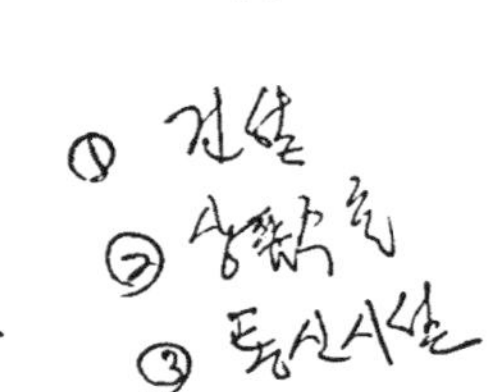

0032

- 세계경제 및 무역전망
  0 유가, 금리, 환율성장 및 국제무역
  0 주요국의 경제전망

- 전후 복구사업의 규모 및 경쟁국의 참여동향 분석
  0 전후 복구사업 계획(Baker Plan등)
  0 주요국의 참여 동향

- 우리의 대응방향
  0 국제경제질서 변화에의 대응
  0 중동지역 복구사업에의 참여방안
    . 건설사업 참여
    . 생필품등 물자공급
    . 주변국에 대한 경협 프로젝트 추진

3. 업무분담 및 일정계획

가. 업무분담

(1) Gulf 종전과 국제경제질서의 개편(경기원, 외무부, KIEP)

(2) 세계경제 및 무역전망(경기원, 한국은행, KDI)

(3) 전후복구사업의 규모 및 경쟁국의 참여동향 분석(외무부, 상공부, 건설부)

(4) 국제경제질서변화에의 대응 (경기원, KIEP)

(5) 중동지역 복구사업에의 참여방안(상공부, 건설부, 보사부, 체신부, 해외건설협회)

나. 작업일정

- 3.13 관계기관별 초안작성, 경기원 송부
- 3.14 경기원에서 종합보고서 초안 작성
- 3.15 2차 관계기관회의 개최, 종합보고서 초안 검토
- 3중순 검토의견 수렴후, 종합보고

0033

10023

분류기호 문서번호	중동일 10500-	기 안 용 지 (720-2327)	시 행 상 특별취급	
보존기간	영구.준영구 10. 5. 3. 1	차 관	장 관	
수 신 처 보존기간				
시행일자	1991. 3. 6.			

보조기관	국 장	전 결	협조기관		문서통제
	심의관				검열 1991. 3. 6 통제관
	과 장				
기안책임자					발송인

경 유		발신명의		발송필 1991. 3. 6 외무부
수 신	경제기획원장관			
참 조	대외협력국장			

제 목	관계기관 대책회의 결과

대 : 대총 10500-156(91.3.2)

대호, 당부 소관자료를 별첨과 같이 송부 합니다.

첨 부 : 당부 소관자료 1부. 끝.

0034

관계기관 대책 회의자료

1. 전후 국제 경제 질서 개편 전망

o 미국등 서방국가들은 석유 자원의 안정적 확보를 위해 중동지역의 안보 협력 체제 구축 강화가 예상되며, 미국의 대중동 영향력이 강화되는 반면 소련은 상대적으로 약화 될것임.

o 다국적군에 참여 내지 동조한 이집트, 사우디, 시리아 및 이란등 아랍권 국가들의 영향력이 증대되는 반면 이라크는 군사강국 으로서의 지위를 상실할 것임.

o 전쟁 특수로 인해 전반적 세계 경기는 약간 자극 받을 것이나, 미국 및 서방국의 경기 후퇴 및 일본 경기 하락 추세는 지속될 것으로 예상됨.

o 미국 및 서방국은 반미.반서방 감정완화 및 이라크의 재도발 방지를 위해 이라크의 전후 복구 및 아랍세계 경제 부흥책을 적극 강구할 것임.

o 전후 복구자금 조달을 위해 개발은행, 부흥기금, 중동판마샬플랜, 경제협력기금등이 거론되고 있으며, OPEC은 원유 감산과 회원국간 생산량을 재할당할 움직임을 보이고 있어, 회원국간 불화 가능성이 예견되며, 국제 유가 조정 관련 입장이 강화된 사우디와 미국의 역할이 증대될 것으로 예상됨.

o 유가는 종전 직후 일시적 현상으로 10-12불선까지 하락 예상되나, 수요증대 시기인 금년 하반기 경에는 20-23불선까지 상승 예상됨. OPEC 내에서는 유가안정을 중시하는 사우디가 경기하강 국면에 있는 미국을 배려, 20불선을 초과치 않도록 조정 노력을 계속할 것이 예상됨. 유가는 18-20불선이 산유국, 소비국 공히 적절한 수준으로 보는 것이 일반적 견해임.

o 쿠웨이트는 전후 긴급 복구 계획에 의거 최대한의 민생안정 사업 완료후 막대한 해외재산 활용, 대규모 재건계획 실시 전망.
(금후 5년간 600-1,000억불 투입 예상)

o 이라크는 전후 복구에 1000-2,000억불의 소요가 추정되나 전후 복구사업에 많은 난관 예상.

0035

2. 전후 복구사업 규모 및 경쟁국 참여 동향

가. 규 모

o 쿠웨이트 : 600-1,000 억불 (향후 5년)

o 이 라 크 : 1,000-2,000 억불 (향후 10년)

나. 쿠웨이트 전후 복구사업 추진 단계

o 제1단계 : 약 90일간 초기단계 기본 서비스시설 및 도로 항만 복구 위해 약 500억불 소요 예상, 그중 8억불 상당 200건 계약 체결 (미국이 174건 수주)

o 미국 공병대 3개월간 쿠웨이트내 각종 폭발물 제거, 피해조사, 긴급 복구공사 계획 수립, 설계, 발주공사 감리등 용역사업 4,500만불 기수주

o 쿠웨이트 망명정부에 의한 복구계획 (워싱턴에서 쿠웨이트 긴급 재건 프로젝트 <KERP>를 발족, 현재 사우디 담맘으로 이전함. 망명정부 기획 본부내에 위치하면서 90일간 초기단계 긴급 복구 사업 상담 및 계약 체결 수행)

o 제2단계 : 3-5년간 국가 기간산업시설 영구 복구위해 500억불 정도 소요.

다. 중동 복구 지원 계획

o IMF/IBRD를 통한 복구지원 (피해상황 및 소요액 산정)

o 중동 부흥 개발 은행 설립 (베이커 미국무장관 제안 : 중동지역 경제 부흥을 위해 각국 출자로 설립)

o 일본은 국제기구 보다는 양자 협력에 중점, 사우디도 과거 아랍 개발 은행, 아랍기금등 경험에 비추어 기구의 문제 보다는 운영의 문제가 더 중요하다는 의사 표명, 따라서 기구 신설 보다는 행동계획 형태로 개발 계획 추진 가능성.

라. 각국 사업 참여 동향

o 쿠웨이트 정부는 복구사업 참여 대상국 선정 명분을 군사적 지원 보상에 두고, 특히 미.영.사우디 우선 방향으로 추진, 한국은 과거 중동에서의 경험과 금번 전쟁에서의 기여에 비추어응분의 참여를 하게 될 것임을 쿠웨이트 각료들이 언급

o 긴급 복구사업(3개월간)에는 미국 COE에 의해 미국 12, 영국 10, 사우디 10, 불란서 2, 쿠웨이트 1, 사이프러스 1개사등 36개사 초청됨 (2.20. 마감)

0036

o 현재 8억불 상당의 약 200여건 긴급물자 조달, 인력 및 장비 공급등 계약이 대부분 미국계 회사(174개)와 기체결

o 직접적 피해가 없는 사우디는 도로 및 파괴물 청소사업에 참여 추진 중이며, 이미 위험건물 붕괴 작업(5,800만불) 수주

o EC
  - 망명 쿠웨이트 정부가 기히 미국과 단독계약을 체결한데 대해 불만표시. 이러한 초기 관행이 앞으로 계속될 것에 우려
  - 회원국별 응분의 참여 희망

o 독일, 일본
  - 걸프전에 대한 소극적 자세 고수로 전후 복구사업 적극 참여 기대난
  - 이라크 복구사업 참여가 유리하다는 차원에서 검토중

0037

관계기관 대책 회의자료

1. 전후 국제 경제 질서 개편 전망
   - o 미국등 서방국가들은 석유 자원의 안정적 확보를 위해 중동지역의 안보 협력 체제 구축 강화가 예상되며, 미국의 대중동 영향력이 강화되는 반면 소련은 상대적으로 약화 될것임.
   - o 다국적군에 참여 내지 동조한 이집트, 사우디, 시리아 및 이란등 아랍권 국가들의 영향력이 증대되는 반면 이라크는 군사강국 으로서의 지위를 상실할 것임.
   - o 전쟁 특수로 인해 전반적 세계 경기는 약간 자극 받을 것이나, 미국 및 서방국의 경기 후퇴 및 일본 ~~경기 감소 경향은~~ (하락 추세는) 지속될 것으로 예상됨.
   - o 미국 및 서방국은 반미.반서방 감정완화 및 이라크의 재도발 방지를 위해 이라크의 전후 복구 및 아랍세계 경제 부흥책을 적극 강구할 것임.
   - o 전후 복구자금 조달을 위해 개발은행, 부흥기금, 중동판마샬플랜, 경제협력기금등이 거론되고 있으며, OPEC은 원유 감산과 회원국간 생산량을 재할당할 움직임을 보이고 있어, 회원국(간) 불화 가능성이 예견되며, 국제 유가 조정 관련 입장이 강화된 사우디와 미국의 역할이 증대될 것으로 예상됨.
   - o 유가는 종전 직후 일시적 현상으로 10-12불선까지 하락 예상되나, 수요증대 시기인 금년 하반기 경에는 20-23불선까지 상승 예상됨. OPEC 내에서는 유가안정을 중시하는 사우디가 경기하강 국면에 있는 미국을 배려, 20불선을 초과치 않도록 조정 노력을 계속할 것이 예상됨. 유가는 18-20불선이 산유국, 소비국 공히 적정한 수준으로 보는것이 일반적 견해임.
   - o 쿠웨이트는 전후 긴급 복구 계획에 의거 최대한의 민생안정 사업 완료후 막대한 해외재산 활용, 대규모 재건계획 실시 전망. (금후 5년간 600-1,000억불 투입 예상)
   - o 이라크는 전후 복구에 1000-2,000억불의 소요가 추정되나 전후 복구사업에 많은 난관 예상

2. 전후 복구사업 규모 및 경쟁국 참여 동향
   가. 규 모
   - o 쿠웨이트 : 600-1,000 억불 (향후 5년)
   - o 이 라 크 : 1,000-2,000 억불 (향후 10년)

0038

나. 사업 추진 단계

o 제1단계 : 약 90일간 초기단계 기본 서비스시설 및 도로 항만 복구

  미국 공병대 3개월간 쿠웨이트내 각종 폭발물 제거,

  피해조사, 긴급 복구공사 계획 수립, 설계, 발주공사

  감리등 용역사업 4,500만불기 수주

o 제2단계 : 3-5년간 국가 기간산업시설 영구 복구

다. 중동 복구 지원 계획

o IMF/IBRD를 통한 복구지원 (피해상황 및 소요액 산정)

o 중동 부흥 개발 은행 설립 (베이커 미국무장관 제안 :

  중동지역 경제 부흥을 위해 각국 출자로 설립)

o 쿠웨이트 망명정부에 의한 복구계획 (워싱턴에서 쿠웨이트 긴급

  재건 프로젝트 <KERP>를 발족, 현재 사우디 담맘으로 이전함.

  망명정부 기획 본부내에 위치하면서 90일간 초기단계 긴급 복구

  사업 상담 및 계약 체결 수행)

라. 각국 사업 참여 동향

o 쿠웨이트 정부는 복구사업 참여 대상국 선정 명분을 군사적 지원

  보상에 두고, 특히 미.영.사우디 우선 방향으로 추진

o 긴급 복구사업(3개월간)에는 미국 COE에 의해 미국 12, 영국 10,

  사우디 10, 불란서 2, 쿠웨이트 1, 사이프러스 1개사등 36개사 초청됨

  (2.20. 마감)

o 현재 8억불 상당의 약 200여건 긴급물자 조달, 인력 및 장비 공급등

  계약이 대부분 미국계 회사(174개)와 기체결

o 직접적 피해가 없는 사우디는 도로 및 파괴물 청소사업에 참여 추진

  중이며, 이미 위험건물 붕괴 작업(5,800만불) 수주

o EC

  - 망명 쿠웨이트 정부가 기히 미국과 단독계약을 체결한데 대해

    불만표시. 이러한 초기 관행이 앞으로 계속될 것에 우려

  - 회원국별 응분의 참여 희망

o 독일, 일본

  - 걸프전에 대한 소극적 자세 고수로 전후 복구사업 적극 참여 기대난

  - 이라크 복구사업 참여가 유리하다는 차원에서 검토중

0039

경 제 기 획 원

대총 10500- 156 503-9130 1991. 3. 2

수신 수신처 참조

제목 관계기관 대책회의 결과

1. 대총 10500-147('91.2.27)과 관련입니다.

2. 상기 회의결과를 아래와 같이 통보하오니 특히 작업일정을 꼭 지켜 주시기 바랍니다.

- 다 음 -

가. 기관별 업무분담

(1) Gulf 종전과 국제경제질서의 개편(경기원, 외무부, KIEP)

(2) 세계경제 및 무역전망(경기원, 상공부, 한국은행, KDI)

(3) 전후복구사업의 규모 및 경쟁국의 참여동향 분석(외무부, 상공부, 건설부)

(4) 국제경제질서변화에의 대응 (경기원, KIEP)

(5) 중동지역 복구사업에의 참여방안(상공부, 건설부, 보사부, 체신부, 해외건설협회)

나. 작업일정

- 3. 6 관계기관별 초안작성, 경기원 송부
- 3. 7 경기원에서 종합보고서 초안 작성
- 3. 8 2차 관계기관회의 개최, 종합보고서 초안 검토
- 3초순 검토의견 수렴후, 종합보고 끝.

경 제 기 획 원 장 관

수신처 : 외무부장관, 재무부장관, 상공부장관, 건설부장관, 보사부장관, 체신부장관, 한국은행장, KDI 원장, KIEP 원장, 해외건설협회장

0040

5661

걸프 전후 복구 참여 대책 자료

1. 전후 국제 경제 질서 개편 전망

o 미국등 서방국가들은 석유 자원의 안정적 확보를 위해 중동지역의 안보 협력 체제 구축 강화가 예상되며, 미국의 대중동 영향력이 강화되는 반면 소련은 상대적으로 약화 될것임.

o 다국적군에 참여 내지 동조한 이집트, 사우디, 시리아 및 이란등 아랍권 국가들의 영향력이 증대되는 반면 이라크는 군사강국 으로서의 지위를 상실하고, 대이라크 경제 재재 조치가 예상됨.

o 쿠웨이트는 전후 긴급 복구 계획에 의거 최대한의 민생안정사업 완료후 막대한 해외재산 활용, 대규모 재건계획 실시 전망 (금후 5년간 600-1,000억불 투입 예상)

o 이라크는 전후복구에 1,000-2,000억불의 소요가 추정되나 전후 복구사업에 많은 난관 예상

o 서방은 반미 반서방 감정 완화 및 이라크의 재도발 방지를 위하여 이라크의 전후복구, 아랍세계 경제부흥 구상

o 지역정세 안정을 위한 빈부 격차해소 및 경제 성장 촉진

o 자금 조달을 위해 개발은행, 부흥기금, 중동판 마샬플랜, 경제협력 기금등 거론

o 전후 복구자금 조달을 위한 원유 생산 쿼타 증량 및 가격문제로 역내 원유 생산국간 분화 가능성 및 국제유가 조정관련 미국 역할 증대 예상

2. 경제적 대응책

가. 기본 방향

o 전후 복구계획 및 여타 중동국가의 건설공사 적극참여, 상품 수출증대

o 원유의 안정적 공급선 확보

o 전후 경제부흥 개발기금 출연으로 각종 프로젝트 적극 참여

나. 쿠웨이트 복구 계획 참여

o 협력 가능분야 쿠웨이트측과 협의

- 과거 쿠웨이트에서의 공사실적, 경험 및 기존장비 활용
- 전기, 통신, 상하수도등 기술자로 구성된 긴급 복구 지원단 쿠웨이트 파견, 지원제공

0041

o 사우디 주둔 의료지원단 쿠웨이트로 이동, 전후 구호 사업 지원 검토

o 아국 업체 단독 수주 또는 미.영 회사등과 공동수주 및 하청 진출 적극 추진

o 아국의 공사 가능분야 계획서 작성, 쿠웨이트측에 제출 필요

o 쿠웨이트 긴급 재건 프로젝트(KERP)팀과 접촉강화

다. 이라크 복구 사업

o 이라크 자체의 어려운 재정사정으로 금후 상당기간 국제적 지원에 의한 복구 공사 추진 전망

o 전후 민생안정을 위한 기본시설 공사는 곧 착수될 것임으로 아측 참여 계획안 적기 제시 필요

o 원유를 건설 대금으로 수령하는 형태의 복구 사업 검토

o 전후 생필품, 의약품등 일부물자 인도적 지원 제공

라. 상품 수출 증대

o 전후 모든 기본물자 대량 구입 불가피

o 아국업체 적극적 수출활동 필요

마. 원유의 안정적 공급선 확보

o 전후 원유생산 과잉현상, 선진국의 에너지절약 경향 확산으로 아국의 원유도입 물량 확보에는 문제점 없을것임.

o 그러나 예측 불가능한 긴급사태 발생에 대비, 주요 공급선(오만, UAE, 사우디, 이란, 쿠웨이트, 이라크)와의 긴밀한 관계유지

o 중장기적으로는 중동지역 의존도(90년도 73%)를 낮추는 노력 필요 (수입선 다변화 및 대체 에너지 개발)

3. 당부 조치 사항

가. 대통령 특사 파견 추진

o 중동질서 재편과 관련, 쌍무관계 강화와 전후 복구 및 경제 협력 확대 방안 협의

o 사우디, 쿠웨이트, UAE, 이집트, 이란등 파견 대상국 검토 (4월 중순)

나. 사절단 파견 (외무부 제1차관보)

o 3.5-14간 예정

o 워싱턴 방문, 미국정부 요원과 전후질서 재편, 경제부흥 계획관련 대미 협의 및 동향파악

o 3.11. 룩셈부르크 개최 제5차 재정지원 공여국 회의 참석

0042

o 현재 UAE, 이집트, 사우디, 요르단 순방중인 외무부 제2차관보를 단장으로 하는 중동 현지 조사단이 3.9. 귀국하는대로 종합대책 수립

o 외무차관을 위원장으로 하는 관계부처 대책 위원회 구성 검토중

4. 전후 복구사업 규모 및 경쟁국 참여 동향

가. 규 모

o 쿠웨이트 : 600-1,000 억불

o 이 라 크 : 1,000-2,000 억불

나. 사업 추진 단계

o 제1단계 : 약 3개월간 기본 서비스시설 및 도로 항만 복구 (미국 공병대 3개월간 쿠웨이트내 각종 폭발물 제거, 피해조사, 긴급 복구공사 계획 수립, 설계, 발주공사 감리등 사업 4,500만불 수주 계약)

o 제2단계 : 3-5년간 국가 기간산업시설 영구 복구

다. 각국 사업 참여 동향

o 쿠웨이트 정부는 복구사업 참여 대상국 선정 명분을 군사적 지원 보상에 두고, 특히 미.영.사우디 우선 방향으로 추진

o 긴급 복구사업(3개월간)에는 미국 COE에 의해 미국 12, 영국 10, 사우디 10, 불란서 2, 쿠웨이트 1, 사이프러스 1개사등 36개사 초청됨 (2.20. 마감)

o 현재 8억불 상당의 약 200여건 긴급물자 조달, 인력 및 장비 공급등 계약이 대부분 미국계 회사(174개)와 기체결

o 직접적 피해가 없는 사우디는 도로 및 파괴물 청소사업에 참여 추진중이며, 이미 위험건물 붕괴 작업(5,800만불) 수주

o EC

- 망명 쿠웨이트 정부가 기히 미국과 단독계약을 체결한데 대해 불만표시. 이러한 초기 관행이 앞으로 계속될 것에 우려
- 회원국별 응분의 참여 희망

o 독일, 일본

- 걸프전 미참여로 복구사업 적극 참여 기대난
- 이라크 복구사업 참여가 유리하다는 차원에서 검토중

0043

5. 참고사항

가. 쿠웨이트의 대아국 입장

o 국왕 언급내용 (2.28. 주쿠웨이트 대사 면담시)

- 아국의 재정지원 제공, 야전병원 및 공군 수송단 파견등 실질 도움에 사의 표시

- 한국 건설회사들의 과거 쿠웨이트 건설 참여 실적과 성실히 일해준 사실을 상기하고, 향후 쿠웨이트 복구작업에도 적극 기여 희망

o 쿠 외무장관 언급내용 (2.27. 주쿠웨이트 대사 면담시)

- 미국등에게 대부분의 전후 복구공사를 맡겼다는 일부 외신 보도를 부인하고, 한국 회사들의 적극 참여 촉구

나. 쿠웨이트 긴급 재건 프로젝트(KERP) 동향

o 쿠웨이트 망명정부는 KERP를 워싱턴에서 사우디 담맘으로 이전함

o 동기구 책임자인 IBRAHIM-AL-SHAHEEN은 담맘 OBEROI 호텔내 쿠웨이트 망명정부 기획부 본부에서 각종 긴급 복구관련 상담 및 체결 수행

0044

外務部 걸프戰 事後 對策班

題　目 : 中東對策 委員會 運營

1991. 3. 13.

1. 設置 經緯

   ○ 91.2.25. 國務總理 主宰 걸프事態 關聯 關係部處 長官會議時 ~~設置 決定~~ 외무부장관 보고

2. 構　成

   ○ 委員長 : 外務次官

   ○ 委　員 : 靑瓦臺, 總理室, 經企院, 安企部, 外務部, 財務部, 國防部, 商工部, 建設部, 動資部等 關係部處 次官補 또는 局長

3. 任　務

   ○ 걸프 戰後 對策 綜合 檢討 및 推進

   ○ 戰後 復舊事業 參與 計劃등 經濟 問題는 關係部處에서 施行 (經濟企劃院 綜合 調整)

4. 第1次 會議 開催

   ○ 1991.3 21.(수) 14:30 ~~15:00~~ 외무부 회의실 (817)

   ○ 討議 議題(案)

   - 中東地域 情勢 調査團 活動 結果 報告
   - 戰後 中東의 政治 情勢 및 우리의 對應策
   - 쿠웨이트등 復舊事業 參與 方案
   - 이라크 정세 및 복구사업 전망

앙고재	중근동과	91년 3월 13일	담 당	과 장	심의관	국 장	차관보	차 관	장 관
				(서명)	(서명)	(서명)	(서명)	(서명)	(서명)

0045

外務部 걸프戰 事後 對策班

題　目 : 中東對策 委員會 運営

1991. 3. 13.

1. 設置 經緯

   o 91.2.25. 國務總理 主宰 걸프事態 關聯 關係部處 長官會議時 外務部長官 報告

2. 構　成

   o 委員長 : 外務次官

   o 委　員 : 青瓦臺, 總理室, 經企院, 安企部, 外務部, 財務部, 國防部, 商工部, 建設部, 動資部等 關係部處 次官補 또는 局長

3. 任　務

   o 걸프 戰後 對策 綜合 檢討 및 推進

   o 戰後 復舊事業 參與 計劃등 經濟 問題는 關係部處에서 施行 (經濟企劃院 綜合 調整)

4. 第1次 會議 開催

   o 1991.3.20.(수) 14:30 외무부 회의실 (817)

   o 討議 議題(案)

     - 中東地域 情勢 調査團 活動 結果 報告
     - 戰後 中東의 政治 情勢 및 우리의 對應策
     - 쿠웨이트등 復舊事業 參與 方案
     - 이라크 情勢 및 復舊事業 展望

0046

보도통제 (비보도조건 언급 내용)
공식발표시까지

공보관실
91.3.15.

이한서(서명)

외무부장관 정례 기자간담회

1. 일시 및 장소 : 91.3.15. 금, 09:30-10:00, 외무부 회의실

2. 내 용 :

가. 장관 언급 내용

오늘은 곧 서울에서 개최될 에스캅 총회 준비 상황에 관해 몇가지 말씀드리고, 여러분의 질문을 받도록 하겠음.

잘 아시다시피 유엔 아.태지역경제사회이사회(ESCAP)의 제47차 총회가 91.4.1.부터 10일까지 서울 롯데 호텔에서 개최될 예정이며, 현재 이를 위한 준비가 착실히 진행되고 있음. 에스캅은 유엔 직속 기구의 하나로서 아.태 지역에서는 유일한 범정부간 기구라고 할 수 있음.

이번 총회에는 38개 에스캅 정회원국과 10개 준회원국 및 70여 국제 기구로부터 약 1,000여명의 대표가 참석할 것으로 예상되며, 우리 나라가 총회 의장국으로 피선될 예정임.

현재까지 파악된 각국의 수석대표 명단은 여러분 자리에 배포되어 있음. 몽골에서는 부총리가, 인도네시아와 스리랑카에서는 외상이, 말레이지아, 인도, 파키스탄등 7개국에서는 상공장관등 각료급 수석 대표가, 그밖에 일본, 소련, 중국, 베트남 및 라오스등 10개국에서는 외무차관이 각각 수석대표로 참석할 예정이라고 통보해 왔음.

이번 총회의 핵심 의제는 "아.태 지역내 산업구조 재조정에 관한 문제"가 될 것이며, 이를 중점 논의한 결과를 바탕으로 "서울 실천 강령(Seoul Plan of Action)"을 채택할 예정임.

또한 서울 총회를 계기로 1990년대 아.태 지역 협력의 방향을 제시하는 "서울 선언문"을 채택하고자 현재 회원국들과 협의을 진행하고 있음.

이밖에 이번 총회는 걸프전쟁이 종결된 이후에 개최되는 만큼 걸프사태가 아.태 지역의 정치와 경제에 미치는 영향에 대해서도 심도있게 논의할 예정임.

이번 에스캅 총회는 우리나라에서 개최되는 최초의 유엔 직속기구의 총회이며, 정부로서도 이번 회의가 성공적으로 개최되도록 관련 부처들과 협조하여 여러가지로 준비를 진행시키고 있음.

한가지 말씀드릴 것은 최근 주태대사관 보고에 의하면 북한이 에스캅 가입에 관심을 표명하여 왔다고 함. 방콕 주재 북한 무역대표부 직원이 에스캅 사무국을 방문하여 에스캅 가입과 관련한 절차 사항을 문의하고, 북한의 에스캅 가입에 대한 관심을 표명하였다 함. 그러나 북한은 아직 가입을 정식으로 신청한 것은 아님.

북한이 이번 총회에 맞추어 정식 가입신청서를 제출할지, 또는 단순한 문의였는지는 좀 더 두고 보아야 알 것 같음. 우리 정부로서는 북한도 아.태 지역 협력에 동참할 수 있도록 에스캅에 가입하기를 바라고 있으며, 북한이 가입신청서를 내는 경우, 이를 적극 환영하는 입장에서 가입안이 신속히 처리되도록 해 나갈 것임.

2

0048

다만 이번 서울총회와 관련한 보도에 있어서 우리 기자단의 특별한 양해와 협조가 필요한 사항이 있음. 현재까지 파악된 총회 수석 대표명단을 보시면 아시겠지만, 소련, 중국, 베트남으로부터는 외무 차관이 수석대표로 참석할 예정임. 소련으로부터는 지난 연초 특사로 방한하여 여러분들도 이미 알고있는 "로가쵸프" 외무차관이, 중국에서는 "류후아규(劉華秋)" 외교부 부부장이, 월남에서는 외무 차관이 수석대표로 참석할 것이라는 통보를 받았음.

이번 총회에 참석하는 이들 외무차관의 방한을 우리의 유엔 가입 문제와 관련해서 추측 기사를 쓰게되면, 에스캅 총회를 운영하는데 있어서도 어려움이 발생할 수 있으며, 또 여러분께서 도와 주셔야 할 우리의 유엔 가입 노력에도 부정적인 영향을 주지 않을까 우려됨.

그러므로 중국과 소련, 그리고 베트남으로부터 외무차관이 왔다고 해서 유엔 가입 문제나 기타 우리의 당면한 외교적 관심사항과 관련해서 추측하여 보도하는 것은 자제하여 주시기 바람. 이들 외무차관의 이번 방한의 주된 목적이 에스캅 총회 참석에 있는 것이며, 총회의 성공적 개최를 위해서는 총회와 직접 관련되지 않은 사항들이 크게 보도되는 것은 바람직스럽지 않다고 판단 됨. 여러분의 각별한 양해와 협조를 부탁드림.

나. 질의 응답

문 : 걸프전이 끝남에 따라 국제정세가 변화하고 있으며, 이러한 정세 변화에 맞추어 한.미간에 새로운 관계를 모색해야 할 필요성이 점증하고 있음. 이와 관련 대통령의 방미 계획이 추진되고 있는지 ? 또한 "부시" 대통령이 일본 방문시 한국에도 온다는 이야기가 있었는데 "부시" 대통령의 한국 방문이 계획되어 있는가 ? (한국일보 정광철 기자)

답 : 현재로서는 대통령의 방미 계획이 없음.

"부시" 대통령의 방한 문제는 약 한달전 설명드린 것처럼 미국측에서 걸프전 발발전에 금년 3월경 한국, 일본, 호주등 3개국 방문을 검토했던 것으로 알고 있음. 그러나 걸프전쟁 발발에 따라 아주 순방이 어렵게 된 것으로 보임. 현재로서는 금년 상반기중에 "부시" 대통령이 방한하는 것은 사실상 어렵다고 보고 있음. "부시" 대통령의 3월 방한도 확정된 것이 아니었고, 검토하고 있다가 계획이 변경된 것임.

다만 본인이 4월말과 5월초에 걸쳐 워싱턴, 뉴욕, 동경등 3개 지역을 방문하는 계획을 검토하고 있음. 방미기간중에 "베이커" 국무장관을 만나 걸프사태 이후의 중동정세와 양국의 협력 강화 방안등 공동 관심사항에 관해 협의할 계획임. 구체적인 방문 일자나 일정이 확정되는대로 발표하겠음.

문 : 에스캅 총회 기간중 방한하는 중국 외교부 부부장등과의 협의 내용에 관한 추측 보도를 자제하여 달라고 말씀하셨는데, 인도-네시아 외상이나 소련 외무차관등은 우리의 유엔 가입 문제에 관해 협조적인 입장을 보여 온 인사들이고, 유엔 가입을 추진하기 위해서는 이들은 물론 중국에도 협조를 요청해야 할 것임. 그런데 어차피 따로 만나서 하기 보다는 이번 서울 총회에 이들이 오는 기회를 활용하면 더 좋지 않겠는가 ? 이들과의 유엔 가입 관련 협의 계획에 관해 비보도조건으로라도 말씀해 주시기 바람. (MBC 최명길 기자)

답 : 소련, 중국, 베트남 및 라오스등으로 부터 고위 외교관리들이 서울에서 한자리에 모이게 되는 것은 처음 있는 일임.

4

0050

이들은 에스캅 총회의 수석대표 자격으로 오는 것이며, 이들의 방한은 총회 참석에 그 주요 목적이 있는 것임. 그러나 최기자가 질문한 것처럼 이들이 일단 방한하게 되면 자연스러운 기회에 다른 관심사항에 대해서도 논의가 가능할 것으로 봄.

다만, 유엔 가입 문제에 대해 논의할 것으로 미리 보도하게 되면 실제로 이야기하고 싶더라도 자연스럽게 이야기할 수 없는 상황이 될 수도 있음. 그래서 현 단계에서는 이들이 에스캅 총회에 참석한다는 사실만 보도하고, 다른 사항에 관한 협의 가능성등에 관해서는 추측하여 보도하지 말아 주실 것을 부탁드리는 것임.

문 : 최근 민자당의 고위 당국자가 걸프전과 관련, 우리 정부가 먼저 미측에 전투병 파견 제의를 했다가 미측에 의하여 거절되었다고 말한 적이 있다고 하는데, 이것이 사실인지 ?
(국민일보 박인환 기자)

답 : 금시초문임. 분명히 말씀드리지만 의료지원단과 수송단 파견 과정에서 미국으로부터 전투병 파병 요청을 받은 적도 없고, 정부 차원에서도 이를 검토한 적도 없었음.

본인도 국회에 출석하여 전투병 파견 문제에 관한 질문을 받었을때, 걸프전쟁의 실제 상황이 우리의 전투부대 파병을 필요로 하는 상황으로 까지는 발전하지 않을 것이라고 답변한 적이 있음. 다행히 전쟁이 조기에 종결되어, 본인의 답변처럼 전투부대 파병을 검토해야 될 상황까지는 가지 않았음.

다시 한번 말씀드리지만 미측으로부터 전투부대 파병 요청을 받은 바도 없고, 또 우리 정부가 이를 검토한 바도 없음.

문 : 이정빈 차관보의 미국 방문도 끝났고, 또 며칠전 "부시" 미 대통령이 노 대통령에게 걸프전 지원에 사의를 표하는 친서도 보내 왔음. 전반적으로 볼 때 우리 기업의 중동 지역 전후 복구사업 참여를 위하여 좋은 분위기가 조성된 것 같은데 정부의 앞으로의 구체적인 대책은 무엇인가 ? (세계일보 박정훈 기자)

5

0051

답 : 며칠전 이기주 제2차관보가 걸프정세 조사단의 현지 방문 결과를 여러분께 브리핑한 것으로 알고 있음. 이번 조사단의 방문 결과를 토대로 3.20 오후 유종하 외무차관 주재로 관계부처 관계관들이 참석하는 대책 회의를 개최하여, 전후 복구 및 경제부흥 계획에 참여 하는 문제를 협의하기로 예정되어 있음. 동 회의가 끝나면 좀 더 상세한 내용에 관해 다시 설명하도록 하겠음.

아시다시피 이정빈 제1차관보는 귀국후 부친상으로 출근치 못하고 있는데, 내주초에는 미국 방문 결과와 룩셈부르크에서 개최된 걸프전 재정지원 공여국 회의 참석 결과에 관해 여러분께 설명 드리도록 하겠음.

문 : 지난번 국무회의 의결로 걸프전후 대책수립을 위한 위원회를 구성한 것으로 아는데, 그 첫 회의는 언제 여는 것인가 ?
(MBC 최명길 기자)

답 : 3.20 개최되는 유종하 차관 주재의 관계부처회의가 바로 3.5 국무 회의에서 설치키로 한 대책위원회 회의임. 각 부처에서 차관보 또는 국장들이 참석 할 예정임. 3.5 국무총리가 주재한 회의를 마지막으로 정부의 걸프사태 비상대책본부는 해체된 것으로 알고 있음.

어제 개최된 국무회의에서는 걸프전쟁 종결에 따라 차량 10부제 운행을 지속할 것인지가 주로 논의되었으며, 이 문제를 다시 논의하기 위한 다음의 모임도 걸프대책 장관회의의 성격이 아니고, 교통문제 담당 장관들의 대책 회의가 될 것임. 끝.

분류기호 문서번호	중동일 720- 12169	기 안 용 지 (720-2327)	시 행 상 특별취급	
보존기간	영구.준영구 10. 5. 3. 1	차 관	장 관	
수 신 처 보존기간			(서명)	
시행일자	1991. 3. 15.			

보조기관			협조기관		문서통제
	국 장	전 결			1991. 8. 16
	심의관	(서명)			
	과 장				
기안책임자					발 송 인

경 유 수 신 참 조	수신처 참조	발신명의		1991. 3. 16 외무부
제 목	중동 대책 위원회 운영			

91. 3. 2. 국무총리 주재 걸프사태 특별대책위원회 회의시 결정~~(전후 국제 협력은 외무부 중심 관계부처 공조체제 구축)된 걸프전후 국제협력 강화를위한~~ 이 따라 "중동대책위원회" 제1차 회의를 다음과같이 개최코자 하오니 전위원들이 빠짐없이 참석하도록 협조하여 주시기 바랍니다.

- 다 음 -

1. 일 시 : 1991. 3. 20(수) 14:30

2. 장 소 : 외무부 회의실 (817호실)

3. 참석자

o 위원장 : 외무부 차관

/계속 ....

0053

ㅇ 위 원 : 청와대, 총리실, 경기원, 안기부, 외무부,

재무부, 국방부, 상공부, 건설부, 동자부등

관계부처 차관보 또는 국장

4. 토의 의제

ㅇ 중동지역 정세 조사단 활동 결과 보고

ㅇ 전후 종동의 정치 정세 및 우리의 대응책

ㅇ 쿠웨이트등 복구사업 참여 방안

ㅇ 이라크 정세 및 복구사업 전망

5. 기 타 : 각부처별 소관사항에 대한 자료작성 3부 지참. 끝.

수신처 : 청와대 비서실장 (외교안보보좌관),

국무총리 행정조정실장,

경제기획원장관 (대외경제조정실장),

안전기획부장,

재무부장관 (경제협력국장),

국방부장관 (정책기획관),

건설부장관 (건설경제국장),

상공부장관 (상역국장)

동력자원부장관 (자원정책실장)

사 본 : 미주국장, 국제경제국장, 통상국장

0054

걸프戰後 復舊事業 參與方案

'91. 3. 20

建　　設　　部

0055

目　　次

0056

I. 걸프事態에 따른 措置

1. 海外建設 進出現況

單位 : 百萬弗

區分	契約額		施工中		施工 殘額	進出人力 (名)	裝備 (臺)
	件數	金額	件數	金額			
總計	2,871	93,345	304	23,453	11,402	10,382	28,353
中東計	1,982	82,799	167	20,780	9,564	8,987	22,976
걸프 地域	1,462	58,324	85	7,769	1,826	1,561	8,548
쿠웨이트	126	2,955	4	209	82	0	779
이라크	71	6,450	6	2,691	755	7	1,785
사우디 (東部地域)	1,265	48,919	75 (13)	4,869 (623)	989 (127)	1,554 (155)	5,984 (444)
其他中東	520	24,475	82	13,011	7,738	7,426	14,428
東南亞等 其他	889	10,546	137	2,673	1,838	1,395	5,377

2. 措置事項

o 人力 保護

· 걸프事態 勃發에 따라 쿠웨이트, 이라크, 사우디 東部地域 進出 人力의 身邊安全을 最優先으로 하여, 緊急待避 및 撤收토록 措置

- 쿠웨이트 進出人力 313名은 全員 撤收 하였으며

- 이라크 進出人力 627名中 620名은 철수, 殘餘 7名은 현재 바그다드 事業本部와 키르쿡 工事現場에 安全하게 머무르고 있음

- 사우디 東部地域 進出人力 703名 全員은 安全地域인 中.西部로 待避하였음

o 工事管理

· 事態勃發로 契約條件上의 特別危險 또는 不可抗力 狀況이 發生, 契約履行이 不可함을 發注處 및 監理社에 通報하고 工事中斷

· 工事現場의 裝備 및 資材등 現物資産은 現地人에 管理委託 또는 盜難防止 施設을 하여 遺失 및 損壞 防止

· 事態鎭靜後 클레임 提起時 發注處와의 紛爭에 對備, 工事 旣成 部分에 대한 寫眞記錄등 諸般 證憑資料 確保

o 進出業體 資金壓迫 解消支援

· 工事中斷에 따른 債權未回收 및 追加費用 發生으로 資金 壓迫을 받고 있는 進出 業體를 支援하기 위하여 걸프事態 特別委員會 審議를 거쳐 財務部에 特別金融支援 要請

- 支援現況 : 65百萬弗(現代 56百萬弗, 南光 9百萬弗)

o 걸프事態 關聯 海外建設對策 委員會 設置, 運營

- 法曹界, 學界, 金融界, 業界등 專門家 10여명으로 構成, 施工中 工事의 損失 最少化 및 戰後 復舊事業 參與方案 講究

Ⅱ. 中斷工事 再開 推進現況

1. 쿠웨이트

o 工事現場에 保管中인 資材, 裝備가 大部分 損.亡失된 것으로 推定

o 쿠웨이트 入國비자 發給이 開始되는대로 被害狀況 調査 및 工事 再開 準備를 위하여 調査팀을 派遣할 計劃

2. 이 라 크

o 現代建設이 요르단 支社를 통하여 입수한 情報에 의하면 바그다드 事業本部 및 키르쿡 工事現場의 資材, 裝備는 큰 被害가 없는 것으로 把握, 바스라등 餘他地域은 未把握

o 現代建設 所屬 殘留人員 7名은 現在 바그다드 事業本部 및 키르쿡 工事現場에서 安全하게 머루고 있는 것으로 把握

o 이라크 國內狀況이 좀더 安定되면 被害調査팀을 派遣할 計劃이나 工事再開는 相當期間 동안 어려울 것임

3. 사우디 東部地域

o 9個 進出業體 모두 待避人力의 再投入(155명)등 工事 再開 準備中

o 工事中斷 事由인 War risk에 대하여 發注處가 認定치 않고 있어 이의 妥結를 위하여 發注處와 交涉中

6 - 2

0058

Ⅲ. 戰後 復舊事業 展望

1. 쿠웨이트 : 緊急復舊와 恒久復舊로 區分

ㅇ 緊急復舊 : 國民生活 不便 解消

- 主 管 : 美國工兵團(C.O.E)
- 期 間 : 3個月 (90日)
- 對 象 : 通信, 電氣, 道路, 橋梁, 輸送手段, 食品, 醫藥品 및 石油關聯施設의 修繕, 改修
- 財 源 : 約 10億弗(5億弗은 石油關聯施設 復舊用)
- 業體選定 : 多國籍軍 參與國인 美, 英, 사우디業體등을 中心으로 旣契約 完了

ㅇ 恒久 復舊

- 緊急復舊가 完了되면 本格的으로 道路, 建物, 住宅, 空港, 港口등 各種 社會間接資本施設과 石油生産關聯施設등 各種 産業施設 工事 發注計劃
- 發注規模 :

  美 C.O.E 및 BECHTEL社가 中心으로 進行중인 建設所要 調査 完了後 確定될 것이나 1,000億弗 上廻 推定

- 財 源 :

  쿠웨이트가 海外에 1,000億弗 以上의 資産을 保有하고 있으나 短期間内에 回收가 困難하기 때문에 國際金融機關으로 부터 借款導入이나 施工業體의 FINANCING도 檢討

- 發注形態 :

  事業分野別로 쿠웨이트의 所管 政府機關에서 發注할것이며 모든 國家의 모든 業體에 均等한 參與機會 賦與計劃

ㅇ 我國業體 參與 可能性

쿠웨이트 政府當局者들이 價格面이나 品質面에서 我國業體가 復舊事業에 適格이라고 높이 評價한바 있지만 世界各國의 參與 關心度가 대단히 높은 것으로 보이기 때문에 政府와 業界 共同의 非常한 進出對策樹立, 推進없이는 큰 成果를 거두기 어려울 것으로 展望

2. 이 라 크

o 現在 推定被害額은 約 4,000億弗

· 全國通信施設의 25% 以上 破壞

· 石油生産施設의 80% 以上 破壞

· 發電施設의 40% 破壞

· 化學武器工場 11個所 破壞

· 産業生産施設의 70%가 被害를 받음

· 바스라港이 破壞되어 原油輸送 不能狀態

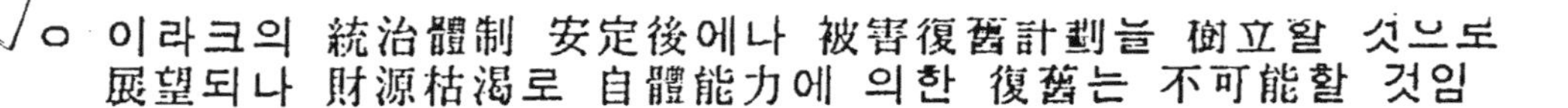

o 이라크의 統治體制 安定後에나 被害復舊計劃을 樹立할 것으로 展望되나 財源枯渴로 自體能力에 의한 復舊는 不可能할 것임

3. 隣近國家

o 걸프戰終了에 따라 사우디, U.A.E 등 GCC 國家들은 國家安保에 대한 再認識으로 各種 軍事施設 및 國民生活 向上을 위한 各種 社會間接資本建設이 活潑히 이루어질 것임

o 多國籍軍에 參與했던 이집트, 시리아도 美國等 先進國들의 經濟援助를 받아 活潑한 開發計劃 推進 展望

6 - 4

0060

Ⅳ. 參與方案

1. 政府支援制度의 改善

ㅇ 進出指定制度의 大幅 緩和

(現行)

- 쿠웨이트 : 3個國 業體
- 이 라 크 : 7 "
- 사 우 디 : 25 "

ㅇ 海外建設工事用 機資材에 대한 輸出 許容

(現行)

國內建設에 따른 建築資材 不足으로 '90.5월부터 ~~物價對策~~ 輸出禁止

ㅇ 海外就業 技能人力에 대한 所得稅 免稅點의 上向 調整

(現行)

月 50萬원까지 所得稅 免除 (所得稅法 第72條)

ㅇ 海外就業 技能人力에 대한 住宅特別 分譲制度의 改善

(現行)

海外에서 1年以上 就業한 勤勞者로서 歸國後 1年以內인
無住宅 世帶主가 住宅請約豫金 (300萬원) 加入後 2年 經過時
專用面前 25.7坪 以下의 民營住宅 建設物量의 10% 範圍內에서
特別分譲(2順位) 可能

다만, 投機過熱 地區에서 分譲되는 住宅除外(住宅供給規則 第15條3項)

ㅇ 海外就業 技能人力에 대한 兵役特惠 賦與

(現行)

海外建設現場에 5年 從事한 土木,建築技士1,2級 技術者는 兵役免除
(兵役義務의 特例 規制에 關한 法律 第 13條)

2. 外國業體와의 共同進出 推進

o 技術集約型 플랜트 工事

· 先進國業體와 合作 또는 下請 進出

o 單純土木, 建築工事

· 사우디, 이집트, 터어키, 中國業體와 合作進出

3. 我國業體間 共同進出對策 講究

o 海外建設協會 中心으로 業體間 協助體制 構築

4. 第3國人力 積極活用

o 中國內 僑胞人力 및 이집트人力 雇傭 擴大

5. 建設外交 强化

o 主要 發注國등에 政府代表 派遣등 積極的 外交交涉 展開

o 美 C.O.E 本部 및 BECHTEL 등에 民. 官合同의 受注交涉團 派遣

6 - 6

0062

중동지역 시장동향 및 대응방안

1991.3.20

상 공 부

0063

1. 전후 중동지역 무역환경의 변화

가. 개 황

o 현재까지는 전쟁의 직접적인 피해를 입은 쿠웨이트, 이락의 전후복구 계획이 구체화되지 않아 쿠웨이트 난민의 재정착에 필요한 일부 기초생필품의 구매이외의 본격적 전쟁특수는 현재화되지 않고 있음

o 앞으로 걸프전과 관련한 GCC국가 및 인근국가와의 정세변화에 따른 상인 및 근로자등의 이동으로 일반소비재의 신규수요가 예상됨

o 또한 걸프주변국가에 대한 서방국가의 지원확대, 유가인상에 따른 구매력회복 및 국방관련 투자확대에 따른 상품수출증대가 예상됨

o 중동지역의 신규수요는 대부분 가격조건보다 적기에 신속한 공급가능 여부가 수주의 성패를 좌우할 것으로 판단됨

나. 정부조사단에서 파악한 주요국별 시장동향

o 사우디

- 금번 걸프전에 대비하여 작년하반기이후 주요생필품을 대량비축하여 두었기 때문에 전후의 단기적 특수는 기대하기 어려움

- 다만, 사우디의 국방시설 투자사업과 관련 피복, 방독면등 비살상용 군수품수출과 쿠웨이트 지역에 대한 우회수출증가 전망

o U.A.E

- 두바이지역은 풍부한 INFRASTRUCTURE, 자유무역항정책 및 활발한 금융기능등에 힘입어 과거 쿠웨이트가 담당하던 중계무역역할까지 담당할 것으로 보임

- U.A.E 정부는 두바이지역을 "중동의 홍콩" 역할을 할수 있도록 물류 처리기능의 보강 및 외국인 투자유치 정책을 강화할 방침임

0064

o 이집트

- 종전이후 이집트근로자의 대GCC 송출쿼타증대, 관광수입회복, 외채탕감 (약160 억불) 및 국영기업 민영화, 환율의 실세화등 국내경제개혁 조치로 금후 이집트 경제활성화 전망

- 이집트정부가 집중투자중인 섬유 및 생산품생산에 필요한 섬유기계, 플라스틱가공기계에 대한 플랜트 수주확대 전망

o 요르단

- 걸프사태와 관련 GCC 국가와의 관계악화로 원조자금 유입중단, 근로자귀환 및 외환시장 악화로 구매력이 매우 위축됨

2. 우리의 대응방안

가. 기본방향

o 단기적으로는 걸프전의 종료를 계기로 하지수요, 쿠웨이트 피난민 복귀등에 대비한 일반생필품의 조기공급체제 구축

- 정부의 적극적 관여시 대외의 비판적 여론을 고려, 업계가 자율적으로 활발한 수주활동을 전개토록 여건조성에 주력

- 대중동 수출유망품목의 공급능력 극대화 및 활발한 정보교환을 통한 신속한 DELIVERY 체제 구축

o 장기적으로는 대중동시장에 대한 진출여건보강 및 시장다변화에 주력

- 그동안 업계의 대중동 시장에 대한 소극적인 대응자세의 전환 유도

- 중동시장의 특성인 소량다품종 수주에 대비하여 중소기업 기반 조성 및 제품차별화 사업추진

0065

나. 주요추진 과제

o 중동지역 시장개척단 파견검토

- 파견기간 : '91년4 월중
- 파견지역 : 두바이, 제다, 담만, 카이로, 테헤란 5개지역
- 파견업체 : 중소기업 25 개사내외

o 두바이 상품전시회 참가

- 두바이 한국상품종합전시회 및 Int'l Spring Fair에 적극참가
- 전시기간 : '91.5.28 ~ 6.1 (5 일간)
- 중동지역 전시회에 자동차 및 첨단기술제품을 전략적으로 출품
  시켜 아국기술수준을 과시하므로써 제값받기운동의 측면지원

o 중소기업 진출기회확대를 위한 시장정보 공급체제 구축

- 중소기업제품에 대한 공급가능정보는 무역업자 편람뿐이므로 금년중
  전무역관에 PC 를 설치, 중소제조업체 및 제품 DATA BASE를 공급
- 조속한 시일내에 KOTRA와 해외무역관 사이에 ON-LINE으로 제조업체
  및 국산공급가능상품관련 정보유통체제의 구축추진

o 대중동 기업진출의 여건조성

- 종전후 미국중심으로 검토중인 중동개발은행(MEBRD) 에 아국의
  적극적 자본참여를 통하여 우리기업의 대중동진출 지분확대
- 이집트, 이란등에 대한 PLANT 수출증대 및 중동국가로부터의 원유,
  1 차산품등과의 구상무역제의에 대비, 정부지원자금 사전확보방안
  강구

다. 관계부처 협조요망사항

o 외무부 : 방위물자수주지원을 위하여 사우디등에 정부고위급 특사
  파견방안 검토

o 기획원 : 대중동 PLANT 수출증대에 따른 연불수출자금 지원등 복구
  사업관련 프로젝트 지원을 위한 추경편성방안 검토

o 재무부 : 중동개발은행 참여계획 및 복구사업관련 EDCF 기금의
  신축적 활용방안 강구

0066

개편부.

Ⅳ. 參與方案

1. 政府支援制度의 改善

ㅇ 進出指定制度의 大幅 緩和

(現行)

· 쿠웨이트 : 3個企業體 (123등)
· 이 라 크 : 7 "
· 사 우 디 : 25 "

ㅇ 海外建設工事用 機資材에 대한 輸出 許容

(現行)

國內建設에 따른 建築資材 不足으로 '90.5월부터 ~~物價對策~~ 輸出禁止

ㅇ 海外就業 技能人力에 대한 所得稅 免稅點의 上向 調整

(現行)

月 50萬원까지 所得稅 免除 (所得稅法 第72條)

ㅇ 海外就業 技能人力에 대한 住宅特別 分讓制度의 改善

(現行)

海外에서 1年以上 就業한 勤勞者로서 歸國後 1年以內인
無住宅 世帶主가 住宅請約豫金 (300萬원) 加入後 2年 經過時
專用面前 25.7坪 以下의 民營住宅 建設物量의 10% 範圍內에서
特別分讓(2順位) 可能

다만, 投機過熱 地區에서 分讓되는 住宅除外(住宅供給規則 第15條3項)

ㅇ 海外就業 技能人力에 대한 兵役特惠 賦與

(現行)

海外建設現場에 5年 從事한 土木,建築技士1,2級 技術者는 兵役免除
(兵役義務의 特例 規制에 關한 法律 第 13條)

2. 外國業體와의 共同進出 推進

o 技術集約型 플랜트 工事

· 先進國業體와 合作 또는 下請 進出

o 單純土木, 建築工事

· 사우디, 이집트, 터어키, 中國業體와 合作進出

3. 我國業體間 共同進出對策 講究

o 海外建設協會 中心으로 業體間 協助體制 構築

4. 第3國人力 積極活用

o 中國內 僑胞人力 및 이집트人力 雇傭 擴大

5. 建設外交 强化

o 主要 發注國등에 政府代表 派遣등 積極的 外交交涉 展開

o 美 C.O.E 本部 및 BECHTEL 등에 民.官合同의 受注交涉團 派遣

0068

中東 對策委員會 會議 資料

(第 1 次 會議)

I. 中東地域 情勢 調査團 活動 報告
  1. 調査團 構成 및 主要 目的
  2. 現地 情勢等 主要動向
  3. 外務部 第1次官補 美國訪問 및 多國籍軍 財政支援 供與國 調整委 參席 報告
II. 戰後 復舊事業 概要
  1. 事業 概要
  2. 쿠웨이트 政府의 復舊事業 推進施策
  3. 各國 參與 動向
  4. 우리나라의 參與 方案

1991. 3. 20.

外務部 걸프戰 事後 對策班

0069

中東 對策 委員會 會議 參席者

(1991. 3 . 20 .)

會議主宰 : 柳宗夏 外務部 次官

部 處	部署 및 職位	姓 名	署 名
靑瓦臺	외교안보 보좌관실 비 서 관	정 태 익	
總理室	제2조정관실 재무건설 심의관	남 궁 순	
經企院	대외경제조정실 제1협력관	장 승 우	
財務部	국제금융국장	강 만 수	
國防部	정책기획관 (소 장)	조 성 태	
商工部	상 역 국 장	황 두 연	
建設部	건설경제국장	박 병 선	
動資部	석유조정관	이 동 규	

※ 외무부에서는 제2차관보, 중동아프리카국장, 국제경제국장, 통상국장이 참석 예정

0070

I. 中東地域 情勢 調査團 活動報告

1. 調査團 構成 및 主要 目的

가. 構 成 : 外務部 第2次官補를 團長으로, 靑瓦臺 擔當秘書官 및 外務部, 經企院, 財務部, 商工部, 建設部 實務課長等 7名으로 構成

나. 訪問國 : UAE, 이집트, 사우디, 요르단

다. 期 間 : 1991. 2. 24 - 3. 9.

라. 出張 目的

- o 戰後 中東秩序 再編과 關聯된 現地 情勢 및 動向 把握
- o 戰後 復舊와 經濟 復興 計劃 關聯 情報 收集
- o 周邊國 經濟 支援 事業 協議
- o 現地 進出 我國業體 接觸 및 僑民 身邊安全 狀況把握

마. 接觸人士

- o UAE의 外務次官 代理 및 두바이 商工會議所 副會長, 이집트의 副首相겸 外務長官 및 國際協力長官, 사우디아라비아의 外務部 經濟次官代理 및 企劃部 企劃次官, 쿠웨이트의 住宅長官 및 戰後 緊急 復舊 擔當 責任者인 地方行政長官, 요르단의 企劃部長官 및 外務次官과 主要 企業體代表外 我國 進出 業體

2. 現地情勢等 主要 動向

가. 韓國의 걸프戰에 대한 支援

- o 巡訪國 政府 人士들은 모두가 韓國이 多國籍軍側에 相當額의 財政支援, 醫療團 및 軍輸送團을 派遣한 것을 높이 評價
- o 이는 韓國의 伸張된 國力, 高揚된 國際的 地位에 相應하는 國際的 貢獻으로서 今後 아랍과의 關係를 發展 强化시키는데 도움이 될 것임

0071

나. 戰後 安保體制 構築問題

o 아랍國家 자신들이 이니시어티브를 가지고 主軸이 되는 安保體制 構築努力이 傾注될 것임

o 今番 쿠웨이트의 쓰라린 經驗을 거울삼아. 걸프協力 理事會 (GCC) 諸國의 防衛力 向上과 安保協力이 强化될것임

o 그러나 自體的 協力에 GCC 諸國은 이집트, 시리아의 支援을 얻어 集團安保體制를 樹立코자 하는 努力이 積極化될 것임

o 美.英은 걸프地域의 安定, 原油의 圓滑한 輸出, 걸프灣의 航行 安全 確保를 위해 海.空軍力을 계속 維持할 것임.

o 大量殺傷武器(核.化學.生物)의 減縮 내지 排除와 對中東 武器輸出 統制를 위한 國際的 協調 問題가 提起되고 있음.

다. 戰後 復舊 復興 問題

o 쿠웨이트 및 이라크의 戰爭被害 復舊와 域內 貧國의 經濟 發展이라는 두가지 課題 台頭

o 새로운 形態의 復興開發銀行 設立이나 中東版 마샬플랜의 發足에 대해서는 消極的인 反應

o GCC 國家間에 "걸프基金"을 創設, 域內의 自助 努力을 培養하는 經濟協力 體制 構築이 所望스럽다는 見解

라. 쿠웨이트 復舊 事業 參與

<動 向>

o 戰後 短期間(90일간)의 緊急 復舊는 쿠웨이트 緊急 復舊 計劃處에서 擔當, 그 以後의 復舊事業은 所管部處에서 遂行

o 美國이 復舊事業全般에 걸쳐 강한 發言權 行使 印象

o 具體的 復舊事業 規模는 本格的인 破壞狀態 調査後 밝혀질 것임

0072

o 美國 以外에 英國, 佛蘭西, 이집트, 사우디 諸國도 復舊事業 參與를 위한 努力 傾注 (各國의 競爭 熾烈)

<우리 業界의 參與與件>

o 쿠웨이트 政府는 韓國의 多國籍軍에 대한 寄與度를 考慮 建設事業 參與 機會 賦與 言明

o 이는 戰後 復舊事業 및 軍事施設 受注에 肯定的 要素로 作用 豫想

o 사우디아라비아, 이집트等 業體能力向上, 現地 我國 勤勞者들의 勞賃引上 要求, 作業 態度등 問題點으로 因해 單純 建設土木工事는 競爭力 弱化. 技術型 工事受注로 移行 必要

o 또한 先進國(美國, 유럽) 및 사우디, 이집트 業體와의 協力에 의한 受注 摸索(사우디, 이집트의 걸프戰에 대한 寄與로 一定持分 獲得 展望)

o 海外 技能工에 대한 免稅點 引上 및 國民住宅 優先 分讓等 福祉政策 實施

o 調査團은 쿠웨이트 復舊事業 參與 計劃書 및 戰後 民生安定用 150餘個 緊急供給 可能品目 리스트를 쿠웨이트측에 提示하였는바 政府와 業界의 緊密한 協調體制 構築 必要

마. 周邊國 支援

o 이집트, 요르단等 受援國 政府는 我國의 支援에 感謝

o 이집트는 1,500만불의 對外經協基金(EDCF)借款을 無償援助로 轉換해 줄것을 要請

3. 外務部 第1次官補 美國 訪問 및 多國籍軍 財政 支援供與國 調整委 參席 報告

가. 地域安保 體制 構築

o 多國籍軍이 早速 撤收 豫定임에 비추어 걸프域內 安全保障 裝置의 빠른 時日內 樹立 必要

0073

- 美國은 軍事裝備의 쿠웨이트內 繼續 配置, 海軍力의 걸프 域內 駐屯, 걸프 諸國과의 合同 空軍訓鍊 實施 計劃
- GCC 諸國과 穩健 아랍國家가 參與하는 域內 安保體制 樹立 選好
- 中東地域 情勢 不安 要因 除去 次元에서 軍備統制 必要
- 美國은 向後 中東地域 問題解決에 있어 蘇聯의 建設的 參與 期待

나. 戰後復舊 및 復興事業

- 걸프戰後 아랍 貧富國間 隔差解消위해 周邊國에 대한 經濟援助, 通商增進, 投資增大 必要
- 域內 國家間 現金支援 爲主의 援助를 止揚하고, 經濟開發 效果를 거두기 위하여 經濟開發 프로젝트와 聯關된 援助가 바람직함.
- 쿠웨이트 政府는 걸프戰爭 關聯 支援 與否에 따라 復舊 事業 參與 可能國과 參與 不可國으로 區分. 韓國은 復舊參與 可能國으로 當然 分類 되었음.
- 쿠웨이트 復舊에 있어 電氣, 上.下水道 및 汚物處理 施設등 緊急 復舊가 必要한 分野에 있어서는 美國 政府가 큰 役割을 할것이나 道路, 港灣, 政府建物, 住宅등 社會 間接資本 施設 復舊는 쿠웨이트 政府가 主導的으로 計劃 樹立施行 展望
- 現在 對이라크 經濟制裁 措置가 有效한 만큼 이라크內 復舊事業 參與는 追後 適切한 時期에 愼重히 檢討해야 할 것임

0074

Ⅱ. 戰後 復舊事業 概要

1. 事業 概要

가. 豫想規模

- ㅇ 쿠웨이트 : 600-1,000億弗 (向後 5年間)
- ㅇ 이 라 크 : 1,000-2,000億弗 (向後 10年間)

나. 財源充當

쿠웨이트

- ㅇ 保有 外換 및 證券等 約 1,000億弗의 海外에 投資된 流動資産이 있어 復舊事業 所要資金의 確保는 無難할 것으로 豫想
- ㅇ 原油 輸出이 回復되면 復舊事業 推進이 더욱 圓滑化 될 것임. 原油 輸出은 9個月-1年後에 再開 豫想.

이 라 크

- ㅇ 今番 걸프戰 및 8年間의 對이란戰으로 復舊事業 資金 調達에 어려움이 있을 것으로 展望
- ㅇ 西方國家들은 이라크의 指導部가 改編된後 이라크의 戰後 復舊를 위하여 投資豫想. 사담 후세인이 權座에 있는한 戰爭 賠償 壓力이 加重되어 原油 代金의 復舊費 充當도 期待難

다. 事業內容

쿠웨이트

- ㅇ 第 1段階 事業 (EMERGENCY RECOVERY PROGRAM) : 90日間 初期段階 緊急 復舊事業
  - 쿠웨이트市 淸掃. 地雷除去 및 防疫 事業
  - 電氣, 水道, 電話등 公共施設에 대한 被害 調査 및 緊急復舊

0075

道路, 港灣, 空港等 社會間接資本施設 復舊

- 生必品 및 醫藥品 調達

ㅇ 第 2段階 事業 (PERMANENT RECOVERY PROGRAM) : 3-5年間 國家 基幹 産業 및 軍事施設등 永久復舊 事業
  - 電氣, 水道, 電話등 公共施設에 대한 基礎調査 報告書를 根據로 推進
  - 主要 事業은 電力, 上下水道, 淡水 等 Utility 設備, Oil 및 Gas 生産設備, 政府施設物 (建物, 病院, 福祉施設), 軍事施設 및 空港 復舊 事業, 道路, 港灣, 空港 等 Infrastructure 等

이 라 크

ㅇ 財源 調達을 위해 最優先的으로 産油 및 精油施設 復舊 展望

ㅇ 民生 安定 目的의 社會間接資本施設 復舊도 竝行着手 豫想 (住宅, 道路, 發電 施設 等)

ㅇ 全般的인 復舊 事業은 長期間 所要 展望

2. 쿠웨이트 政府의 復舊事業 推進施策

가. 復舊事業 推進機構

ㅇ 復舊事業 總括部署로서 副首相兼 外務長官을 委員長으로한 "再建 委員會"가 設置됨

ㅇ 短期 復舊事業은 美國 COE와 쿠웨이트 政府 合同 TASK FORCE TEAM (KERP)에 의해 共同 推進

ㅇ 長期 復舊事業은 所管 部處別로 施行하되 再建委員會와 事前 協議, 工事 發注

0076

나. 展 望

- ㅇ 復舊事業 參與持分은 多國的軍 參戰 寄與度에 따라 應分의 參與 許容
- ㅇ 쿠웨이트 政府는 短期 緊急 復舊 事業에 있어서는 美國 政府가 主導, 支援하고 있으나, 中.長期 復舊 事業은 쿠웨이트 政府가 自體 判斷에 따라 契約 締結, 施行하게 될 것이라는 立場을 表明
- ㅇ 그러나 美國COE가 緊急 復舊事業 期間 以後에도 一部가 殘留하여 一定期間 影響力 繼續 行使 展望

3. 各國 參與 動向

가. 美國, 英國, 사우디아라비아, 佛蘭西등 多國籍軍 主導 國家 企業이 大部分 受注 豫想

- ㅇ 쿠웨이트 政府 復舊事業의 計劃.立案 및 監理 業務에 關한 約1億弗의 用役 契約 美國 COE 旣受注
- ㅇ 都市機能 正常化를 위한 物資調達, 人力 및 裝備供給등 約8億弗, 200餘件의 發注 工事中 約 70%,174件도 美國이 受注
- ㅇ 戰爭中 破壞된 油井 鎭火 및 石油 生産施設 復舊工事의 主契約者로 美國 BECHTEL 社가 選定됨

나. 이집트와 시리아의 參與持分 要求 强化 展望 (特히 이집트의 人力 進出 活潑 豫想)

다. EC는 美國의 쿠웨이트 緊急 復舊 事業에 있어서의 獨占的 契約에 不滿表明, 應分의 參與 要求

라. 獨逸, 日本은 걸프戰에 消極的 姿勢固守로 쿠웨이트 戰後 復舊事業 積極 參與 期待難

0077

4. 우리나라의 參與 方案

가. 對 쿠웨이트 復舊事業 參與方案

ㅇ 쿠웨이트 政府는 復舊 事業 參與 對象國 選定 名分을 軍事的 支援 報償에 두고, 특히 美, 英, 佛, 사우디를 優先하는 方向으로 推進하고 있으나, 韓國에 대해서는 過去의 經驗과 實績을 높이 評價하고 있고, 今番 戰爭에서의 寄與에 비추어 應分의 參與 可能視됨

ㅇ 我國 業體 單獨 受注 또는 美, 英, 사우디, 이집트 會社等과 共同受注 또는 合作 및 下請進出 積極 推進

ㅇ 쿠웨이트 緊急 復舊계획처(KERP)와의 接觸强化

ㅇ 90日間 豫定 緊急復舊事業의 長期化 및 COE의 影響力 繼續行使 可能性을 勘案, 我國業體의 COE 登錄이 有利할것으로 判斷됨

ㅇ 美國 COE는 쿠웨이트 戰後 緊急 復舊工事에 대한 參與意思가 있는 企業에 대해 事前 登錄 토록 公告하고, 그 資格 및 美國政府工事 實績等 여러가지 要件을 具備한 業體에 參與를 開放하고 있는바, 이는 事實上 外國 業體 參與를 封鎖하는 措置로 볼수있으나, 我國의 美國地域 進出業體들의 參與는 可能할 것으로 보임.(駐美 大使館에서 美國 進出 我國 建設業體에 上記 資料 配付, 參與 督勵中임)

ㅇ 現在 쿠웨이트 政府는 戰後復舊 主要事業으로 2個의 新都市 建設 計劃과 防衛施設 擴充計劃을 檢討中이며, 이러한 業務는 사우디아라비아의 담맘 殘留 KERP가 繼續 管掌하고 있으므로 關心業體의 直接 接觸이 바람직함

나. 對이라크 復舊事業 參與 方案

ㅇ 이라크의 어려운 財政 事情으로인해 今後 相當 期間 國際的 支援에의한 復舊工事 推進展望이며, 追後 第 3의 建設市場으로서의 큰 潛在力을 가지고 있으므로 銳意 注視 必要.

0078

o 戰後 民生 安定을 위한 基本 施設 工事는 早期 着手될 展望이므로 適切時期에 我側의 參與 方案摸索

o 原油를 建設 代金으로 受領하는 形態의 復舊 事業 檢討

o 向後 中東開發復興銀行 資金에 의한 工事에 先進 業體와 共同 參與 또는 日本의 資金 支援 工事에 日本 業體의 下請 參與 方案 摸索

0079

中東 對策委員會 會議 資料

(第 1 次 會議)

1991. 3. 20.

外務部 걸프戰 事後 對策班

0080

中東 對策 委員會 會議 參席者

(1991. 3 . 20 .)

會議主宰 : 柳宗夏 外務部 次官

部 處	部署 및 職位	姓 名	署 名
靑瓦臺	외교안보 보좌관실 비서관	정 태 익	
總理室	제2조정관실 재무건설 심의관	남 궁 순	
[illegible]	[illegible]	[illegible]	
經企院	대외경제조정실 제1협력관	장 승 우	
財務部	국제금융국장	강 만 수	
國防部	정책기획관 (소 장)	조 성 태	
商工部	상 역 국 장	황 두 연	
建設部	건설경제국장	박 병 선	
動資部	석유조정관	이 동 규	

※ 외무부에서는 중동아프리카국장, 미주국장, 국제경제국장, 통상국장이 참석 예정

0081

I. 中東地域 情勢 調査團 活動報告

1. 調査團 構成 및 主要 目的

가. 構 成 : 外務部 第2次官補를 團長으로, 靑瓦臺 擔當秘書官 및 外務部, 經企院, 財務部, 商工部, 建設部 實務課長等 7名으로 構成

나. 訪問國 : UAE, 이집트, 사우디, 요르단

다. 期 間 : 1991. 2. 24 - 3. 9.

라. 出張 目的

- o 戰後 中東秩序 再編과 關聯된 現地 情勢 및 動向 把握
- o 戰後 復舊와 經濟 復興 計劃 關聯 情報 收集
- o 周邊國 經濟 支援 事業 協議
- o 現地 進出 我國業體 接觸 및 僑民 身邊安全 狀況把握

마. 接觸人士

- o UAE의 外務次官 代理 및 두바이 商工會議所 副會長, 이집트의 副首相겸 外務長官 및 國際協力長官, 사우디아라비아의 外務部 經濟次官代理 및 企劃部 企劃次官, 쿠웨이트의 住宅長官 및 戰後 緊急 復舊 擔當 責任者인 地方行政長官, 요르단의 企劃部長官 및 外務次官과 主要 企業體代表外 我國 進出 業體

2. 現地情勢等 主要 動向

가. 韓國의 걸프戰에 대한 支援

- o 巡訪國 政府 人士들은 모두가 韓國이 多國籍軍側에 相當額의 財政支援, 醫療團 및 軍輸送團을 派遣한 것을 높이 評價
- o 이는 韓國의 伸張된 國力, 高揚된 國際的 地位에 相應하는 國際的 貢獻으로서 今後 아랍과의 關係를 發展 强化시키는데 도움이 될 것임

0082

나. 戰後 安保體制 構築問題

- ㅇ 아랍國家 자신들이 이니시어티브를 가지고 主軸이 되는 安保體制 構築努力이 傾注될 것임
- ㅇ 今番 쿠웨이트의 쓰라린 經驗을 거울삼아. 걸프協力 理事會 (GCC) 諸國의 防衛力 向上과 安保協力이 强化될것임
- ㅇ 그러나 自體的 協力에 GCC 諸國은 이집트, 시리아의 支援을 얻어 集團安保體制를 樹立코자 하는 努力이 積極化될 것임
- ㅇ 美.英은 걸프地域의 安定, 原油의 圓滑한 輸出, 걸프灣의 航行 安全 確保를 위해 海.空軍力을 계속 維持할 것임.
- ㅇ 大量殺傷武器(核.化學.生物)의 減縮 내지 排除와 對中東 武器輸出 統制를 위한 國際的 協調 問題가 提起되고 있음.

다. 戰後 復舊 復興 問題

- ㅇ 쿠웨이트 및 이라크의 戰爭被害 復舊와 域內 貧國의 經濟 發展이라는 두가지 課題 台頭
- ㅇ 새로운 形態의 復興開發銀行 設立이나 中東版 마샬플랜의 發足에 대해서는 消極的인 反應
- ㅇ GCC 國家間에 "걸프基金"을 創設, 域內의 自助 努力을 培養하는 經濟協力 體制 構築이 所望스럽다는 見解

라. 쿠웨이트 復舊 事業 參與

<動 向>

- ㅇ 戰後 短期間(90일간)의 緊急 復舊는 쿠웨이트 緊急 復舊 計劃處에서 擔當, 그 以後의 復舊事業은 所管部處에서 遂行
- ㅇ 美國이 復舊事業全般에 걸쳐 강한 發言權 行使 印象
- ㅇ 具體的 復舊事業 規模는 本格的인 破壞狀態 調査後 밝혀질 것임

0083

- 美國 以外에 英國, 佛蘭西, 이집트, 사우디 諸國도 復舊事業 參與를 위한 努力 傾注 (各國의 競爭 熾烈)

<우리 業界의 參與與件>

- 쿠웨이트 政府는 韓國의 多國籍軍에 대한 寄與度를 考慮 建設事業 參與 機會 賦與 言明
- 이는 戰後 復舊事業 및 軍事施設 受注에 肯定的 要素로 作用 豫想
- 사우디아라비아, 이집트等 業體能力向上, 現地 我國 勤勞者들의 勞賃引上 要求, 作業 態度등 問題點으로 因해 單純 建設土木工事는 競爭力 弱化. 技術型 工事受注로 移行 必要
- 또한 先進國(美國, 유럽) 및 사우디, 이집트 業體와의 協力에 의한 受注 摸索(사우디, 이집트의 걸프戰에 대한 寄與로 一定持分 獲得 展望)
- 海外 技能工에 대한 免稅點 引上 및 國民住宅 優先 分讓等 福祉政策 實施
- 調査團은 쿠웨이트 復舊事業 參與 計劃書 및 戰後 民生安定用 150餘個 緊急供給 可能品目 리스트를 쿠웨이트측에 提示 하였는바 政府와 業界의 緊密한 協調體制 構築 必要

마. 周邊國 支援

- 이집트, 요르단等 受援國 政府는 我國의 支援에 感謝
- 이집트는 1,500만불의 對外經協基金(EDCF)借款을 無償援助로 轉換해 줄것을 要請

3. 外務部 第1次官補 美國 訪問 및 多國籍軍 財政 支援供與國 調整委 參席 報告

가. 地域安保 體制 構築

- 多國籍軍이 早速 撤收 豫定임에 비추어 걸프域內 安全保障 裝置의 빠른 時日内 樹立 必要

0084

o 美國은 軍事裝備의 쿠웨이트內 繼續 配置, 海軍力의 걸프 域內 駐屯, 걸프 諸國과의 合同 空軍訓鍊 實施 計劃

o GCC 諸國과 穩健 아랍國家가 參與하는 域內 安保體制 樹立 選好

o 中東地域 情勢 不安 要因 除去 次元에서 軍備統制 必要

o 美國은 向後 中東地域 問題解決에 있어 蘇聯의 建設的 參與 期待

나. 戰後復舊 및 復興事業

o 걸프戰後 아랍 貧富國間 隔差解消위해 周邊國에 대한 經濟援助, 通商增進, 投資增大 必要

o 域內 國家間 現金支援 爲主의 援助를 止揚하고, 經濟開發 效果를 거두기 위하여 經濟開發 프로젝트와 聯關된 援助가 바람직함.

o 쿠웨이트 政府는 걸프戰爭 關聯 支援 與否에 따라 復舊 事業 參與 可能國과 參與 不可國으로 區分. 韓國은 復舊參與 可能國으로 當然 分類 되었음.

o 쿠웨이트 復舊에 있어 電氣, 上.下水道 및 汚物處理 施設등 緊急 復舊가 必要한 分野에 있어서는 美國 政府가 큰 役割을 할것이나 道路, 港灣, 政府建物, 住宅등 社會 間接資本 施設 復舊는 쿠웨이트 政府가 主導的으로 計劃 樹立施行 展望

o 現在 對이라크 經濟制裁 措置가 有效한 만큼 이라크內 復舊事業 參與는 追後 適切한 時期에 愼重히 檢討해야 할 것임

0085

Ⅱ. 戰後 復舊事業 概要

1. 事業 概要

가. 豫想規模

ㅇ 쿠웨이트 : 600-1,000億弗 (向後 5年間)

ㅇ 이 라 크 : 1,000-2,000億弗 (向後 10年間)

나. 財源充當

쿠웨이트

ㅇ 保有 外換 및 證券等 約 1,000億弗의 海外에 投資된 流動資産이 있어 復舊事業 所要資金의 確保는 無難할 것으로 豫想

ㅇ 原油 輸出이 回復되면 復舊事業 推進이 더욱 圓滑化 될 것임. 原油 輸出은 9個月-1年後에 再開 豫想.

이 라 크

ㅇ 今番 걸프戰 및 8年間의 對이란戰으로 復舊事業 資金 調達에 어려움이 있을 것으로 展望

ㅇ 西方國家들은 이라크의 指導部가 改編된後 이라크의 戰後 復舊를 위하여 投資豫想. 사담 후세인이 權座에 있는한 戰爭 賠償 壓力이 加重되어 原油 代金의 復舊費 充當도 期待難

다. 事業內容

쿠웨이트

ㅇ 第 1段階 事業 (EMERGENCY RECOVERY PROGRAM) : 90日間 初期段階 緊急 復舊事業

- 쿠웨이트市 淸掃. 地雷除去 및 防疫 事業
- 電氣, 水道, 電話등 公共施設에 대한 被害 調査 및 緊急復舊

0086

- 道路，港灣，空港等 社會間接資本施設 復舊
- 生必品 및 醫藥品 調達

o 第 2段階 事業 (PERMANENT RECOVERY PROGRAM) : 3-5年間 國家 基幹 産業 및 軍事施設등 永久復舊 事業
  - 電氣，水道，電話등 公共施設에 대한 基礎調査 報告書를 根據로 推進
  - 主要 事業은 電力，上下水道，淡水 等 Utility 設備，Oil 및 Gas 生産設備，政府施設物 (建物，病院，福祉施設)，軍事施設 및 空港 復舊 事業，道路，港灣，空港 等 Infrastructure 等

이 라 크

o 財源 調達을 위해 最優先的으로 産油 및 精油施設 復舊 展望

o 民生 安定 目的의 社會間接資本施設 復舊도 竝行着手 豫想 (住宅，道路，發電 施設 等)

o 全般的인 復舊 事業은 長期間 所要 展望

2. 쿠웨이트 政府의 復舊事業 推進施策

가. 復舊事業 推進機構

o 復舊事業 總括部署로서 副首相兼 外務長官을 委員長으로한 "再建 委員會"가 設置됨

o 短期 復舊事業은 美國 COE와 쿠웨이트 政府 合同 TASK FORCE TEAM (KERP)에 의해 共同 推進

o 長期 復舊事業은 所管 部處別로 施行하되 再建委員會와 事前 協議，工事 發注

0087

나. 展　　望

- o 復舊事業 參與持分은 多國的軍 參戰 寄與度에 따라 應分의 參與 許容
- o 쿠웨이트 政府는 短期 緊急 復舊 事業에 있어서는 美國 政府가 主導, 支援하고 있으나, 中.長期 復舊 事業은 쿠웨이트 政府가 自體 判斷에 따라 契約 締結, 施行하게 될 것이라는 立場을 表明
- o 그러나 美國COE가 緊急 復舊事業 期間 以後에도 一部가 殘留하여 一定期間 影響力 繼續 行使 展望

3. 各國 參與 動向

가. 美國, 英國, 사우디아라비아, 佛蘭西등 多國籍軍 主導 國家 企業이 大部分 受注 豫想

- o 쿠웨이트 政府 復舊事業의 計劃.立案 및 監理 業務에 關한 約1億弗의 用役 契約 美國 COE 旣受注
- o 都市機能 正常化를 위한 物資調達, 人力 및 裝備供給등 約8億弗, 200餘件의 發注 工事中 約 70%,174件도 美國이 受注
- o 戰爭中 破壞된 油井 鎭火 및 石油 生產施設 復舊工事의 主契約者로 美國 BECHTEL 社가 選定됨

나. 이집트와 시리아의 參與持分 要求 强化 展望 (特히 이집트의 人力 進出 活潑 豫想)

다. EC는 美國의 쿠웨이트 緊急 復舊 事業에 있어서의 獨占的 契約에 不滿表明, 應分의 參與 要求

라. 獨逸, 日本은 걸프戰에 消極的 姿勢固守로 쿠웨이트 戰後 復舊事業 積極 參與 期待難

0088

4. 우리나라의 參與 方案

가. 對 쿠웨이트 復舊事業 參與方案

- ㅇ 쿠웨이트 政府는 復舊 事業 參與 對象國 選定 名分을 軍事的 支援 報償에 두고, 특히 美, 英, 佛, 사우디를 優先하는 方向으로 推進하고 있으나, 韓國에 대해서는 過去의 經驗과 實績을 높이 評價하고 있고, 今番 戰爭에서의 寄與에 비추어 應分의 參與 可能視됨
- ㅇ 我國 業體 單獨 受注 또는 美, 英, 사우디, 이집트 會社等과 共同受注 또는 合作 및 下請進出 積極 推進
- ㅇ 쿠웨이트 緊急 復舊계획처(KERP)와의 接觸强化
- ㅇ 90日間 豫定 緊急復舊事業의 長期化 및 COE의 影響力 繼續行使 可能性을 勘案, 我國業體의 COE 登錄이 有利 할것으로 判斷됨
- ㅇ 美國 COE는 쿠웨이트 戰後 緊急 復舊工事에 대한 參與意思가 있는 企業에 대해 事前 登錄 토록 公告하고, 그 資格 및 美國政府工事 實績等 여러가지 要件을 具備한 業體에 參與를 開放하고 있는바, 이는 事實上 外國 業體 參與를 封鎖하는 措置로 볼수있으나, 我國의 美國地域 進出業體들의 參與는 可能할 것으로 보임.(駐美 大使館에서 美國 進出 我國 建設業體에 上記 資料 配付, 參與 督勵中임)
- ㅇ 現在 쿠웨이트 政府는 戰後復舊 主要事業으로 2個의 新都市 建設 計劃과 防衛施設 擴充計劃을 檢討中이며, 이러한 業務는 사우디아라비아의 담맘 殘留 KERP가 繼續 管掌하고 있으므로 關心業體의 直接 接觸이 바람직함

나. 對이라크 復舊事業 參與 方案

- ㅇ 이라크의 어려운 財政 事情으로인해 今後 相當 期間 國際的 支援에의한 復舊工事 推進展望이며, 追後 第 3의 建設市場 으로서의 큰 潛在力을 가지고 있으므로 銳意 注視 必要.

0089

- 戰後 民生 安定을 위한 基本 施設 工事는 早期 着手될 展望이므로 適切時期에 我側의 參與 方案摸索
- 原油를 建設 代金으로 受領하는 形態의 復舊 事業 檢討
- 向後 中東開發復興銀行 資金에 의한 工事에 先進 業體와 共同 參與 또는 日本의 資金 支援 工事에 日本 業體의 下請 參與 方案 摸索

0090

外務部 걸프事態 非常對策 本部

題 目:

1991. . .

중동 대책위원회 제1차 회의 14:40 - 16:10

Photo session

차관: 총리주재 회의 중 소집 경위 설명 //
정부 조사단 / 제1차 D.C, 룩셈.
방문 결과 방침 의견교환

가 각자 / 소개
부총리 주재 회의 → 여러분 ?
자료 설명 // 회의자료 + 안내서
부내 참고 (대외비)
예민한 부분 배제 → 업계에 배포 가능

2차보: 2.24-3.3 UAE. 이. 사. 오만 4개국 - 7名.
목적 / 면담 인사 /

차관: 중동지역의 중요성 / 장기적인 중요성 / 돈이 남는 안정은 ↑.
재미 흥분.... 건설.. 상품.... 장기적 ... 계기 동물 //

2차보: ∨ 재정 + 군사지원 한국 ...
∨ 지상전 발발후 파견 감사 (아랍국가)
① ∨ 불안정 계속 불안요인 // 이라크의 후계정권 (혹은 보전) 성격 — 아태
쿠웨이트 정치개혁
이란, 대 이라크, GCC 이해관계
팔 문제 (PLO 변화)
소련의 이해 → 미국과의 관계
② 전후 안보체제 — 역내국가 스스로 // 지역권 ... 합동훈련 집단방위체제
+ 이집트, 시리아 + 서방 공.해군 유지
(유사시 수송로)
유엔 아랍연합군 → '유' 불참 ...

차	
2차보	중동아
총	총
통상	이중구
기획	국방부
안기	상공부
건설	동자부
재무	해항청
동자	보사

0091

政府綜合廳舍 810號 電話 : 730-8283/5, 730-2941. 6. 7. 9, (구내)2331/4, 2337/8 Fax : 730-8286

外務部 걸프事態 非常對策 本部

題 目 : 1991. . .

대중동 무기수출 자제 국제적 콘센서스 (핵. 생화학)

③ 전후 복구부흥 : ~~전쟁피해 복구~~ 복구, [illegible] 경제 발전 무기의 자제

중동판 부흥개발은행, 마샬플랜 → 재로 보다는 자금 관리

참여가능성희박

걸프기금(GCC)

④ 쿠웨이트 복구 : 답방, "KERP" 전쟁기여도에 따라 참여 기회부여

자료제공, 긴밀한 협력. — 이하 생략

⑤ 주변국 지원 : 이집트 1500万弗 EDCF 3-3.5%, 20년 상환 → 무상

- 미국 3억불 / 日 3억불 (1%, 30년)

무상원조등 유리한 조건

차관: 복구사업 개요. 중동아국장

국장: 1차분. 미국은 한국의 건설적인 참여 희망 감지 - 참고로

복구사업 145개 공관 - 많은 재외공관 → 추후 [illegible] 파악

.... 설명.

- 2차분 회장 -

독. 일 → 이라크

차관: 자료 입수 어려움. 사우디 X 쿠웨이트 하나인데

건물내부. plant 용사업 한국의 기술과 능력에 맞는

사업이 얼마나 나올지는 [illegible] 없음.

[illegible] 선진국의 관심으로. 이집트. 모로코 등

150억불 // [illegible] 너무 [illegible] pocket만 [illegible]

0092

政府綜合廳舍 810號 電話 : 730-8283/5, 730-2941, 6, 7, 9, (구내)2331/4, 2337/8 Fax : 730-8286

外務部 걸프事態 非常對策 本部

題 目: 1991. . .

이집트. 시리아 부상. 이란 두각.
외부의 자금유입이 상당히 이루어질 것으로 (600-1,000억 [illegible])
국의 [illegible] 이루며 균형 발전 이룰 것으로 봄.
건설 전망이 아니라 크게 봐야.
파키스탄 [illegible] [illegible] 수입 기회임.

상공부: 상품수출 / 쿠웨이트 안전이 특수 [illegible] 부[illegible]
상품 상대출 – 신규수요 도래 적시 대응 가능하여 유리
사우디 – 국방시설, UAE – 두바이 '중동 다국인 슈퍼마켓 계획'
가장 가까운 이집트. 섬유. 기계. 플랜트 건설 등
보고나 내용시장 X
단기간 일반 상품출 용하게 → 적시 대응
장기적 1차 계획 참작 보아 대응.
중동지역 시장조사단 공관 의견 문의
[illegible] 다마스 이후 – 상황은 보고 되다
중동지역 2개사 4.14: 회의 2주
두바이 상품 전시회 참가 문제 구체적 검토
관계부처 협의사항
- 방위물자 수주: 특사 등 (외무부)
- 대중동 plant 수출에 대한 연불수출 자금이 조성 지원 (경기원)
- 중동개발은행 참여 (재무부)
EDCF 중동지역 활용 (")

0093

政府綜合廳舍 810號 電話: 730-8283/5, 730-2941. 6. 7. 9, (구내)2331/4, 2337/8 Fax: 730-8286

外務部 걸프事態 非常對策 本部

題 目:　　　　　　　　　　　　　　　　1991. . .

건설부 : 중단공사 재개 문제, 특히 사우디 /
쿠웨이트 정부 방침 미정 → 조사단 파견계획
이라크. 이북 피해

이.쿠 공사재개에 상당한 시일
사우디는 이미 재개 추진중
긴급복구 참여 어려움
항구 복구도 미국 자금 // 자체 투입 + 시공업체 financing
- 현명한 참여기회 : (쿠)
아국업체 저조하지만 // ⇒ 정부. 민간 긴밀한 체제
이라크 (4,000억불) 중 장기.단기 복구계획
사우디. [illegible] 시
아랍에미, 시리아 - [illegible]

참여방안
- 미국업체와 공동진출
  - 가스전복구사업 (미국. 유럽)
  - 단순복구 - (사우디. 이집트. 터키. 등)
- 아국업체간 공동진출
- 국가 이미지 홍보 (가능성)
- 건설 비교 강화

제도개선
"진출지정 제도" — 재검토중 (K 3, I 7, S 25) 중동 / 단계 검토
해외 건설공사 기자재 수출 허용
기능인력 우대
- 면세점 50万 → 60万
- 주택 특별분양 → 보완
- 병역특례

0094

政府綜合廳舍 810號 電話 : 730-8283/5, 730-2941. 6. 7. 9, (구내)2331/4, 2337/8 Fax : 730-8286

外務部 걸프事態 非常對策 本部

題 目: 1991. . .

기획원: 지난번 3.5 경제장관간담회
정부부처간 정보교류. 민간지원
신중하게 접근해야 - 실현가능한 사항

국방부: 1.7 억불 (1차지원분)
3.7 물자지원 불필요, 현금으로 (주미대사)
주한미사령관 0.5 주한미군 전쟁예비물자 충당 국방부 요청

차관: 우리 의제가 아님. 미국측과 협의하도록
방위산업

국방부: 해당사항 검토시키겠음

동자부: 쿠.이. 정유공장 계약, 사태 안정후
정치 따라오도록 계속 추진
재외 공관 44백만불 미불 - 같은 생각

이라크 // 공사대금 - 원유로 하는 문제점
가격 내려 곤란 ... 해외자본은 무관

재무부: 금융지원 문제나 1회로
관계부처 구체화하면 적극지원

청와대: 수석회의 - 경제수석 발언 상이 확인
쿠웨이트 복구에 18개월 소요 - ∴ 수입이 없을때 진출해야 (경제수석)
9개월 - 1년 (상공부). 시간여유 있음.

0095

政府綜合廳舍 810號 電話: 730-8283/5, 730-2941. 6. 7. 9, (구내)2331/4, 2337/8 Fax: 730-8286

곧, 현금은 아님에.

外務部 걸프事態 非常對策 本部

題 目: 1991. . .

차관: 현실 생산능력이 없으므로 (추가 증액) 은 재정 문제는 없을 것으로.

Summary

① 이라크에서 당장 수주 곤란한가, 전사…
국내 전쟁 가능성 복구중 불확실
단기적으로는 건설적 낙관 갖지 말고
대외발표는 이렇게 하라
|| 수요, 공급여력 모두 불확실 / 단기적 건설지원 신중한 태도 || 대외用

② 상품수출 단기수요 (생필품, 통신설비) 예상
'쿠웨 재건에 다수 물량 [illegible] 장기적 협력서
비롯 수출증(개국적 보고) → 정부 [illegible]
사업 [illegible] 가까운 [illegible] 타진 [illegible]
사우디 등 [illegible] 역내 흡수, 우방국회사 적극 marketing 전략 [illegible]

③ 이라크 전체 상업기간 국방주력 예상
< 비축적 정비 OK. 대외적으로 [illegible] 하게
(발생 [illegible] …). early delivery

④ 장기적으로는 기술, 수요. 외부 자본 유입 상당할 것으로 예상. '한일 : 리' [illegible] 에서 도움을 받아야 할 것. 나. 유럽 등은 유로 5-10년 상당한 수요 예상 ([illegible] 자금유입) 우리도 EDCF도 활용 [illegible], 기금 적극 [illegible] - [illegible]

0096

政府綜合廳舍 810號 電話 : 730-8283/5, 730-2941.6.7.9, (구내)2331/4, 2337/8 Fax : 730-8286

外務部 걸프事態 非常對策 本部

題 目：

1991. . .

⑤ 지역 Orientation (민간)

1주-10일 民·官 간담회

- 외무부 - 방문 + 정세
- 상공부
- 건설부
- 재무부
- 동자부

정부 [illegible] 이야기 + 홍보

1주이내 자료 내주시면 - 외무부 screen 하겠음

4,50개 모아서 "

⑥ 정부간 정보 교류 계속

- 외무부주관 → 전개하겠음.
- 자료 I 로 하고 + II, III, IV 연속 [illegible]

참고사항

⑦ 이라크 (정보) → [illegible], 정보 관리철저

정치불안 - 신변안전 - [illegible]

U.H. 지원? 1년까지는 X, [illegible]

건설부, 요르단인 → 이라크 공항 → 7人 면담.

차관: [illegible]

- [illegible] 신중한 자세

[illegible]

[illegible]

[illegible]

0097

政府綜合廳舍 810號 電話：730-8283/5, 730-2941. 6. 7. 9, (구내)2331/4, 2337/8 Fax：730-8286

外務部 걸프事態 非常對策 本部

題　目 :　　　　　　　　　　　　　　　　　　　　　　　　1991.　　.　　.

[illegible]　유관 부처에 대하여 ...
'추진 [illegible]하라'는 보고 (3.14)

차관 : 가까운 곧바로 조사단 파견 검토 (건설부, 상공부)
민·관 사절단 방향

0098

政府綜合廳舍 810號　電話 : 730-8283/5, 730-2941. 6. 7. 9, (구내)2331/4, 2337/8　Fax : 730-8286

中東對策委員會 第1次會議 結果

1991. 3. 21.

外 務 部

> 中東對策委員會 第1次會議(外務部次官 主宰)를 3.20 開催하였는바, 主要 討議 內容 및 向後 措置計劃을 아래 報告드립니다.

1. 主要 討議 內容

(長期的 眼目의 建設進出 推進)

o 我國 建設業體의 短期的 쿠웨이트 戰後 緊急 復舊 事業 參與는 愼重히 對處
(被害確認 作業이 끝날때까지는 建設 需要 不確實, 國內 建設 景氣 好況으로 我國業體의 海外 進出 餘力 制限)

o 쿠웨이트의 社會間接資本 施設擴充計劃等 長期的으로는 막대한 建設需要가 있음을 勘案 多角的인 參與 方案 積極 摸索(外國業體와의 共同參與 및 我國業體間의 共同進出 方式等)

o 建設進出 活性化를 위하여 國別 進出業體 指定制度 緩和, 建設工事用 機資材 國外搬出 不許 方針 再檢討, 海外就業 技能人力 優待等 制度 改善 方案 關係部處間 協議 豫定 (建設部)

앙고재	중근동과	담 당	과 장	심의관	국 장	차관보	차 관	장 관

0099

(걸프地域 商品輸出 增大)

o 戰後 쿠웨이트, 사우디등의 生必品等 商品 需要 增大에 副應

o 民.官 市場調査團 派遣, 두바이 商品展示會 參加等 積極 檢討

o 延拂輸出 金融支援, 經濟開發協力基金(EDCF) 活用等 我國商品 輸出促進을 위한 方案 關係部處間 協議 豫定 (商工部)

(對中東 防産物資 輸出 推進)

o 걸프戰의 影響으로 多數 中東國家의 國防力 提高 努力 强化 展望

o 防産物資 輸出 및 軍事施設 建設分野 積極 進出 摸索

o 政治的 考慮가 크게 作用하는 防産分野의 特殊性을 勘案 政府의 積極的 支援이 緊要

o 事案의 敏感性에 따라 對外 保安에 恪別 留意

(對中東 中長期 進出基盤 마련)

o 걸프戰 終戰 以後 팔레스타인 問題, 레바논 問題 解決과 域內 貧富隔差 解消 努力이 活性化되어 域內에 豊富한 資金이 造成될 可能性이 있으므로 將來 對中東 經濟 協力에 밝은 展望(걸프 産油國 資金 動員 및 外部資金 流入 豫想)

0100

o ~~中東 復興開發銀行(設立 論議中) 등~~ 地域 經濟 開發 계획 ~~機構~~에의 參與 積極 摸索

o 大統領 特使 派遣을 통한 中東 各國과의 雙務關係 强化

2. 向後 措置 事項

o 民.官 懇談會 早期 開催 (對中東 進出强化를 위한 意見交換, 쿠웨이트 戰後 復舊事業 參與 案內書 發刊等 政府 ~~保有~~ 조사 情報~~의 對民間 共有~~ 를 업계에 제공)

o 民.官 市場調査團 中東地域 派遣(라마단, 하지 休暇等 現地 事情을 勘案 4月末 以後 推進 豫定)

- 끝 -

0101

添附 會議 槪要

o 日時 및 場所 : 91.3.20. (水) 外務部 會議室

o 參席範圍 : 外務部 次官(主宰)

青瓦臺, 總理室, 經企院, 安企部, 外務部,
財務部, 國防部, 商工部, 建設部, 動資部
(關係 次官補 및 局長)

o 會議順序

- 걸프事態 現地調査團 訪問結果 說明(外務部 第2次官補)
- 쿠웨이트 戰後復舊 計劃 및 我國의 參與 方案 說明 (外務部 中東아프리카 局長)
- 部處別 發言 및 意見交換
- 結論 (外務部次官)

0102

중동대책위원회 제1차 회의 회의요록

Ⅰ. 회의 개요

1. 일시 및 장소 : 91. 3. 20(수) 14:40 - 16:10
   외무부 회의실 (817호실)

2. 참석자
   - ㅇ 주재 : 외무부 차관 (위원장)
   - ㅇ 관계 부처 참석자
     - 청와대 외교안보 보좌관실 비서관 정태익
     - 총리실 제 2조정관실 재무건설심의관 남궁순
     - ███████████████
     - 기획원 대외경제조정실 제1협력관 장승우
     - 재무부 외환정책과장 연원영
     - 국방부 정책기획관 (소장) 조성태
     - 상공부 상역국장 황두연
     - 건설부 건설경제국장 박병선
     - 동자부 석유조정관 이동규

   ※ 외무부 참석자 : 제2차관보, 중동아프리카국장, 국제경제국장, 통상국장, 미주국장 (북미과장 참석)

Ⅱ. 회의 요록

1. 인사말 (위원장)
2. 걸프사태 현지 조사단 방문 결과 설명 (외무부 제2차관보)
3. 쿠웨이트 전후복구사업 개요 설명 (외무부 중동아프리카국장)
4. 토의 요지

가. 위원장

ㅇ 단기적으로는 쿠웨이트 긴급 복구사업의 제반 여건상 우리의 기술과 능력에 맞는 사업이 얼마나 나올지 좋게만 볼 수 없으나, 유류 공급 안정을 위한 선진국의 관심이 높고 이집트, 요르단등이 150억불정도 원조를 받기로 하는등 다른 재원도 있으므로 우리가 너무 중동의 Pocket만 보아서는 안됨.

0103

o 장기적으로 중동지역에 외부 자금의 유입이 상당히 (500-1,000억불) 이루어질 것으로 예상되며 이 자금을 가지고 역내 각국이 부의 평형을 이루며 균형발전을 해나가게 될 것이므로 우리의 진출 방안도 한건, 한건식이 아니라 이러한 전반적인 상황을 염두에 두고 큰 안목에서 대처해 나가야 함.

나. 상공부 (황두연 상역국장)

o 전후 상품 수요등이 구체적으로 드러나지 않아 현 단계에서 언론에서 말하는 '특수'라는 표현은 부적절함.

o 생필품 수출의 경우 우리는 timely delivery가 가능하다는 점에서 유리하며, 사우디의 국방시설분야나 UAE 정부가 두바이를 제2의 홍콩으로 조성키로 한 것과 관련 외국인 투자 유치 계획에의 참여등을 검토중임.

o 가장 기대가 큰 이집트에 대해서는 섬유, 기계, 플랜트 수출을 적극 추진중이며, 요르단은 어려운 외환 사정상 큰 시장으로서의 기대는 않고 있음.

o 단기적으로는 일반 생필품 공급 체제를 정비, 수요발생에 적시 대응하고, 장기적으로는 복구계획 확정을 보아 대응하자는 방침임.

o 중동지역 시장 조사단(25개 중소 업체대표 대동) 파견관련 재외공관 의견을 문의 했는데 대부분 (UAE 제외) 라마단과 하지가 끝난후 상황을 보고 추진하자는 반응이므로 그렇게 추진할 방침임.
두바이 상품 전시회 참가는 품목등 구체적으로 검토 중임.

o 관계 부처와 협의코자 하는 사항이 몇가지 있음.
  - 방위 물자 수주를 위한 특사등 파견 (외무부)
  - 대중동 플랜트 수출지원 을 위한 연불 수출 자금의 추경지원 문제 (경기원)
  - 설립 논의중인 중동개발 은행 참여 및 중동지역에서 EDCF 자금 활용 문제 (재무부)

다. 건설부 (박병선 건설경제 국장)

o 중단 공사의 재개문제를 검토 중인바, 특히 사우디의 경우 철수 과정에서의 양측의 이견 (아측 전쟁상태 간주, 사우디측 불인정) 으로 문제점이 예상됨.

0104

o 이라크, 쿠웨이트 공사재개에는 상당한 시일이 걸릴 것으로 예상됨. (쿠웨이트에서는 대부분 장비 망실 예상 및 피해조사단 파견예정, 이라크는 큰 피해없는 것으로 파악). 사우디는 이미 공사 재개를 추진중임.

o 쿠웨이트 긴급복구사업 참여는 어려울 것으로 보며, 항구적 복구 사업도 미국의 자문에 의해 이루어질 것으로 예상되나 쿠웨이트 정부에서 각국에 균등한 참여 기회를 주겠다고 한것에 유의하고 있음.

o 다른 나라에서는 차관 도입이나 시공업체 Financing 등으로 참여 증대를 모색중 이므로 우리도 정부-민간부문간 긴밀한 협조하에 이러한 방안을 검토할 예정임.

o 이라크 복구사업 (4,000억불 소요예상)은 정국 안정후 본격적으로 추진될 것으로 보며, 사우디의 국방시설 확충동향과 선진국 원조에 의한 이집트, 시리아등의 건설수요 증대등을 예의 주시중임.

o 아국의 참여 방안으로는 ① 외국업체와 공동 진출(기술 집약형 공사는 미.유럽 업체와, 단순 토목 공사는 사우디, 이집트, 터키등 현지업체와 공동참여 모색) ② 아국업체간 공동진출 ③ 제3국 인력 활용(해외취업 아국 기능공 부족) ④ 건설외교 강화등을 추진 예정임.

o 이를 위한 제도 개선 방안으로, ① 국별 진출업체 지정제도 재검토 (현재 쿠웨이트 3, 이라크 7, 사우디 25개 업체 지정) ② 해외건설 공사 기자재 수출 불허 방침 재검토 (상공부 협조) ③ 기능 인력 우대 (근소세 면세점 상향 조정, 주택 특별분양 제도 보완, 병역특혜) 등을 검토 중임.

라. 경제기획원 (장승우 제1협력관)

o 3.5 경제 장관 간담회에서 정부 부처간 정보 교류 및 대민간 정보 공유 확대 필요성과 전후복구사업 참여는 실현 가능한 사항부터 신중하게 접근해야 한다는 의견이 개진됨.

0105

마. 동자부 (이동규 석유 조정관)

- ㅇ 쿠웨이트, 이라크와는 장기 원유 도입 계약이 체결되어 있는바 사태 안정후 동계약에 의한 원유도입을 계속 추진 예정임.
- ㅇ 대쿠웨이트 원유 도입대금 44백만불 조속 지불예정(유엔 제재로 보류 중이었음)
- ㅇ 이라크의 경우 공사대전을 원유로 받는 방안추진과 관련 동 원유의 해외처분은 무방하나 무작정 국내 반입은 곤란함

바. 재무부 (연원영 외환정책 과장)

- ㅇ 관계부처의 대책이 구체화되면 금융 지원방안을 적극검토하겠음.

5. 결론 (위원장)

- ㅇ 전후 복구참여는 당장 수요도 불분명하고 국내 건설 열기로 인한 해외 취업 기능공 부족등 공급면도 불확실하므로, 단기적으로는 낙관을 갖지 말도록 하고 대외 발표도 이런 방향으로 각 부처가 똑같이 하는 것이 좋겠음. 다시 말하면 수요와 공급면 모두 불확실하므로 단기적 건설진출에는 신중한 태도로 임한다는 것을 대외 발표용 입장으로 정리토록 함.
- ㅇ 상품수출은 샘필품, 플랜트등 단기 수요 증대가 예상되며, 쿠웨이트도 현 단계에서는 재원에 다소 문제가 있을수 있으나 장기적으로는 확실한 지불 능력이 있으므로 연불 수출등 (재무부, 수출입 은행 지원) 적극 진출 방안을 검토함. 시장 조사단도 라마단 이후 파견 토록하고, 아울러 사우디 주재관, KOTRA 관장등을 인근 국가에 출장시켜 우방국 업체 접촉등 활발한 marketing 활동을 벌이도록 함.
- ㅇ 걸프전 이후 이지역 전체가 상당기간 국방에 주력할 것으로 예상 되므로 내부적으로는 조기 조달 체제 마련등 방산 분야 진출준비를 갖추되 대외적으로는 사안의 민감성을 감안 보안에 각별 유의토록 하고 앞으로 플랜트 수출같은 말을 써서 우회적으로 표현함이 좋겠음.

0106

o 고도의 외교적 시각에서 볼때 미국이 팔레스타인, 레바논 문제 해결을 위해 일본, 유럽등 부유한 선진국의 돈을 쏟아부어야 하는등 장기적으로 역내에 외부자금 유입이 상당할 것으로 예상되므로 5-10년간 중동지역에서 모든 분야에 걸쳐 상당한 수요가 창출될 것으로 전망됨. 이에 맞추어 우리도 눈앞의 이익만 보지 말고 EDCF 활용, 역내 은행 및 기금 적극 참여등 중장기적 진출 기반을 마련해 나가야 함.

o 1주내지 10일 이내에 40-50명 정도 규모의 민.관 간담회를 개최하여 정부 수집 정보를 걸러서 민간에 제공하고, 또 이러한 사실을 언론에 홍보함이 좋겠음. 외무부(현지 조사단 방문결과 및 중동정세 자료 준비), 상공부, 건설부, 재무부, 동자부 등 부처별로 자료를 준비 토록 하고, 1주 내에 당부로 자료를 보내주기 바람.
정부간 정보교류도 계속하고 대민간 정보 지원도 강화할 필요가 있는바, 우선 오늘 회의에서 배포한 쿠웨이트 복구사업 참여 안내서를 다소 예민한 사항을 빼고 재작성, 자료 I 로 하고 다른 부처의 자료가 취합되는 대로 자료 II, III 하는 식으로 만들어 언론과 민간 참석자들 에게 배포함이 좋겠음.

o 주 이라크 대사관 복귀 문제는 이라크 정정 불안, 신변안전 등을 고려 당분간 관망중임.

o 여러가지 불확실한 사항이 많으므로 확실한 근거에 따라 움직이는 신중한 자세를 견지하도록 하고, 장기적인 중동 정치 안정, 역내 경제부흥 움직임과 관련 우리도 긍정적 참여를 검토하도록 함.
라마단 후 조사단 파견을 검토하고(건설부, 상공부), 이를 민.관 사절단으로 함이 좋겠음. 끝.

0107

中東對策委員會 第1次會議 結果

1991. 3. 21.
外 務 部

中東對策委員會 第1次會議(外務部次官 主宰)를 3.20 開催하였는바, 主要 討議 內容 및 向後 措置計劃을 아래 報告드립니다.

1. 主要 討議 內容

(中.長期的 眼目의 建設進出 推進)

- ㅇ 쿠웨이트의 社會間接資本 施設擴充計劃等 中.長期的으로 多大한 建設需要가 있음을 勘案 多角的인 參與 方案 積極 摸索(外國業體와의 共同參與 및 我國業體間의 共同進出 方式等)
- ㅇ 建設進出 活性化를 위하여 國別 進出業體 指定制度 緩和, 建設工事用 機資材 國外搬出 不許 方針 再檢討, 海外就業 技能人力 優待等 制度 改善 方案 關係部處間 協議 豫定 (建設部)
- ㅇ 건설수요에 대한 시장조사가 이루어지는 대로 아국업계의 진출지원을 위한 구체적 시책을 강구

(걸프地域 商品輸出)

- ㅇ 戰後 쿠웨이트, 사우디등의 生必品等 商品 需要 增大
- ㅇ 民.官 經濟協力使節團 派遣, 두바이 商品展示會 參加等 積極 檢討

제2차관보:

앙고재	중근동과	91년 3월 21일	담 당	과 장	심의관	국 장	차관보	차 관	장 관
				(서명)	(서명)	(서명)	(서명)	(서명)	

0108

o 延拂輸出 金融支援, 經濟開發協力基金(EDCF) 活用等 我國商品 輸出促進을 위한 方案 關係部處間 協議 豫定 (商工部)

(對中東 防産物資 輸出 ~~推進~~ 檢討)

o 걸프戰의 影響으로 多數 中東國家의 國防力 ~~提高~~ 增强 努力 强化 展望

o 防産~~物資 輸出~~ 事業 부양 및 軍事施設 建設分野 等 ~~積極~~ 進出 摸索

o 政治的 考慮가 크게 作用하는 防産分野의 特殊性을 勘案 ~~政府의 積極的 支援이 緊要~~ 美國等과 緊密한 協調

~~o 事案의 敏感性에 따라 對外 保安에 格別 留意~~

(對中東 中長期 進出基盤 마련)

o 걸프戰 終戰 以後 팔레스타인 問題, 레바논 問題 解決과 域內 貧富隔差 解消 努力이 活性化되어 域內에 豊富한 資金이 造成될 可能性이 있으므로 將來 對中東 經濟 協力에 밝은 展望(걸프 産油國 資金 動員 및 外部資金 流入 豫想)

o 地域 經濟 開發 計劃에의 參與 積極 摸索

o 大統領 特使 派遣을 통한 中東 各國과의 雙務關係 强化

2. 向後 措置 事項

o 民.官 懇談會 早期 開催 (對中東 進出强化를 위한 意見交換, 쿠웨이트 戰後 復舊事業 參與 案內書 發刊等 政府 調査 情報를 業體에 提供)

0109

o 民.官 經濟協力使節團 中東地域 派遣(라마단, 하지 休暇等 現地 事情을 勘案 4月末 以後 推進 豫定)

- 끝 -

0110

添附 會議 概要

o 日時 및 場所 : 91.3.20. (水) 外務部 會議室

o 參席範圍 : 外務部 次官(主宰)
青瓦臺, 總理室, 經企院, 安企部, 外務部,
財務部, 國防部, 商工部, 建設部, 動資部
(關係 次官補 및 局長)

o 會議順序
- 걸프事態 現地調査團 訪問結果 說明(外務部 第2次官補)
- 쿠웨이트 戰後復舊 計劃 및 我國의 參與 方案 說明
(外務部 中東아프리카 局長)
- 部處別 發言 및 意見交換
- 結論 (外務部次官)

0111

中東對策委員會 第1次會議 結果

(청와대 보고)

1991. 3. 22.

外 務 部

中東對策委員會 第1次會議(外務部次官 主宰)를 3.20 開催하였는바, 主要 討議 內容 및 向後 措置計劃을 아래 報告드립니다.

1. 主要 討議 內容

(中.長期的 眼目의 建設進出 推進)

o 쿠웨이트의 社會間接資本 施設擴充計劃等 中.長期的으로 多大한 建設需要가 있음을 勘案 多角的인 參與方案 積極 摸索(外國業體와의 共同參與 및 我國業體間의 共同進出 方式等)

o 建設需要에 대한 市場調査가 이루어지는 대로 我國業界의 進出支援을 위한 具體的 施策을 講究

(걸프地域 商品輸出)

o 戰後 쿠웨이트, 사우디등의 生必品等 商品 需要 增大

o 民.官 經濟協力使節團 派遣, 두바이 商品展示會 參加等 積極 檢討

o 延拂輸出 金融支援, 經濟開發協力基金(EDCF) 活用等 我國商品 輸出促進을 위한 方案 關係部處間 協議 豫定 (商工部)

0112

(對中東 防産物資 輸出 檢討)

- o 걸프戰의 影響으로 多數 中東國家의 國防力 增强 努力 强化 展望
- o 防産産業 扶養 및 軍事施設 建設分野등 進出 摸索
- o 政治的 考慮가 크게 作用하는 防産分野의 特殊性을 勘案 美國等과 緊密한 協調

(對中東 中長期 進出基盤 마련)

- o 걸프戰 終戰 以後 팔레스타인 問題, 레바논 問題 解決과 域内 貧富隔差 解消 努力이 活性化되어 域内에 豊富한 資金이 造成될 可能性이 있으므로 將來 對中東 經濟 協力에 밝은 展望(걸프 産油國 資金 動員 및 外部資金 流入 豫想)
- o 地域 經濟 開發 計劃에의 參與 積極 摸索
- o 大統領 特使 派遣을 통한 中東 各國과의 雙務關係 强化

2. 向後 措置 事項

- o 民.官 懇談會 早期 開催 (對中東 進出强化를 위한 意見交換, 쿠웨이트 戰後 復舊事業 參與 案内書 發刊等 政府 調査 情報를 業體에 提供)
- o 民.官 經濟協力使節團 中東地域 派遣(라마단, 하지 休暇等 現地 事情을 勘案 4月末 以後 推進 豫定)

- 끝 -

0113

添附

會議 概要

o 日時 및 場所 : 91.3.20. (水) 外務部 會議室

o 參席範圍 : 外務部 次官(主宰)

靑瓦臺, 總理室, 經企院, 安企部, 外務部,
財務部, 國防部, 商工部, 建設部, 動資部
(關係 次官補 및 局長)

o 會議順序

- 걸프事態 現地調査團 訪問結果 說明(外務部 第2次官補)
- 쿠웨이트 戰後復舊 計劃 및 我國의 參與 方案 說明
  (外務部 中東아프리카 局長)
- 部處別 發言 및 意見交換
- 結論 (外務部次官)

0114

건 설 부

해건 30600- 7601 (503-7416) 1991. 3. 21.

수신 외무부장관

제목 해외주재 건설관 출장지원

1. '91.3.20 개최된 제1차 중동대책위원회(의장:외무부차관)에서 아국의 걸프전후 복구사업 참여방안과 관련, 주사우디 대사관 소속 건설관등으로 하여금 사우디 정부기관, 미C.O.E 중동본부 및 사우디 진출 선진국 업체 관계자들과 접촉, 정보를 입수하여 본국 정부에 보고, 이를 관련 업체에 효율적으로 지원키로 결정한 바 있습니다.

2. 이와 관련하여 주사우디 대사관의 건설관이 정보수집 및 관계인사 접촉업무를 원활히 수행할 수 있도록 출장조치 및 이에 수반된 활동 경비지원등 필요한 조치를 취하도록 주사우디대사에게 지급 훈령하여 주시기 바랍니다.

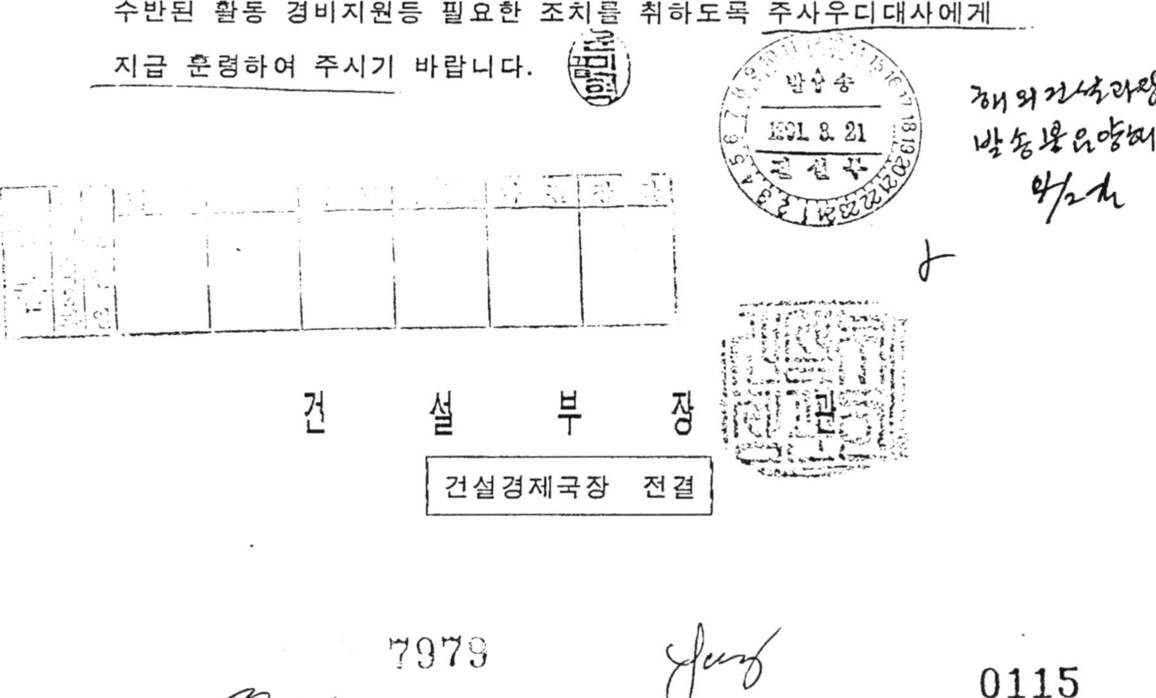

건 설 부 장 관

건설경제국장 전결

7979

0115

분류기호 문서번호	중동일 720-12983	기 안 용 지 (720-2327)	시 행 상 특별취급	
보존기간	영구.준영구 10. 5. 3. 1	차 관	장 관	
수 신 처 보존기간		전결		
시행일자	1991. 3. 21.			

보조기관			협조기관		문서통제
	국 장			제1차관보 제2차관보	검열 1991. 3. 23 문서통제관
	심의관				
	과 장				
기안책임자					발 송 인

경 유 수 신 참 조	수신처 참조	발신명의		발송 1991. 3. 23 외무부
제 목	민.관 간담회 개최			

연 : 중동일 720-12169 (91.3.16)

1. 91.3.20. 외무부 차관 주재로 개최된 중동대책위원회 제1차 회의에서 정부 관계부처간 걸프전후 복구참여 및 대중동 경제진출 확대를 위한 필요 정보교류와 수집정보의 민간업계 전파 목적으로 조속한 시일내 민.관 간담회를 개최키로 결정한 바 있습니다.

2. 당부 의견으로는 해외건설 및 통상관계 업무를 각각 관장하는 건설부와 상공부가 ~~공동으로~~ 동 간담회를 개최하는 것이 효율적일 것으로 판단되오니, (기개최시일내에) 간담회 개최 ~~(91.4월 초순경)~~에 필요한 /계속...

0116

조치를 취하여 주시기 바랍니다. 아프리카

3. 동 간담회에는 ~~중동대책위원장(외무부차관)~~ 외무부 중동아프리카국장 이 참석, 전후 중동지역 정세 ~~및 전후 복구사업 관련 각국~~ 동향등을 설명하고 민간업계에 대해 당부가 수집한 각종정보를 정리하여 작성한 걸프 전후 복구사업 참여 안내서를 배포할 예정임을 참고하시기 바랍니다. 끝.

수신처 : 상공부장관(상역국장), 건설부장관(건설경제국장)

0117

건 설 부

해 건 720-8188 (500-2907) 1991. 3. 27.

수 신 외무부장관

참 조 중동아프리카국장

제 목 민.관 간담회 개최

1. 중동일 720-12983('91.3.23)의 관련입니다.

2. 당부에서는 이미 '91.3.15 해외건설협회가 주관하여 당부 건설경제국장, 해외건설과장과 해외건설협회 및 해외건설업체 임원들이 참석, "걸프전후 해외건설대책 간담회"를 개최하여 걸프사태 현지조사단 출장결과 설명과 함께 걸프전후 복구사업 관련정보를 전달하고 아국 참여전망 및 대책을 협의한 바 있기 때문에 이와 유사한 간담회를 다시 개최하는 것은 어려울 것으로 판단되며

3. 다만 종합상사와 해외건설업체등이 회원으로 구성되어있는 전경련 등에서 주관하여 외부부, 상공부 및 당부등이 참석하여 걸프전후 복구 참여에 대한 전반적인 상황을 분석, 대응방안을 강구하는 계기가 마련될수 있다면 바람직한 성과를 얻을수 있을것으로 사료됩니다. 끝.

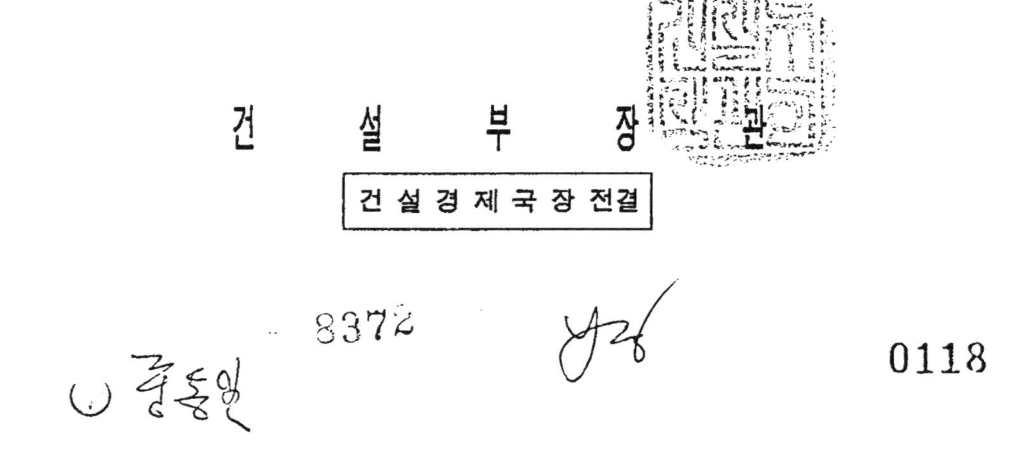

건 설 부 장 관

건설경제국장전결

8372

0118

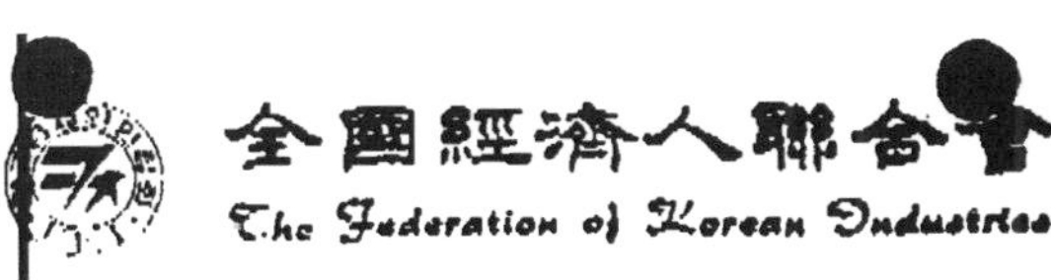

全國經濟人聯合會
The Federation of Korean Industries

TELEX : FEKOIS K25544 CABLE : "KOBUSINESSMEN" SEOUL

경제국장

앙고재	중동1과	91년 4월 일	담당	과장	심의관	국장	차관보	차관	장관

全經聯國 第 263 號

受信 외무부장관

參照 중동아국장

題目 중동대책 民.官 合同懇談會 개최에 따른 협조요청

1. 국무에 진력하시는 貴部의 노고에 삼가 경의를 표합니다.

2. 본회는 그동안 3次에 걸친 중동대책 간담회를 개최한 바 있으며, 중동관련 정보의 pool制 시행 등 공동대응방안 마련에 노력하고 있습니다.

3. 이와관련 효율적인 중동복구 참여계획을 수립하기 위해서는 관련 정부부처 및 업계의 긴밀한 협조체제의 구축이 절실히 요청되고 있는 바, 다음 民.官 合同懇談會 개최와 관련 귀부를 포함한 재무부, 건설부, 상공부 등 관련정부부처 관계관이 참석하여 정부시책 및 대응방안에 대해 설명할 수 있도록 협조하여 주시기 바랍니다.

- 다 음 -

1. 일 시 : 1991년 4월 12일(금) 14:00-16:00

2. 장 소 : 전경련회관 대회의실 (3층)

3. 초청정부부처 : 외무부, 재무부, 건설부, 상공부 등 관련부서 관계관

4. 참석대상 : 관련기업(중동대책반) 임.직원 50여명 (종합상사 및 해외건설업체 중심)

5. 내 용

(1) 최근 중동정세동향 및 분석 (정부공관으로 부터 입수된 정보의 설명 : 외무부)

(2) 정부관련부처의 대응방안
① 건설부대책
② 상공부대책
③ 재무부대책

반송 1991. 4. 04

0119

1991-04-06 10:40 FROM F.K.I. 02 782 6425 TO P.01

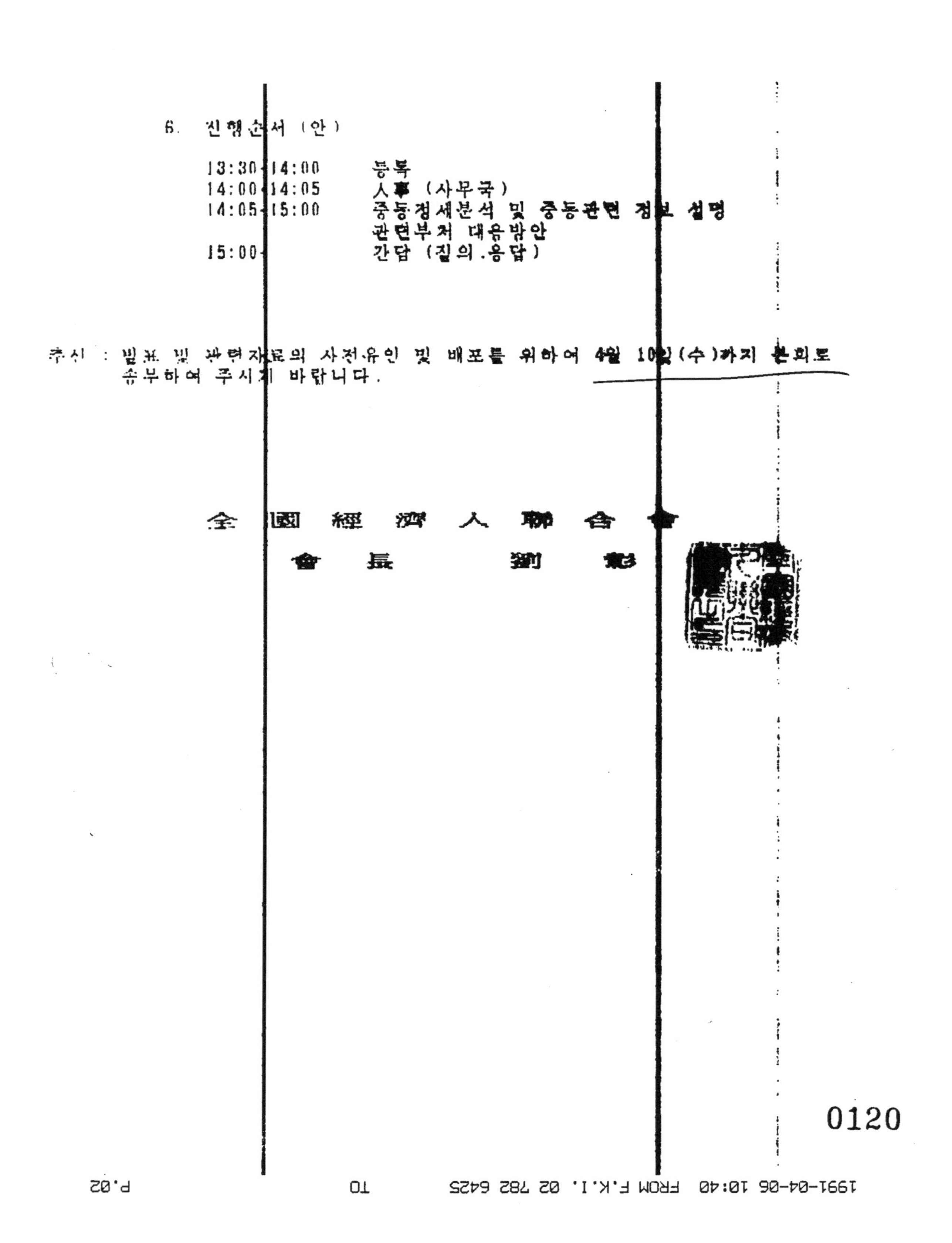
6. 진행순서 (안)

13:30-14:00 등록
14:00-14:05 人事 (사무국)
14:05-15:00 중동정세분석 및 중동관련 정보 설명
관련부처 대응방안
15:00- 간담 (질의.응답)

추신 : 별표 및 관련자료의 사전유인 및 배포를 위하여 4월 10일(수)까지 본회로 송부하여 주시기 바랍니다.

全國經濟人聯合會
會長 劉 彰

0120

1991-04-06 10:40 FROM F.K.I. 02 782 6425 TO P.02

분류기호 문서번호	중동일 720- 15459	기안용지 (720-2327)	시행상 특별취급	
보존기간	영구.준영구 10. 5. 3. 1	장 관		
수신처 보존기간				
시행일자	1991. 4. 8.			

보조기관			협조기관		문서통제
국장	전결				1991. 4. 09
심의관					
과장					
기안책임자					발송인 1991. 4. 09 외무부

경유 수신 참조	수신처 참조	발신명의	
제목	민.관 합동 간담회 참석		

연 : 중동일 720-12169, 12983

1. 지난 3.20일 외무부 차관 주재로 개최된 중동대책위원회 제1차 회의시 걸프전후 복구 참여 및 경제 진출확대를 위한 정보교류와 수집정보의 민간업계 전파 목적의 민.관 간담회를 조속한 시일내에 개최키로 결정한바에 따라 당부는 연호로 건설부와 상공부가 주관하여 동 간담회를 개최하도록 협조 요청한바 있읍니다.

2. 이와관련하여 금번에 전경련측이 다음과 같이 /......

0121

민.관합동 간담회를 개최키로하고, 정부 관련 부처의 참석을 요청하여 왔아오니 필히 참석, 부처별 대책을 설명하여 주시도록 협조 바랍니다.

다 음

가. 일 시 : 91. 4. 12 (금) 14:00-16:00

나. 장 소 : 전경련 회관 대회의실 (3층)

다. 참석대상 : 중동대책위원회 관련부처 위원

라. 설명내용 : 걸프전후 복구참여 및 대중동 진출 확대 방안 끝.

수친처 : 경제기획원장관(대외경제조정실장), 재무부장관(국제금융국장), 건설부장관(건설경제국장), 상공부장관(상역국장), 동자부장관(석유조정관).

0122

수신처 : 청와대 비서실장 (외교안보보좌관), 770-0296

국무총리 행정조정실장, 732-7158

경제기획원장관 (대외경제조정실장), 503-9033 v

안전기획부장,

재무부장관 (국제협력과장), 503-9324

국방부장관 (정책기획관), 796-0369

상공부장관 (상역국장), 503-9437

동력자원부장관 (자원정책실장) 503-9649 v

건설부장관 (건설경제국장) 5037409 v

사 본 : 미주국장, 국제경제국장, 동상국장

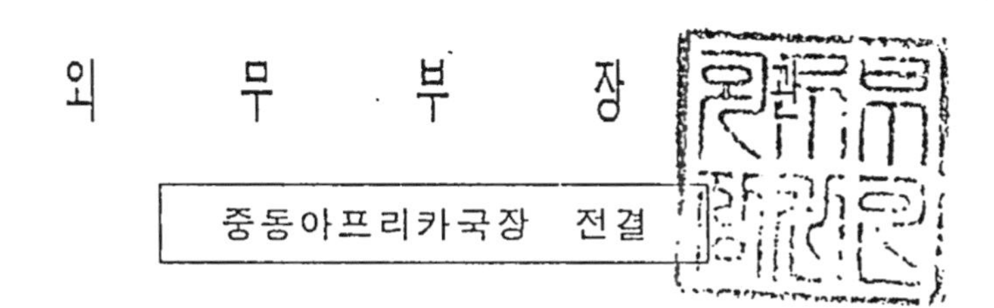

외 무 부 장

중동아프리카국장 전결

0123

걸프戰後 復舊事業 및 建設工事 參與 案內

(최 종)

1991. 4. 11.

外務部 걸프戰 事後 對策班

0124

1. 事業 槪要

가. 復舊事業 豫想 規模 및 財源

1) 豫想規模

o 쿠웨이트 : 600-1,000億弗 (向後 5年間)

o 이 라 크 : 1,000-2,000億弗 (向後 10年間)

2) 財源充當

쿠웨이트

o 約 1,000億弗의 海外投資 流動資産(保有 外換 및 證券)을 保有하고 있어, 이를 擔保로한 融資等의 方法으로 復舊事業 資金所要는 무난히 充當될 것으로 豫想

o 原油 輸出이 回復되면 復舊事業 推進이 더욱 圓滑化 될 것임.

이 라 크

o 今番 걸프戰 및 8年間의 對이란戰으로 復舊事業 資金調達에 어려움이 있을 것으로 展望

o 西方國家들은 이라크의 指導部가 改編된後 이라크의 戰後復舊를 위하여 投資豫想.

나. 事業內容

쿠웨이트

o 第 1段階 事業 (EMERGENCY RECOVERY PROGRAM) : 90日間 初期段階 緊急 復舊事業

- UTILITY FACILITY 緊急 復舊 (最優先)
- 쿠웨이트市 淸掃. 地雷除去 및 防疫 事業
- 道路, 港灣, 空港, 交通施設等 緊急 復舊
- 油井 鎭火 作業
- 生必品 및 醫藥品 調達

o 第 2段階 事業 (PERMANENT RECOVERY PROGRAM) : 3-5年間 國家基幹 産業 및 軍事施設등 永久復舊 事業

- UTILITY FACILITY에 대한 被害調査後 同 報告書를 根據로 實行復舊方法, 豫算編成, 復舊事業에 必要한 建設會社, 資材供給社, 엔지니어링社 選定 過程等을 거쳐 다음 4段階로 推進될 것으로 보임.
  . COE를 主軸으로한 쿠웨이트 緊急復舊計劃處(KUWAIT EMERGENCY RECOVERY PROGRAM)팀이 被害 調査 報告書 提出(3個月後)
  . ENGINEERING CONSULTANT 社 選定 또는 TURN-KEY CONTRACTOR 選定(주로 OIL, GAS, PETROCHEMICAL 分野)
  . CONTRACTOR 選定(發電, 淡水, 道路, 港灣, 軍事施設)
  . 建設業者 選定 및 建設資材, 裝備, 人力供給, 食糧 等 必要 必須品 供給者 選定, 參考情報 提供
- 主要 事業內容 (事業優先順位)
  . Oil 및 Gas 生産施設復舊
  . 電力, 上下水道, 淡水 等 Utility 施設
  . 政府施設物 (建物, 病院, 福祉施設)
  . 軍事施設 및 空港 復舊 事業
  . 道路, 港灣, 空港 等 Infrastructure
  . 民間商業施設 및 住居施設 復舊

이 라 크

o 財源 調達을 위해 最優先的으로 産油 및 精油施設 復舊展望
o 民生 安定 目的의 社會基盤 施設 復舊도 並行着手 豫想 (住宅, 道路, 發電 施設 等)
o 全般的인 復舊 事業은 長期間 所要 展望

2. 쿠웨이트 政府의 復舊事業 推進施策

가. 基本 施策

o 復舊事業 參與는 쿠웨이트 國土收復에 貢獻한 國家에 優先權을 賦與 한다는 立場을 내세우고있음(向後 美國, 英國,이집트, 佛蘭西 等의 順位가 될것으로 豫想)
o 復舊事業 總括部署로서 副首相兼 外務長官을 委員長으로한 "再建 委員會"를 設置

o 長期 復舊事業은 各 所管 部署別로 "再建 委員會" 協議下 發注

- 컨 설 팅 : 企劃省
- 軍需部門 : 國防省
- 公共部門 : 公共事業省
- 石油部門 : 中央入札 委員會

o 短期 復舊事業은 美國 COE와 쿠웨이트 政府 合同 TASK FORCE TEAM (KERP)에 의해 被害 調査, 設計, 發注. 緊急復舊用 各種 物資調達

- KERP
  . 本部 : 戰後 쿠웨이트로 移動하였으나 實務팀은 當分間 사우디 담맘(OBEROI 호텔)에 殘留, 워싱톤 D.C 事務所와 協調 하면서 實質業務遂行中
  . 總責任者 : DR. IBRAHIM MAJID AL-SAHEEN)
- COE
  . 美陸軍 工兵團 傘下 中東 아프리카 建設團에서 實務擔當 (쿠웨이트에 專門技術者 120名 派遣)
  . 쿠웨이트 政府의 委託(約1億弗)에 따른 契約 任務遂行
  . 任務 : 90日間 時限으로 道路, 港灣, 上下水, 電力, 政府廳舍等 緊急復舊와 各種 戰爭破壞物(戰車等), 地雷等 爆發物 除去 및 被害調査, 復舊計劃樹立, 工事費 算定, 業體選定, 監督等 監理 用役業務 遂行
  . 業體選定方法 : 事前參加業體 申請接受(3.20完了), 資格審査後 適格業體 選定(美國 12, 英國 10, 사우디 10, 쿠웨이트 1, 사이프러스 1, 佛蘭西2個社等 36個 業體選定. 이중 8個 業體와 旣契約)

나. 發注 展望

o 쿠웨이트 政府는 短期 緊急 復舊 事業에 있어서는 美國 COE가 主導, 支援하고 있으며, 中.長期 復舊 事業은 쿠웨이트 政府가 自體 判斷에 따라 契約 締結, 施行하게 될 것이하나, 90日間 緊急復舊事業이 社會 與件上 多少遲延될 可能性과 美國COE 一部가 緊急 復舊事業 期間 以後에도 당분간 殘留하여 事業推進, 監督機能 遂行 豫想.

o 第 2段階 復舊 事業中 被害 調査 事業과 CONSULTANT 및 原請業者 選定은 美, 英, 佛등 西方國家들이 95% 정도 차지하고, 其他 國家가 5% 정도 參與 할 수 있을 것으로 展望되며, 이들 國家가 指名 競爭 受注形態로 參與함으로서 日本의 參與는 意圖的으로 制限될 것으로 豫測됨. (時日이 經過할수록 아랍人 性格上 施工經費가 低廉한 東洋系 企業에 대해 隨意契約 形態의 發注가 增加할 것으로 豫測됨)

o 建設 資材, 裝備, 人力 供給, 食糧等 必要 必須品 供給者 選定은 사우디아라비아, 其他 아랍諸國(이집트, 시리아, 터키) 會社들이 大部分 受注할 展望임.

o 戰後復舊事業과 竝行推進될 것으로 展望되는 主要 新規事業으로서 이라크等의 威脅에 對備한 軍事都市 建設, NEW KUWAIT CITY PLAN, 각종 정보산업 擴充(預金, 住民登錄等 各種 情報管理) 및 石油聯關 施設의 大大的 交替 事業等이 豫想됨.

다. 쿠웨이트 復舊事業 制約要因

o 王位繼承者인 皇太子 SAUD ABDULLAH SABAH 首相의 實權者 浮上 (首相, 國防長官, 戒嚴司令官으로서 3.4 入國, 國王은 3.14 入國 하였으나 戰後 影響力 退潮)

o 社會 不安要所 常存
約 20萬名의 팔레스타인人과의 不和 (이라크 占領時 이라크에 同調하여 쿠웨이트人 壓迫)

o 現在 戒嚴狀況下에서 國內.外居住 不拘하고 쿠웨이트 自國民 入.出國 統制 (外國 民間人 入國 制限)

o 發火 油井으로 부터의 煤煙等 環境條件 惡化

o 道路, 港灣의 施設復舊遲延으로 生必品等 調達의 어려움.

라. 쿠웨이트 復舊事業 關聯 參考事項

o 3.25現在 쿠웨이트에는 國際.國內郵便 공히 運營 되지 않고있는바, 政府當局者는 4月中旬 KUWAIT AIRWAYS가 就航될 豫定으로서 그때 國際 郵便業務도 再開될 것이라고 말함.(그러나 國際 郵便이 再開 되려면 航空便 뿐만아니라 全般的 郵便業務가 稼動되어야 함으로 現地 우리 公館 觀測으로는 더 늦어질 것으로 봄)

o 쿠웨이트 中央銀行은 3.24 부터 市中銀行을 통해 新.舊貨幣 交換 始作

- 交換對象에서 除外되는 舊貨幣 一連番號
  . 20디나 : 9-13
  . 10 " : 70-87
  . 5 " : 18-20
  . 1 " : 47-53
  . 1/2 " : 30-37
  . 1/4 " : 53-68
- 舊貨幣는 交換 開始日로 부터 45日間만 有效
- 戒嚴期間동안 預金引出 限度額 : 個人 1人當 月 4千디나

o 쿠웨이트 油井破壞 問題
- 3.26現在 쿠웨이트에는 이라크軍 破壞로 인한 油井火災와 이외의 破壞 油井에서 噴出되고 있는 原油로 인해 심각한 環境汚染 問題가 야기되고 있어, WHO 및 UNEP 專門家팀이 調査中
- 960個 油井中 550個 정도가 불타고 있어 1日 600萬 베럴 程度 原油 消耗
- 火災로 인해 이산화 유황가스, 일산화탄소, 이산화탄소가 大氣中으로 大量 放出되고 있고, 그외 니켈, 탄소미립자, 石油 미립자等 大氣에 섞여 人體健康에 큰 問題로 擡頭
- 鎭火가 完了 될려면 1年 또는 그이상 所要展望
  (現在 鎭火裝備가 到着했으나, 이라크軍 敷設地雷, 聯合軍 投下 不發彈, 火焰, 漏出原油 等으로 鎭火作業 難關 逢着)
- 35個의 非火災 破壞油井에서 原油의 大量 噴出로 廣範圍하게 "原油湖水" 形成, 擴大되어 일부 居住地域 威脅 (空港, 一部 高速道路 周邊 뚝을 쌓아 擴散防止)
- AL-SHAHEEN 外務次官은 佛蘭西, 이태리, 이란, 中國 等으로 부터 技術專門家團이 到着 또는 到着豫定이라고 하고, 어느 國家든지 上記問題 解決에 技術的 支援을 해줄것을 外交團을 통해 要請

o 쿠웨이트 企業 連絡窓口 指定
- 3.21 外交團 브리핑에서 쿠웨이트 外務次官은 쿠웨이트 民間 企業人들이 外部와 通信이 되지않아 두바이와 카이로 商工會議所를 連絡窓口로 指定하였다고 發表

o 4.6부터 KUWAIT AIRWAYS가 定期路線(바레인, 두바이, 젯다, 카이로)에 運航을 再開하였으며, 앞으로 當分間 每 水曜日 부터 1週日 單位로 航空日程을 編成, 運航함. 또한 4.24경 일부 걸프地域, 航空社에 쿠웨이트 空港就航을 優先的으로 許可할 예정임.

3. 各國의 受注動向

美國

o 쿠웨이트 政府의 緊急 復舊 事業 計劃 立案 및 監理 業務에 관한 約1億弗(當初4,500萬弗에서 增額)相當의 用役 契約을 美國이 旣受注하였고, 都市 機能 正常化를 위한 緊急 復舊事業(電氣, 水道, 電話, 都市淸掃, 緊急運送網, 基礎保健施設)을 위한 物資 調達, 人力 및 裝備供給等 約 8億弗 200餘件의 發注 工事中 約 70%인 174件 受注함.

o 上記 旣受注 工事中 最近 美國COE 는 緊急 復舊事業 入札 對象 企業을 于先 美國業體 12, 영국 10, 사우디 10, 프랑스 2, 쿠웨이트 1, 사이프러스 1個社등 36個社로 制限 決定한바 있음. (이중 8個業體와 旣契約)

o 戰爭中 破壞된 200餘個所의 油井 鎭火 및 復舊 工事(石油 生産施設 復舊 約 100億弗, 精油施設 復舊 約 100億弗 豫想)의 主 契約者 (Program manager) 및 4,000名 技術者 派遣 擔當會社로서 Bechtel社가 指定됨.

o 美商務長官이 쿠웨이트 再建關聯 現地 評價 및 協議를 위해 3.14 쿠웨이트 政府招請으로 쿠웨이트 向發함. (同 訪問에는 10名의 共和黨, 2名의 民主黨 所屬 下院議員과 主要企業人, HAIG 等 主要 企業의 컨설런트外 美.아랍 商工人會 會長等이 同行)

o 美 COE는 3個月 期間 滿了後 一部가 남아 쿠웨이트 長期 復舊 事業에 대한 監督機能 繼續 遂行 豫定

o 3.20 美國 土木技術者 協會 워싱턴 支部 主管 講演會에 參席한 COE 企劃參謀長은 COE가 現地 被害 狀況調査를 大部分 完了한바, INFRASTRUCTURE 被害는 當初 推定보다 적게 評價되었으며, COE는 同 調査資料를 쿠웨이트 公共事業部에 引繼한바, 向後 重.長期 復舊工事는 쿠웨이트 政府가 主導發注하게 될 것이라고 發表.

英國

- 쿠웨이트 側으로부터 다소 入札參與 互惠는 받고있으나, 美國의 獨占에 우려하는 立場
- 自國 企業들의 戰後 復舊 計劃 積極 參與를 誘導키 위해 最近 "RECONSTRUCTION KUWAIT"題下 案內資料 發刊하여 쿠웨이트 復舊 主要 7個分野에 同國의 産業 經驗과 技術資料 配布
  - 石油, 개스 및 石油 化學
  - CONSULTANT 및 CIVIL CONSTRUCTION
  - 上.下 水道 設備
  - 電信.電話等 通信 關聯 分野
  - 食料品 및 日用品 供給
  - 環境 保護
- WESTMINSTER 經營 諮問會社는 同國 商工部 및 쿠웨이트 再建 特別委 (BTFRK) 後援으로, 3.18. 英國 企業人들을 위해"쿠웨이트 再建" 題下 브리핑 推進
- HURD 外相은 2月末 業體 代表團을 引率, 쿠웨이트 亡命 政府 所在 TAIF를 訪問, 自國 業體의 보다 많은 參與를 要請함.
- 3.18 商工部 後援 WESTMINSTER 經營諮問會社開催 세미나 發表에 의하면 쿠웨이트는 1段階로 電氣, 上水道 緊急 復舊工事(90日間 10億弗 所要)實施中, 2段階는 向後 2-5年間, 3段階는 5-10年 計劃下 實施 豫定이며, 現在 英國政府는 쿠웨이트는 戒嚴下로서 民間人 入國이 불가한바, 復舊事業 希望業體는 商工部 特別對策班을 통하도록 勸告 하고 있고, 復舊事業 參與 支援을 위해 駐쿠웨이트 大使館 內에 政府 및 關係機關 代表를 派遣中임.(我國 現代, 大宇支社 代表가 同세미나 參加)

佛蘭西

- 佛蘭西 企業들은 쿠웨이트 第 1段階 復舊事業 參與 可能性은 일단 적은 것으로 보고, 本格的인 第 2段階 事業 參與를 위해 單獨 또는 美國企業과 共同 進出을 積極 摸索中이며, 國營 輸出 保險 公私 保證等 政府次元의 支援 擴大를 要求하고 있음.

o 쿠웨이트 第 1段階 復舊 事業中 佛蘭西 企業으로는 最初로 GEC-ALSTHOM社가 移動式 發電用 가스터빈 4個組의 供給契約 (約 6千萬 프랑)을 締結한데 이어, THOMSON-CSF社도 쿠웨이트 公報省이 緊急 使用할 移動式 TV시스템(報道用 車輛, TV스튜디오, 5KW 送信機로 構成)의 供給 契約 旣締結

o 佛蘭西 豫算 擔當 長官과 對外貿易 長官이 쿠웨이트, UAE, 이집트 等을 訪問, 佛蘭西 企業의 復舊 事業 參與 協議 進行

o 2月末 佛蘭西 全經聯 代表團 쿠웨이트 亡命 政府 所在地인 사우디 TAIF를 訪問

o 佛政府 및 企業은 戰後 現在의 時期를 中東 進出의 好期로 보고 쿠웨이트 復舊事業 參與는 물론, 各種 社會 間接 施設을 하고 있는 이란에 대한 進出도 積極圖謀, 이란TABRIZ에 大規模 石油 化學團地 (約 45億弗 規模) 建設 契約 締結.

o 3.20경 現地 出張에서 돌아온 政府, 業界 人士들에 의하면, 石油 分野를 除外하고 道路, 橋梁, 上下水 施設等은 破壞되지 않았으며, 大規模 商街, 住宅被害도 크지않은바 쿠웨이트 復舊事業이 世紀的 規模가 될것이라는 主張은 幻想에 불과 하다고 보도 (佛蘭西 有力 經濟紙 LA TRIBUNE L'EXPASION紙)

(實 例)

- BOUBIYAN 橋梁 : 損傷된 4個 橋脚部分 修理要
- 쿠웨이트 市內 TV 送信塔 : 안테나만 損傷 (構造物 이상없음)
- 쿠웨이트 空港 : 格納庫 破壞, 滑走路 이상 없음
- 空港에서 市內 進入路 : 爆彈被害가 目擊되지 않음.
- 水道施設 : 別被害 없음. (食水 供給이 여의치 못한것은 電氣 施設 未復舊로 펌프 不作動 때문)
- 淡水化工場 : 5個所中 1個所만 被害

o 對外 貿易省 長官 4.5-6間 經濟人團을 인솔 쿠웨이트 訪問豫定이며, 4月下旬에는 佛-쿠웨이트 共同委를 開催키로 兩政府間 合議

- 8 -

0132

이태리

- 쿠웨이트 復舊事業 參與는 걸프戰 參與度에 따라 事業契約 惠澤이 주어지고 있어, 이태리의 參與는 微微할 것으로 豫想
- 그러나 政府, 國營企業과 民間 有數企業은 걸프地域 專門 分野別 工事 參與 經驗이 豊富하고 早期 復舊를 위해서는 미엔지니어링社가 餘他 專門會社의 下請을 必要로 할 것임을 감안, 下請 方式에 의한 參與를 期待하고, 各種事業의 支拂條件等을 綿密히 分析中,
  (參與期待 分野; 石油産業, 에너지, 光纖維線 設置, 淡水 生産 工場 및 其他 道路等 土木 工事)
- 事業 參與 擴大의 一環으로 3.10. 外相이, 3.13. 貿易相이 國營企業體長 및 全經聯 代表를 引率 쿠웨이트 現地 訪問, 쿠웨이트 首相等 高位人士를 接觸 하여 復舊事業 參與 交涉 活動을 展開中이며, 現在 다음과 같은 具體的 協力 成果를 거둠.
  - 쿠웨이트 石油公社와 油田火災 消火用水 供給施設 建設工事 參與 合意書 交換
  - 이태리 SAE SADELMI社 電氣供給 施設 復舊契約 締結
  - 쿠웨이트 淡水施設 및 SHUAIK港 復舊事業參與合意
  - 電氣網, 光纖維線 供給, 被害建物 및 橋梁修理 엔지니어링 및 石油施設 復舊事業等 分野 계속 商談中
- 上記 貿易相은 쿠웨이트는 電話施設, 空港, 港灣, 道路, 建物, 下水 및 輸送施設 復舊는 물론 生活再開에 必要한 모든 必須品을 쿠웨이트가 必要로 하고 있다면서 먼저 參與하는 企業이 많은 契約을 獲得할 수 있음을 强調하면서 同國業界의 迅速한 參與를 促求
- 이태리 民間 業體 및 業界 團體(全經聯等)도 3月末 使節團을 構成, 4月初 쿠웨이트에 派遣하여 現地 商談 活動展開와 協力擴大를 위해 全經聯 事務所 現地 開設考慮

和蘭

- 和蘭政府는 和蘭 企業의 쿠웨이트 復舊事業 參與 問題協議를 위해 公式使節團의 쿠웨이트 亡命 政府 訪問推進

o 和蘭 業界에서도 政府와는 別途로 쿠웨이트 復舊事業 參與를 위해 쿠웨이트 政府와 接觸中

獨逸

o 걸프戰後 復舊 事業에 대한 獨逸 政府 및 業界의 計劃이나 立場表明은 尙今없으나, 브랏셀 EC執行委 會議結果에 따라 參與計劃 具體的 討議 豫想.

o 業界에서는 大部分의 쿠웨이트 戰後 復舊事業에 美, 英, 佛이 차지하고 獨逸 參與 機會가 微微할 것으로 豫想, 이라크 戰後 復舊事業 參與가 有利할 것으로 展望

포르투갈

o 쿠웨이트 復舊에 建設, 엔지니어링 事業參與 推進(建設 契約 또는 下請 契約 參與 推進)

o 걸프 現地 進出 希望企業에 대한 政府 次元 支援 提供 檢討中

o 3.6 外務部 側은 EC의 쿠웨이트 復舊 計劃 參與戰略 및 方案 資料를 業界에 配付

o 商易長官을 首席으로하는 經濟使節團 4月初 쿠웨이트와 이란에 派遣할 豫定이며, 對外貿易廳은 리야드 駐在事務所를 再開하여 쿠웨이트 및 UAE를 兼任시키고 테헤란에 새로이 支社도 設置할 豫定으로서, 現 段階에서 中東地域 再進出 希望會社 168個社에 達함

벨기에

o 벨기에 企業의 걸프國家 戰後 復舊 事業 參與를 組織的으로 管理하기 위해 3.5. "걸프戰爭 復舊事業 參與 團體"를 組織
  - 參與 希望企業 리스트 作業
  - 希望 業體 財政問題 및 企業參與 範圍評價
  - 걸프地域 駐在 公館 調査를 根據로 하여 걸프地域 戰後 復舊 需要 調査 및 關聯 情報 交換

o 同國의 많은 企業이 關心을 表明하고 3.5. 現在 50個 企業이 上記 團體에 參與함.

○ 長期 復舊 事業(쿠웨이트 第 2段階 復舊 工事)에 同國 企業參與가 可能할 것으로 展望, 對外 貿易 長官이 貿易 産業 使節團을 引率하여 라마단以後 쿠웨이트等 中東國家 訪問 豫定.

노르웨이

○ 쿠웨이트 政府의 緊急 招請으로 3.6. 同國 民間 使節團이 쿠웨이트 向發, 쿠웨이트 側과 具體的 協議 進行中.

○ 油田復舊, 港口運營(주로 CLEANING), 海上原油 流出除去等 3個 分野가 關心있는 分野로서, 單獨受注 보다는 美國等 餘他國 受注工事의 下請에 努力하고 있으며, 기히 쿠웨이트 亡命政府는 同國 原油 關聯 諮問會社, 原油 採掘裝備 販賣會社, 엔지니어링社等 4-50餘個社와 接觸

유고

○ 유고 外務長官 3.14 商工人들과의 간담회에서 可能한 外交力을 動員, 유고 建設會社들의 對中東市場 進出을 支援할 것을 表明
(同 長官은 3.16부터 시리아, 쿠웨이트, 이집트 巡訪 豫定으로서 戰後 中東問題 와 關聯하여 非同盟國家間의 政治,經濟面에서의 協力을 强化하기 위한 것임)

○ 同 간담회에서 外務長官은 對中東 進出을위해 業界와 銀行間의 콘소시엄 構成, 業界에 대한 財政支援 方案等이 論議됨.

사우디

○ 쿠웨이트 復舊事業 所要 資材, 裝備, 人力 供給, 食糧等 必要 必需品 供給權의 30% 持分을 要求하고 있으며, 道路, 港灣, 住宅 復舊事業에 參與 推進中

日本

○ 페灣 各國 復興에 대한 日本의 協力에 대하여는 域內 國家의 이니셔티브를 尊重하는 것이 重要하다는 見地에서 關係各國 및 유엔과 協力해 나간다는 基調를 維持하고 있으며, 페灣 原油流出, 油井 消失에 의한 環境 破壞 對策과 關聯, 日政府는 專門家를 包含한 現地 조사단 派遣 檢討中임.

o 日本은 3.18. 부로 쿠웨이트 7個 銀行의 日本內 資產 凍結解除 實施 決定

o 通產省을 爲始한 日本 政府는 民間企業의 積極的인 걸프 戰後 復舊 事業 參與 活動을 自制토록 業界에 指導中

o 日本 民間業界는 當分間 表面的 受注活動을 自制하면서 水面下에서 參與 方案을 摸索할 것으로 豫想됨.

o 쿠웨이트에 콜레라 發生危險이 있어, 國際 緊急援助隊의 派遣을 檢討中이며, 물, 醫藥品 等 緊急 人道的 援助 提供을 提議함.

o 自民黨 오자와 幹事長을 團長으로하는 中東 訪問團이 3.9-14間 이집트, 시리아, 사우디, 쿠웨이트를 訪問 日本의 戰後復興 協力方案 協議推進

말레이지아

o 쿠웨이트, 이라크 復舊 및 交易 問題를 專擔키 위해 首相室 經濟 企劃團 傘下에 外務部, 商工部, 業界 代表로 構成된 委員會를 設置, 民間業界의 要望事項 收斂 및 쿠웨이트, 이라크 當局에 傳達 役割 遂行中

홍콩

o 홍콩 建設會社는 海外建設 經驗이 없고 홍콩 新空港 建設等 國內 事情으로 걸프戰後 復舊事業에는 關心이 微微하나, 英國系 會社인 SWIRE 그룹이 英國과의 關係를 活用, 쿠웨이트 海上 油田復舊 사업에 下請으로 參與할 움직임을 보이고 있음.

泰國

o 3.19. 泰國 外務部 當局者는 我國公館員을 통해 泰國의 걸프地域 復舊事業參與와 關聯 我國政府 支援要請
  - 걸프地域 復舊事業 參與는 泰國 新政府의 優先政策課題의 하나인바
  - 韓國企業이 下都給 契約, 外國人力 雇用, 資材購入 경우 泰國側 優先考慮 (復舊事業 進出 我國 企業名單, 受注契約內容, 泰國側 參與 可能分野 回報 希望)

ㅇ 3.23 泰國 外務省으로부터 把握한바에 의하면 首相室 長官을 團長으로 하는 泰國使節團이 쿠웨이트 復舊事業에 泰國 勞動力 參與問題를 協議키 위해 今明間 쿠웨이트 訪問豫定이라 함.

파키스탄

ㅇ 外務省 中東次官補는 4.7 我國 大使와 걸프戰以後 中東再建事業 共同參與 問題 協議時 이미 리야드와 서울에서 協議된바 있음을 前提하면서, 파키스탄은 中東氣候에 익숙하고 中東建設 經驗이 있는 勤勞者가 많아 韓國建設業體가 이들 勤勞者를 많이 雇用해 줄것을 要請하여옴.

4. 우리나라의 參與 方案

가. 基本方針

ㅇ 中東國家의 建設工事 積極參與

ㅇ 商品輸出등 交易增大

ㅇ 原油의 安定的 供給先 確保

ㅇ 戰後 經濟復與 開發 基金 出捐으로 各種 프로젝트 參與

ㅇ 戰爭 被害國에 대한 緊急 援助 提供(緊急物資 및 醫療支援等)

나. 쿠웨이트 被害狀況

<COE 現地 調査團 報告>

ㅇ 約30%의 發電施設 및 相當部分의 送電施設의 破壞

ㅇ 上水道施設(海水-淡水化施設)의 破壞

ㅇ 石油産業 施設 破壞(相當部分이 70年代 建設되어 다소 老朽된 施設)

- 約 550個 정도의 油井 發火 狀態
- 約 300個의 原油採取 施設 破壞
- 多數 送油管 및 貯藏施設 破壞
  . 發火된 油井의 80%는 鎭火可能 (約1年以上 所要)

ㅇ 被害推算額 : 600-1,000億弗로 推定되었으나, COE 現地調査團 報告에 의하면 상당히 縮小 展望

- 石油聯關 産業施設 被害는 推定値와 비슷.
- 南部地域 電力生産施設 (全體50% 生産)은 被害없음.
- 道路施設의 被害狀況 輕微
- 商業 및 公共廳舍 被害는 建物構造上 매우적음 (清掃나 補修로 使用可能)
- 地下 公共施設物 被害 輕微

<COE 쿠웨이트 事務所 副所長 見解>

ㅇ 駐 쿠웨이트 大使에 대한 同 副所長 説明 内容

- 約 250個所의 政府, 公共分野 建物調査 結果 約 5% 被害無, 15% 新築必要, 10% 半破, 70% 内部修理 또는 一部改築 必要, 이외에 約 500餘個 學校建物 大修理 요함.
- 道路, 橋梁은 一部 破損되었으나 大修理 不要狀態
- 電氣 配電施設은 큰 被害 당함. 40餘個의 配電所가 完破되어 配電線 및 變電所 復舊工事가 時急함.
- 3個月 緊急復舊事業 : 現在까지 COE가 契約을 締結한 工事는 6件으로 美國會社 3, 英國 1, 사우디 1, 쿠웨이트 1個社가 施工中 (契約高 4,500萬弗), 第 2次分 總額은 5,500萬弗이나 쿠웨이트 政府의 豫算 未配定 및 入札方法에 대한 指示가 없어 遲延되고 있음.
- 空軍 基地가 大破되어 大規模 工事가 必要 (同 工事는 쿠웨이트 國防部가 決定, 發注케됨)

ㅇ 駐 쿠웨이트 大使 觀察意見

쿠웨이트 政府 當局者 또는 COE 當局者의 見解나 市街 現場 觀察結果 非軍事 部分은 砲擊이나 爆擊에 被害받지 않고 防火, 破壞로 인한 것으로서 大型 土木建築工事 보다 補修, 部分改築, 内裝等 制限된 工事나 엔지니어링 工事가 많을 것으로 展望

다. 對 쿠웨이트 復舊事業 參與方案

一般的 受注方案

- 쿠웨이트 政府는 復舊 事業 參與는 國土收復에 貢獻한 國家에 優先權을 賦與한다는 名分下에서 美 , 英, 佛, 이집트 및 사우디를 優先하는 方向으로 推進하고 있으나, 韓國에 대해서는 過去의 經驗과 實績을 높이 評價하고 있고, 今番 戰爭에서의 寄與에 비추어 應分의 參與를하게 될 것이라는 쿠웨이트 關係들의 言及이 있었는바, 現在 쿠웨이트로 復歸한 KERP 當局과 接觸, 經驗과 實績을 爲主로한 활발한 受注 活動이 緊要.
- 業體別 協力 可能分野 쿠웨이트 側과 直接 協議 推進
  - 過去 쿠웨이트에서의 工事 實績, 經驗 및 旣存 裝備 活用
  - 電氣, 通信, 上下水道등 技術者로 構成된 緊急 復舊 支援團 쿠웨이트 派遣, 支援 提供
- 我國 業體 單獨 受注 또는 美, 英, 사우디, 이집트 會社等과 共同受注 또는 合作 및 下請進出 積極 推進
- 我國의 工事 可能分野 計劃書 作成, 쿠웨이트側에 提供 必要
- 쿠웨이트 緊急 復舊計劃處(KERP)와의 接觸强化

發注 形態에 相應하는 受注 方案

- 1段階 事業인 緊急 復舊 및 軍事施設은 美國 COE 에서 擔當하고 있는바, 그간의 緣故 關係 等을 내세워 COE 側과 接觸을 强化하여 積極 受注 活動을 展開함이 緊要
- 特히 90日間으로 豫定하고 있는 緊急復舊事業이 多少 遲延될 조짐을 나타내고 있고, COE의 復舊事業參與도 長期化가 豫想되며, 쿠웨이트 政府가 發注하게될 長.短期復舊事業 全般에 COE의 間接的 影響力을 無視할수 없으므로 일단 我國業體가 COE에 登錄하는 것이 有利하다고 判斷됨
- 2段階 事業에 대하여는 多國籍軍의 主軸이된 美 , 英, 佛 業體에 優先 發注 展望인바, 이들 國家 業體 受注工事에 施工部門 下請 參與를 積極化하며, 我國 競爭 優位 分野(道路, 港灣, 空港等)에 先進 業體와 合作 推進, 我國이 施工한바 있는 分野에는 單獨參與 努力 傾注

o 現在 쿠웨이트 政府는 戰後復舊事業의 一環으로 2個의 新都市 建設 計劃과 防衛施設 擴充計劃을 檢討中인것으로 알려졌으며, 中長期 復舊執行業務는 사우디아라비아의 담맘에서 이루어지고 있으므로 關心業體는 쿠웨이트 關係者와 直接 接觸하는것이 有利한 方法일 것임.

o 美國 COE는 쿠웨이트 戰後 緊急 復舊工事에 대한 民間 企業體에 施工依賴時 工事 參與意思가 있는 企業에 대해 事前 登錄 토록 公告하고, 그 資格 및 美國 政府工事 實績等 여러가지 要件을 具備한 業體에 參與를 開放하고 있는바, 이는 事實上 外國 業體 參與를 封鎖하는 措置로 볼수있으나, 我國 美國地域 進出業體들의 參與는 可能할 것으로 보임.(駐美 大使館에서 美國 進出 我國 建設業體에 上記 資料 配付, 參與 督勵 措置中임)

※ 美國 商務省 發行 美國 業體 入札 案內用 關聯 書類 別添 參照

o 쿠웨이트 地雷 除去 參與

쿠웨이트 駐在 美國大使에 의하면, 緊急復舊事業 推進에 필요한 特定地域에 局限하여 聯合軍 工兵隊들이 地雷 除去作業을 施行하여 오고 있으나 (美軍:石油地帶, 佛蘭西:海岸, 英國軍等:SHUWAIKH港口), 同 工兵隊들은 곧 撤收하고 其他地域 地雷除去는 쿠웨이트 政府가 施行하게 될 것인바, 이 경우 쿠웨이트 政府가 外國專門會社에 用役을 주게될 것 이라함. 쿠웨이트 政府의 具體的 計劃이 樹立된후(現在 未樹立)受注活動 積極 推進

라. 對이라크 復舊事業 參與 方案

o 이라크의 어려운 財政 事情으로인해 今後 相當 期間 國際的 支援에의한 復舊工事 推進展望이며, 追後 第 3의 建設市場 으로서의 큰 潛在力을 가지고 있으므로 이라크 國內 政治狀況과 美國의 中東戰略을 銳意 注視 必要.

o 戰後 民生 安定을 위한 基本 施設 工事는 早期 着手될 展望이므로 適切時期에 我側의 參與 計劃案 提示 必要

o 原油를 建設 代金으로 受領하는 形態의 復舊 事業 檢討 (原油를 擔保로 國際金融 機構의 借款 供與, 戰後 復舊, 賠償 實現 可能性)

o 戰後 生必品, 醫藥品等 人道的 物資 支援 展開

o 代金 支拂 能力의 限界가 있는 점을감안, 現 段階에서는
  施工中인 工事의 完工으로 損失 最小化 注力

o 向後 中東開發復興銀行 資金에 의한 工事에 先進 業體와 共同
  參與 또는 日本의 資金 支援 工事에 日本 業體의 下請 參與
  方案 摸索

5. 걸프事態 關聯 우리政府의 外交的 支援 活動

가. 多國籍軍과 前線國에 대한 5億弗에 달하는 財政 및 經濟支援

나. 醫療支援團과 空軍輸送團 派遣

다. 美國 및 中東各國과의 雙務關係 强化를 위한 大統領 및 外務部長官의
   親書 發送

라. 걸프事態 現地調査團 派遣

마. 對쿠웨이트 및 이라크 經濟制裁 措置 解除

o 對쿠웨이트
  - 유엔의 經濟制裁 解除措置에따라 우리政府도 3.18부로 쿠웨이트에
    대한 모든 制裁措置를 解除함.

o 對이라크
  - 4.3 採擇된 유엔 安保理 決議 第687호에 따라 食糧等 民需用
    物資의 對이라크 禁輸措置 緩和
  - 主要內容
    (對이라크 輸出)
    . 食 糧 : 유엔 制裁委員會에 사전 通報로 輸出可能
    . 民需用物資(生必品等) : 유엔 制裁委員會 事前承認 요함
    . 醫藥品 : 當初 制裁 對象品目은 아니나, 他國의 예를 감안
      輸出時 유엔에 通報함이 安全視됨.
    . 軍事物資 : 一體禁輸繼續
    (對이라크 輸入)
  - 이라크가 上記 安保理 決議 第 687號에 規定된 義務를 完遂한후
    安保理에서 이라크産品 輸入制限 解除 豫定

바. 外務部 第1次官補等 美國 및 걸프事態 財政支援國 調整會議 參席

사. 中東對策委員會 第1次 會議 開催 (3.20)

아. 民間 經濟協力 使節團 活動支援

o 期 間 : 1991. 4. 17 - 5. 7.

o 對象國 : 이집트, 사우디, UAE, 이란등 5개국

o 構 成 : KOTRA職員 2名 包含 22個 中小企業 會社 任職員 25名

o 目 的

- 中東 特需副應 新規輸出 商談
- 걸프戰으로 中斷된 旣存去來先 商談 再開
- 終戰後 市場動向 및 向後 進出 方案 摸索

※ 參考事項(別添)

1. 世界 主要 業體別 受注 活動分野
2. 現在 쿠웨이트 政府 및 COE發注工事 契約締結 外國業體 名單
3. 美國 商務省 發行 美國業體 入札案內用 關聯書類

0142

※ 別添 1

世界 主要業體別 受注活動 分野

(美 國)	BECHTEL	: 精油施設, 淡水化施設, 發電設備, 建設
	RAYTHEON (PATRIOT 미사일 生産社)	: 空港復舊 및 航空統制 施設
	MOTOROLA	: 通信網, 제네레이터
	CATERPILLAR	: 디젤 發電機等 發電設備
	RED ADAIR	: 油田 HOLE 復舊
	O'VRIEN GOINS SHIMPSON	: 油田施設
	I. B. M	: 콤퓨터 聯關施設
	FLUOR CORP	: 建設, 原油生産, 精油 프로젝트
	PARSONS CORP	: 建設
	DRESS	: 建設, 其他
	HALLIBURTON	: 建設, 其他
	SINTEX	: 建設, 其他
	PARKER DRILLING	: 石油採掘, 原油生産
	FMC CORP	: 重裝備 供給
	WILD WELL CONTROL	: 油田鎭火
	BOOT & COOTS	: 油田鎭火工事
	SANTA FE INT'L GAS	: 石油産業施設
(佛蘭西)	BOUYGUES	: 土木, 建築分野
	SOGEA	: 上水道
	GEC-ALSTHOM	: 移動式 發電用 가스터빈 供給
	THOMSON-CSF	: 移動式 TV 시스템 供給
	TECHNIP	: 石油化學團地 建設

0143

	EDF (國營電力公私)	: 送電施設 供給
	ALCATEL	: 電力 및 通信工事
	ELF	: 原油 및 精油
	FRANCE TELECOM	: 電力 및 通信工事
	USINOR - SACILOR	: 鐵鋼
	BATIGNOLLES	: 建築 및 産業技術
	LA FRANCE EQUIPMENT	: 運送裝備 供給
(獨 逸)	WIESBANER CONTRAC GMBH	: 空港用 特別버스
	ABB 電子	: 通信設備 供給
	HOCHIEF	: 化學設備
	BASF	: 化學設備
	PHLILPP HOLZMAN	: 建設
(英 國)	BECHTEL U.K	: 90日 緊急復舊 作業
(이태리)	SNAM 및 SNAMPROGETTI	: 石油産業
	BELLELI	: 에너지
	SIRTI	: 光纖維
(홍 콩)	SWIRE 그룹	: 海上油田 復舊

0144

별 첨 2

현재 쿠웨이트 정부 및 COE 발주공사 계약체결 외국업체 명단

Contracts Awarded or Likely to be Awarded
For the Reconstruction of Kuwait

A. Contracts Awarded by Kuwaiti Government

Area	Companies
Electricity	Caterpillar Inc., diesel generators
Heavy Equipment	FMC Corp.; Caterpillar Co.
Int'l Airport, Kuwait City	Raytheon Co., $5.7 million contract for lights, navigation and air traffic control equipment
Motor Vehicles	General Motors; Ford Motor and Chrysler Corp., three $10 million orders for cars and trucks
Oil Well Fire Fighting	The Red Adair Co.; Wild Well Control, Inc.; Boots & Coots Inc.; O'Brien Goins Simpson, Inc.
Petroleum Industry	Bechtel, oil; Santa Fe Int'l, gas
Public Health Supplies	Kemet
Telecommunications	Motorola Co., multimillion dollar contract; Mitel Corp.
Transportation Equipment & Management	CSX Corp.; LaFrance Equipment, fire trucks
Waste Removal	Waste Management Inc.

B. Contracts Awarded by the Corps

1. American Dredging Co.-- $400,000 for marine surveys of the harbor at Ak Shu'aibah.

2. Blount Inc., Montgomery, AL -- two $3 million contracts for electrical repairs and repairs to public buildings.

0145

6/7

-2-

3. Brown and Root Inc., Houston -- $3 million to repair public buildings.

4. Al Harbi Trading and Contracting Co., Riyadh, Saudi Arabia -- $4.5 million to repave roads and airport runways.

C. Companies Likely to be Awarded Contracts
(As mentioned in newspaper accounts)

Aircraft and Parts	McDonnell Douglas; Boeing
Construction	Bechtel; Fluor; Parsons; VTN Int'l; Morrison-Knudsen; Jacobs Engineering; Foster Wheeler; Perini Corp.; H.B. Zachry Co.; Mivan Overseas & F.G. Wilson (N. Ireland); Lavalin Group (Quebec, Canada); Lilley PLC (UK); GEC Marconi (UK); Nuttall PLC (UK); Weir Group PLC (UK); Laing, Higgs and Hill PLC (UK); Biwater PLC (UK); Shand PLC (UK); Wimpey PLC (UK); Bebi Bros. PLC (UK)
Medical Supplies	Baxter Int'l; Johnson & Johnson
Oil Drilling Equip.	Schlumberger; Halliburton; Dresser Industries; McDermott Int'l; Ingersoll-Rand
Environmental Cleanup	ACF Kaiser's Twickenham subsidiary (U.K.)
Border Security Systems	McDonnel Douglas; E Systems; AT&T; General Dynamics
Transportation, Port & Industrial Facilities	Brown & Root (see Corps projects (above)
Other Companies Mentioned	General Electric; IBM

March 6, 1991

7/7 0864-2

0146

'91-03-15 05:30

E-7980

AWARDS BY THE U.S. ARMY CORPS OF ENGINEERS
FOR THE RESTORATION OF INFRASTRUCTURE
STATE OF KUWAIT

DATE OF AWARD	DESCRIPTION	CONTRACTOR	AMOUNT
31JAN91	Acquisition of Airport Equipment	Raytheon Service Company P.O. Box 503 2 Wayside Road Burlington, MA 01803	$5,700,000.00
3MAR91	Emergency Electrical Repairs in Kuwait	Blount International 4520 Executive Park Drive Montgomery, AL 36116	$3,000,000.00
3MAR91	Temporary Repairs to Public Buildings	Blount International 4520 Executive Park Drive Montgomery, AL 36116	$3,000,000.00
3MAR91	Expedient Survey of Shu'Aibh Port, State of Kuwait	American Dredging Company Beach & Erie Streets P.O. Box 190 Camden, NJ 08101	$ 400,000.00
3MAR91	Repair of Roads and Airport Runways	Al Harbi Trading & Contracting Company, Ltd. P.O. Box 5750 Riyadh, Saudi Arabia 11432	$4,500,000.00
3MAR91	Temporary Repairs to Public Buildings	Brown & Root International P.O. Box 3 Houston, TX 77001-0003	$3,000,000.00
4MAR91	Temporary Repairs to Public Buildings	Mohamed A. Kharafi P.O. Box 650 Abu Dhabi, UAE	$5,000,000.00
4MAR91	Repairs to Sanitary and Water Systems	Shand Construction, Limited Shand House - Matlock Derbyshire, England DE4 3AF	$2,600,000.00

0147

별첨 3

미국 상무성 발행 미국업체 입찰 안내용 관련 서류

KUWAIT RESTORED INITIATIVE

1991

MARKETING PLAN

GULF RECONSTRUCTION CENTER
Office of the Near East
Room H-2039
Department of Commerce
Washington, DC 20230

contacts: Karl Reiner, Director
Corey Wright, Kuwait Desk Officer
Paul Scogna, USFCS Kuwait
phone: (202) 377-2515, (202) 377-5767
fax: (202) 377-5330

February 28, 1991

0148

KUWAIT

FY91 COUNTRY MARKETING PLAN

TABLE OF CONTENTS

COUNTRY MARKETING PLAN KUWAIT

I. COUNTRY OVERVIEW

A. PROFILE (pre-invasion)

POPULATION:

1,915,426 including 534,827 Kuwaiti nationals (27.9 percent) according to January 1989 government of Kuwait (GOK) statistics.

RELIGION:

96 percent Muslim (70% Sunni; 30% Shia), with one Roman Catholic, one Evangelical and one Anglican church serving the non-Muslim community.

GOVERNMENT:

Kuwait is an hereditary Amirate, with certain constitutional limitations and procedures introduced in 1963. Both the Amir and the Crown Prince are chosen by members of the ruling family, in power since 1750. A 50 member National Assembly, elected by adult male Kuwaiti nationals, has played an active but intermittent role in the preparation of laws and has served as a national sounding board for public opinion. It has twice been dissolved, in September 1976 by the previous Amir and again by the current Amir in July 1986. Elections were conducted in June 1990, but 25 additional members were to be appointed by the GOK. As a result many members of the powerful commercial families and other community leaders boycotted the elections. It is not clear how this political drama will play out in postwar Kuwait, but it is reasonable to assume that calls for participatory democracy will intensify.

LANGUAGE:

Arabic, with English widely spoken. There are also significant Persian, Urdu, and Malayalam speaking minorities.

WORK WEEK:

Six day week (Saturday - Thursday)

776 - 3 -

0150

Kuwait - Key Economic and Trade Indicators
(All values in millions of US Dollars unless otherwise indicated)

B. DOMESTIC ECONOMY:	1987	1988	1989
GDP (current USDOLS)	22,092	20,055	23,049
GDP Growth Rate (percent)	19.7	-9.2	14.9
GDP Per Capita (current USDOLS)	11,795	10,243	11,254
Government Spending as % of GDP	38.3	44.7	40.9
Inflation (percent)	0.6	1.5	3.4
Unemployment (percent)	NIL	NIL	NIL
Foreign Exchange Reserves (USDOLS)	4,140	1,923	2,834
Average Exchange Rate 1 USDOL = X KD	.279	.279	.294
Foreign Debt (USDOLS)	-0-	-0-	-0-
Debt Service (% of goods and services)	N/A	N/A	N/A
U.S. Economic Assistance (USDOLS)	-0-	-0-	-0-
U.S. Military Assistance (USDOLS)	-0-	-0-	-0-

C. TRADE:	1987	1988	1989
Total Exports (USDOLS)	8,355	7,722	11,030E
Total Imports (CIF, USDOLS)	5,293	6,100	6,500E
U.S. Exports (USDOLS)	505	690	855
U.S. Imports (USDOLS)	568	506	975
U.S. Share of Host Country Imports (%)	10.7	8.2	15.0E

Trade with Leading Partners	1987	1988	1989
Japan Exports	857	730	N/A
Japan Imports	N/A	N/A	N/A
W. Germany Exports	402	410	N/A
W. Germany Imports	N/A	N/A	N/A
United Kingdom Exports	369	423	N/A
United Kingdom Imports	N/A	N/A	N/A

Principal U.S. Exports: Autos, Parts and Equipment; Tobacco Products; Aircraft; Trucks, Trailers and Buses; A/C and Refrigeration Equipment; Construction Machinery and Equipment; Consumer Goods.

Principal U.S. Imports: Crude oil

SOURCES:

Central Bank of Kuwait: Quarterly Statistical Bulletins
Ministry of Planning: Statistical Abstract
Official Gazette.

U.S. Trade Statistics - U.S. Department of Commerce
E - Embassy estimates from past year statistics
N/A - Not available

II. COMMERCIAL ENVIRONMENT

Background. Iraq's invasion of Kuwait on August 2, 1990, and the subsequent looting of equipment and supplies and destruction of infrastructure by the Iraqi occupiers, presents the GOK with an enormous reconstruction task over the next five to ten years. The cost could approach $100 billion. With sizeable financial resources and proven oil reserves of more than 90 billion barrels, Kuwait may be able to bear the enormous costs of restoration, but it will not be easy.

Contractors and suppliers from allied nations will be favored when contracts are awarded. To date about 70 percent of these contract awards have gone to U.S. firms. Under plans drawn up by the U.S. Army Corps of Engineers (COE), hired by the GOK to run the first phase of the cleanup, construction crews will start clearing rubble and repairing roads, bridges, seaports and airports. They will presumably also be charged with clearing mines, unexploded ordnance and the like. Shortly thereafter the GOK is expected to spend another $500-800 million to restore basic health care, sanitation, communications, utilities including water and food supplies for the population still in Kuwait.

Because of Iraq's scorched earth policy in Kuwait, some 200 oil wells now burning must be snuffed out. Simultaneously, crude oil production and export facilities must be restored. We understand that Bechtel Corporation has been named program manager for oil sector restoration, but to date no contract has been signed. Some procurement is being handled by the:

Kuwait Coordination and Follow-up Center
1510 H Street NW
Washington DC 20005

They will accept any proposal submitted by mail for forwarding as appropriate.

U.S. suppliers of goods and services who meet international specifications and have prior experience in the region should find excellent market opportunities as a result of Kuwait's misfortune. U.S. firms who already have a Kuwaiti agent or representative will have an advantage because prospective agents may be difficult to locate for some time. Kuwaiti adherence to the Arab League boycott of Israel has prevented some U.S. firms from doing business in Kuwait in the past. It remains to be seen how vigorously the boycott will be inforced now. Before any U.S. firm sign a contract in postwar Kuwait, it should clarify whether or not Kuwaiti corporate tax law applies. If it does, the U.S. firm should seek professional advice to understand the cost implications.

Commercial Outlook: Measures adopted by the Kuwaiti government in recent years to stabilize oil prices and resolve the banking sector's bad debt crisis caused by the Souk Al-Manakh stock market crash had strengthened the economy in 1989. But growth began to slow in the months preceding the August 2, 1990 Iraqi invasion.

The massive destruction wreaked upon Kuwait now must be undone. Indeed an economic boom is likely to develop as Kuwait struggles to restore itself and other Gulf states reassess their security needs.

Development Spending: Spending will target restoration of essential services in the areas of housing, roads, bridges, harbors, piers, airports, public utilities, water desalination, petroleum facilities, waste collection and treatment, education, telecommunications and medical care. There should be sufficient project variety and volume to attract international contractors; design, engineering and project management firms; and suppliers.

Major Projects: The number of major projects to be undertaken to restore Kuwait are too numerous to enumerate here. Those wishing to receive regular information should contact the Commerce Department's Office of Major Projects on (202) 377-5225. Current indications are that most project awards will be on a fixed cost, turnkey basis. Another source of information for COE projects relating to restoration of Kuwait's municipal facilities is the:

U.S. Army Corps of Engineers
Middle East Division
Public Affairs Office
Phone: (703) 665-3936

o Prequalification - U.S. firms wishing to bid on COE-managed major projects must submit SF 255 and current SF 254 to:

Middle East/Africa Projects Office
ATTN: CESAI-ED-MC
P.O. Box 2250
Winchester VA 22601-1450

U.S. firms interested in bidding on major projects or government tenders in Kuwait **AFTER THE LEGITIMATE GOVERNMENT IS RESTORED**, must be pre-qualified with the appropriate GOK agency before it will be considered for short-listing. A summary of procedures follows:

A. Consultancy, Project/Construction Management Services - for major projects undertaken by the development ministries (excluding the Kuwait National Petroleum Company, Kuwait Oil Company, Petrochemical Industries Company, Arab fund, Kuwait Fund), firms must be pre-qualified with the:

Consultants Department
Ministry of Planning
P O Box 15 Safat
13001 Kuwait
Fax: (965) 2430477
Tlx: 22468 KT
Attn: Mrs Wafa'a Al-Majed, Director

Firms should submit introductory letters along with company brochures, financial statements, information about experience particularly in the Middle East, etc. While it is not essential to be affiliated with a local firm prior to being awarded a contract, it is usually advantageous to have a local contact to assure your firm will be considered for pre-qualification. (This also applies for the entities described in (B.) and (C.) below.)

B. Contractors - Construction contractors interested in non-military projects should register with:

Ministry of Public Works
P O Box 8 Safat
13001 Kuwait
Fax: (965) 2424335
Tlx: 22753 ASHGHAL KT

Attn: Ali Al-Abdullah, Chief Engineer
Roads Administration (for highways & bridges)
or
Attn: Bader AlQabendi, Deputy Chief Engineer
Major Projects Department (for other projects)

Note: Terms of reference for recent major project tenders have specified that bids be for turnkey, fixed cost construction.

C. Contractors - Military Projects - The first step in pre-qualification for military construction projects is to write to:

Engineering Department Military Projects
Ministry of Defence
P O Box 1170 Safat
13012 Kuwait
Fax: (965) 5618397
Tlx: 22526 ENGDEPT KT
Attn: Asst. Under Secretary, EDMP

NOTE: THE ABOVE, VALID BEFORE THE INVASION, IS FOR INFORMATION ONLY.

- 7 -

776-7

0154

D. Contractors/Suppliers - Oil Sector - To be included on the contractor's list for the oil sector (i.e., to be pre-qualified), please submit an introductory letter and informational brochures to the following:

Central Tenders Committee
P O Box 1070 Safat
13001 Kuwait
Tlx: 44048 CTC KT

Attn: Mr Nayef Al-Maosharji, Secretary General

The CTC will forward applications received to the appropriate Vendors Evaluation Committee. Only sole source suppliers of goods or services may be pre-qualified without having a local agent.

NOTE: THE ABOVE, VALID BEFORE THE INVASION, IS FOR INFORMATION ONLY.

o Arbitration - Prior to the invasion, commercial disputes were no longer submitted to international arbitration in Paris. Contracts specified that arbitration would be done in Kuwait. Both parties in the dispute could select their own arbiter, and the third would be nominated by the Kuwait Chamber of Commerce and Industry, subject to the approval of both parties. Disputes not resolved to the satisfaction of both parties would be escalated to the Kuwait commercial court.

Comment: Traditional practice in the Kuwaiti market had been to bid low - get the job - make a claim. The Kuwaiti government discouraged this practice by specifying fixed cost contracts, and local arbitration. Contractors who continue to "low ball", do so at their peril.

Comment: In the post-invasion commercial climate, it may be possible for contractors to again specify international arbitration of disputes.

U.S. Market Position: Prior to the invasion, U.S. market share showed dramatic improvement as the impact of the U.S. dollar's decline worked its way through the international economy and U.S. manufacturing productivity improved. In 1989 U.S. exports to Kuwait increased 24 percent to USD 855 million (U.S. Department of Commerce statistics). The United States was very close to overtaking Japan as the leading export country to Kuwait. U.S. exports during the first three months of 1990 increased, but then began to decline - almost as though traders were anticipating the August invasion. With the prominent U.S. role in the coalition aligned against Iraq, it is certain that U.S. firms will play a significant role in all aspects of Kuwait's restoratio.

Prospects for U.S. Business: U.S. firms with extensive experience in the region, and who were already represented in Kuwait before the invasion will be greatly advantaged as suppliers of goods and services to Kuwait's reconstruction. But U.S. firms must still compete with the firms from other coalition countries for market share. U.S. firms capable of meeting international standards should do well in areas where U.S. products and services have a technological edge and where U.S. expertise and brand names are respected. Prospects are good for almost every sector. Initial requirements will be for restoration of basic infrastructure, public utilities, health care, consumer goods, and crude oil production facilities.

Arab Boycott Complications: It is not clear how vigorous post war Kuwait's enforcement of the Arab League boycott of Israel will be. In our opinion we believe it likely that enforcement of the boycott will be abandoned, at least by the Arab countries who are members of the allied coalition. However, in the past it prevented some U.S. firms from doing business in Kuwait. Some companies are still black listed. At times U.S. firms are caught between conflicting requirements of Kuwaiti boycott and and U.S. anti-boycott regulations. Some of these conflicts were resolved, others not.

U.S. firms may encounter boycott procedures in certificates of origin, letters of credit, shipping documents, certain tender and contract provisions, and in requests from boycott offices to furnish information about the firm's business relationships. Generally, the receipt of a request to furnish information or otherwise participate in a restrictive trade practice or boycott must be reported to the U.S. Department of Commerce, although there are some exceptions. For more information on the exceptions and/or answers to questions about boycott regulations or problems, U.S. firms should contact the Office of Antiboycott Compliance, U.S. Department of Commerce, Washington, D.C, 20230-6200 (202-377-2381) or the Office of General Counsel, U.S. Department of Treasury (202-566-5569).

Getting Into the Market: To penetrate the Kuwaiti market, a local agent or representative is usually required under Kuwaiti law. In any case local representation is essential for timely notification of major projects and tenders, and to maintain contact with ministry officials and decision makers. Use of the Department of Commerce's Agent Distributor Service (ADS) is an excellent and inexpensive tool to establish initial contact with potential agents or distributors (more information on this service can be obtained from the nearest Department of Commerce US&FCS District Office). However, the U.S. businessman who makes periodic trips to Kuwait will be the most successful. The importance of direct contacts and personal relationships with Kuwaiti counterparts cannot be overemphasized.

Commercial Contacts:

o For General Market Information:

Corey Wright, Desk Officer (Kuwait)
Department of Commerce
Room 2039, HCHB
Washington, D.C. 20230-6200
Tel: (202) 377-2515

o For Upcoming Trade Promotion Events (trade missions, catalog shows, etc.):

John Flannagan
Regional Export Development Officer
Department of Commerce
Room 1510, HCHB
Washington, D.C. 20230-6200
Tel: (202) 377-1209
Fax: (202) 377-5179

o For General Market Information:

Commercial Attache
American Embassy Kuwait
Department of State
Washington, D.C. 20520-6200
Tel: Kuwait (965) 2424192
Fax: (965) 2407368

o For Current Status of Major Projects:

Office of Major Projects
Department of Commerce
Washington, D.C. 20230
Tel: (202) 377-5225

III TRADE & INVESTMENT CONCERNS

The Kuwaiti market is free and open for competition. There are no restrictions on currency exchange, nor on the transfer of profits and dividends. Tariffs are for the most part nominal, i.e. 4% ad valorem. There are a number of products whose duties are in the 15-30% range to protect local industry. The main ones are listed below, and present no particular threat to U.S. exports. However there are several primarily non-tariff barriers which can hamper U.S. commercial ties with Kuwait (also addressed below).

Customs Duties: Generally, goods, materials, and commodities imported into Kuwait are subject to duty at a rate of four percent ad valorem (CIF value).

Exempt from customs duties are most foodstuffs, books and periodicals, movie films, gold and silver bullion, most live animals, and animal feeds.

Items that are subject to duty higher than 4% as a protective measure for local industry include:

- o Cast iron pipes 50-150 mm. dia., up to 3 meters long (15%)
- o Plastic bottles, cups, etc. (15%)
- o Polyethylene/polypropylene sacks and covers (30%)
- o Car batteries (15%)
- o Chemical cleaners, liquid shampoos, and deodorants (15%)
- o Cigarettes and imported tobacco (50%)
- o Automotive and industrial lubricants (30%)
- o Paper products (25%)
- o Portland cement (15%)
- o Fiberglass insulation (25%)
- o PVC pipes, all diameters (25%)
- o Paint, except automotive (25%)
- o Wooden furniture, doors, windows, prefab Houses (25%)
- o Prefabricated iron buildings, Kirby system

Non-Tariff Barriers: The Kuwaiti government has and is imposing a number of documentation and standards requirements in order to:

- o Implement Arab League boycott regulations;
- o conform with Gulf Cooperation Council (GCC) countries standards and specifications;
- o and, to combat the importation of counterfeit (knock-off) goods.

NOTE: The latter two types of requirements are only referred to as barriers because they seem to be so to many U.S. exporters, and potential exporters. If U.S. firms understand and comply with local (and international) standards and regulations, they will find a ready market here (and overseas). Those firms who see the international market as just another outlet for their standard U.S.- market product line are doomed to failure in the longer term.

The most significant documentation and standards requirements are summarized below:

1. Certification (or Authentication) of Origin (of goods) on documentation for export to Kuwait (e.g. bills of lading, invoices, letters of credit, etc.):

A. If U.S. goods originate in a state where there is a U.S.-Arab Chamber of Commerce (currently San Francisco, CA, Chicago, IL, or Washington, DC), or the Embassy or Consulate of any Arab country except Egypt, then one of these must certify origin of goods;

B. If U.S. goods originate in a state where there is no Arab diplomatic or commercial presence, then any U.S. Chamber of Commerce in that state may certify origin.

In either case (A. or B. above), documents must also be certified by the Kuwaiti Embassy in Washington, DC or Consulate in New York City.

NOTE: Certification of origin means origin of manufacture. If goods are shipped from the United States, but were manufactured wholly or in part in other countries, then each country of manufacture must be listed for certification. That is, if Kuwaiti customs officials inspect a shipment and find components or subcomponents on which the country of manufacture is clearly marked, each different country of manufacture should correspond with those certified on export documentation.

When discrepancies are noted by customs officials, customs clearance is usually delayed. Beginning January 1, 1989, entry of such goods may be denied.

2. Country of Origin Markings: Effective January 1, 1989, goods or commodities shall not be exhibited or sold in Kuwait unless the country of origin (i.e. country of manufacture) is shown thereon in a clear and indelible way. If a product is impossible to so mark, then a sticker may be used (e.g., apples or a bunch of grapes).

It shall be sufficient to show the country of origin on cans or packages containing products or commodities on which the country of origin can not be shown.

NOTE: A local supermarket has already stopped importing a well known U.S. brand of rubber household products because "Made in U.S.A." is not embossed on the products themselves. In this case, a sticker is apparently not acceptable to Kuwaiti customs.

3. Arabic Language Requirements: Effective January 1, 1989, the Importers of durable goods which include instruction manuals for usage and maintenance, shall add thereto a translation in the Arabic language.

NOTE: While the language requirement is imposed on the importer, it is reasonable to assume that importers will tend to favor exporters who already provide instructions in Arabic.

4. New Electrical Standards: Effective January 1, 1989, major household appliances (white goods) must operate unaided (i.e. without transformers) on Kuwait's power transmission grid (240 volts, 50 hertz (cycles).

NOTE: Similar electrical standards were also to be imposed for small household appliances (brown goods), but action has been deferred.

Investment: Participation in the Kuwaiti real estate and equity markets is limited to Kuwaiti nationals only. However, an Amiri decree issued July 23, 1989, has opened the door to permit foreigners to invest in in the local futures markets for foreign exchange and gold bullion. Local investment companies are now planning to launch mutual funds, but it is not yet clear whether foreigners will be permitted to invest in local shares.

Foreigners are permitted and encouraged to participate in joint ventures, but foreign ownership is limited to 49 percent.

Joint Ventures and Licensing: Joint ventures with Kuwaiti firms are the best means for competing successfully on major project work. In addition, numerous private sector Kuwaiti's have expressed interest in establishing joint ventures and/or licensing arrangements to produce goods locally to replace those which are now imported. Proposals range from the manufacture of breakfast cereals to chemicals and catalysts for the oil refining and petrochemical industries. With government plans to continue to upgrade its refinery operations, and to develop a major petrochemical industry in Kuwait, we believe there will be significant opportunities for U.S. licensees and joint venturers.

Advantages which can accrue to such ventures are management control, limited liability for the partners, and possible shelter from Kuwaiti corporate taxes. Joint-venture arrangements are generally flexible enough to assure a generous apportionment of profits, not necessarily confined to respective ownership shares.

Taxation: There is no personal income tax in Kuwait. However, income arising out of Kuwait to any foreign enterprise operating directly, or indirectly through representation, will be subject to tax on profits. Rates of tax range up to 55 percent.

A directive issued in January 1980 requests that all Kuwaiti Government entities withhold final payment (usually five percent of total contract value) due to foreign entities until such entities present a tax clearance certificate from the Income Tax Department. The five percent of total contract value withheld often became a sort of minimum tax. This is no longer the case, and the taxation authorities have become far more aggressive in making claims. While tax liabilities are computed more or less on the basis of profits disclosed, allowable deductions may vary significantly from U.S. practice.

We strongly urge representatives of U.S. firms contemplating commercial activity in Kuwait to seek competent advise on taxation before tendering for projects or entering joint venture arrangements.

Treaties and Bilateral Agreements: The Overseas Private Investment Corporation (OPIC) and the government of Kuwait have a bilateral agreement. OPIC has already issued political risk insurance for several U.S. firms bidding on major projects.

No other commercial treaties between Kuwait and the U.S. exist as at this time. However, the Kuwaiti government has requested consultations with the U.S. government to negotiate a double taxation treaty.

Visa Regulations: Foreigners entering Kuwait, other than nationals of other GCC countries, must be in possession of a valid Kuwaiti visa. Business visas are issued to business-sponsored applicants either in Kuwait or by Kuwaiti Embassies abroad. Business visitors are usually sponsored by their local agents, or prospective agents.

Those without any such contacts can request sponsorship by one of the major hotels operating in Kuwait (e.g., the Sheraton, the Kuwait International, the Holiday Inn, the Ramada Inn), while booking into the hotel for your stay.

Visa applications should be made at least 15 days prior to the desired travel date.

776 - 14 - 끝

0161

보 도 자 료

1991. 4. 12.

제 목 : 걸프전후 복구참여 대책 민.관 합동 간담회 개최

1. 1991. 4. 12. 오후 2시부터 약 2 시간에 걸쳐 걸프전후복구 참여대책을 수립하기 위한 업계와 정부합동 간담회가 전경련 회관 대회의실에서 개최 되었다.

   동 간담회는 외무부 이해순 중동아프리카 국장이 전후 최근 중동지역 정세 동향과 우리나라의 대응책 수립에 있어서의 고려사항 및 기본방향에 관한 설명에 이어 건설부, 상공부, 재무부등 관련부처 관계관의 소관사항에 대한 각종 대책 설명이 있었으며, 종합상사 및 해외건설 회사등 70여 전경련 회원 업체에서 참석한 임직원들의 질의 와 이에대한 정부의 응답등으로 진행 되었다.

2. 동 간담회에서 외무부는 각 대사관으로부터 보고된 자료를 토대로 작성한 "걸프전후 복구사업 및 건설공사 참여 안내서"를 업계에 배포, 업계가 활용토록 조치하였다.

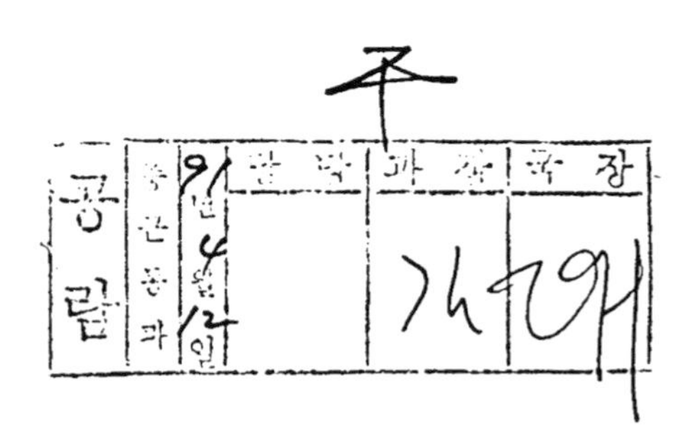

0162

보 도 자 료

외 무 부

제 91-99 호 문의전화 : 720-2408~10 보도일시 : . . . : 시

제 목 : 걸프전후 복구참여 대책 민.관 합동 간담회 개최

1. 1991. 4. 12. 오후 2시부터 약 2 시간에 걸쳐 걸프전후복구 참여대책을 수립하기 위한 업계와 정부합동 간담회가 전경련 회관 대회의실에서 개최되었다.

   동 간담회는 외무부 이해순 중동아프리카 국장이 전후 최근 중동지역 정세 동향과 우리나라의 대응책 수립에 있어서의 고려사항 및 기본방향에 관한 설명에 이어 건설부, 상공부, 재무부등 관련부처 관계관의 소관사항에 대한 각종 대책 설명이 있었으며, 종합상사 및 해외건설 회사등 70여 전경련 회원 업체에서 참석한 임직원들의 질의 와 이에대한 정부의 응답등으로 진행되었다.

2. 동 간담회에서 외무부는 각 대사관으로부터 보고된 자료를 토대로 작성한 "걸프전후 복구사업 및 건설공사 참여 안내서"를 업계에 배포, 업계가 활용토록 조치하였다.

0163

全經聯

會議名 中東對策 民·官 合同 懇談會

日時 및 場所 1991年 4月 12日 (金) 14:00~ 大會議室

會 順

14:00 - 14:05	人 事	전대주 전경련 상무
14:05 - 14:25	중동지역 정세 및 중동 전후질서 개편 동향과 외교적 대응책	이 해 순 외무부 중동·아프리카 국장
14:25 - 14:55	Gulf 전후 복구사업 참여방안	권 오 창 건설부 해외건설 과장
14:55 - 15:15	중동지역 시장동향 및 대응방안	김 균 섭 상공부 수출 1 과장
15:15 - 15:45	질 의 · 응 답	
15:45	폐 회	

0164

서울特別市 永登浦區 汝矣島洞 28-1 (全經聯會館) · 代表電話 780 0821~30 · 780 1801 10 CPO BOX : 6931 · TELEX : FEKOIS 25544 · CABLE : "KOBUSINESSMEN" SEOUL

民.官 合同 懇談會 說明要旨

인사말

- ㅇ 간담회 자발적 주관 개최 치하
- ㅇ 정부의 입장 설명기회 갖게된데 대해 기쁘게 생각, 특히 외무부로서 다수 공관의 보고를 접수, 종합, 분석할수 있는 입장이므로 이러한 정보를 공유할 수 있게 된것 만족스럽게 생각

中東情勢動向

가. 政治情勢

<域内 勢力構圖의 變化>

- ㅇ 中東政治 主役들의 離合集散을 통한 均衡과 牽制가 戰後에도 勢力關係의 基本骨格이 될 것임.
- ㅇ 이라크의 退場, 시리아와 이란의 立地變化가 새要素
- ㅇ 이스라엘과 아랍諸國과의 對決關係는 繼續 宿題

<美國의 主導的 役割>

- ㅇ 美國의 影響力 增大, 中東秩序 再編過程에서 主導的 役割 遂行
- ㅇ 反美.反西方 感情의 緩和가 課題

0165

<蘇聯과 西歐의 影響力 變化>

- o 蘇聯 影響力 相對的 쇠퇴
- o 脫冷戰時代의 美.蘇協力 계속 維持의 必要性 및 中東에 대한 蘇聯의 傳統的 影響力을 감안한 蘇聯의 協力 必要性
- o 英.佛등 西歐 勢力의 影響力 維持

<아랍圈의 政治的 變化>

- o 王政守護 및 軍備 增强
- o 反體制 民主化 運動에 對備한 漸進的 政治改革 推進

<地域安保體裁 構築 努力>

- o 平和維持軍 創設 構想
- o 이집트, 시리아의 兵力 支援 및 GCC의 經濟援助
- o 美.英.佛의 海.空軍力 維持
- o 유엔 監視團 配置

<軍備 統制>

- o 軍備統制 必要性 共同認識 不拘, 最尖端 武器 需要 및 西方 軍需業界의 壓力에 비추어 限界 豫想

<팔레스타인 問題等 中東問題 解決努力>

- o 生存權과 自決權의 調和가 課題
- o 시리아의 對이스라엘 關係 改善 雰圍氣 造成
- o 美國의 이스라엘 說得 成功與否가 關鍵

0166

나. 經濟 情勢

<戰後 復舊 및 經濟復興 努力>

- ㅇ 쿠웨이트는 當初 5年間 600-1,000億弗 投入, 大規模 復舊事業 實施 豫想

- ㅇ 이라크는 向後 10年間 1,000-2,000億弗 所要 推定

- ㅇ GCC는 安保體制 强化위한 軍事施設 追加 建設 및 政治 安定위한 社會 間接資本 建設努力 倍加 展望

- ㅇ 이집트, 시리아에 대한 GCC의 經濟支援 및 兩國 經濟의 市場體制로의 轉換 要求

- ㅇ 西方은 地域情勢 安定위한 貧富隔差 解消, 經濟 成長 促進 投資源 開發 및 共同利用着眼 推進 豫想

- ㅇ 美國의 中東開發銀行 設立構想에 대한 資本 參與國의 立場 相異 (GCC, 日本, 獨逸)

<原油問題>

- ㅇ 資金調達을 위한 生産쿼타 및 價格問題로 生産國間 不和 可能性

- ㅇ 油價 關聯 美國의 사우디, 쿠웨이트를 통한 影響力 增大 豫想

- ㅇ 배럴당 18-20弗線 展望

- ㅇ 쿠웨이트 油田復舊에 最小 1年 所要展望, 이라크는 被害狀況 未確認.

0167

對應策 樹立에 있어서의 考慮事項과 基本方向

가. 政治的 考慮事項

- o 美國의 影響力 强化 및 反美.反西方 感情
- o 中東各國의 利害關係 相衝, 이슬람 原理主義, 反王政 感情 및 民主化 要求의 擴散等으로 多數政權의 將來不安
- o 蘇聯 및 西歐의 影響力 繼續 維持
- o 팔레스타인 問題, 레바논 問題等 中東 問題의 解決努力 强化
- o 유엔의 政治 安保的機能 增進

나. 經濟的 考慮事項

- o 中東은 世界 石油 埋藏量의 65%, 우리의 石油 依存度 73%, 建設 受注額 基準 85%를 占하고 있어 經濟的 利害가 크게 걸려 있는 地域임.
- o 戰後復舊 및 經濟復與, 軍事施設 擴充을 위한 建設 需要 豫想되나 規模는 不確實
- o 戰後 生必品, 機資材等 商品 및 軍需物資에 대한 需要 豫想
- o 우리나라는 걸프事態關聯 多國籍軍 支援을 통한 友邦과의 協力關係增進으로 國際的 位相提高 및 戰後復舊事業 參與基盤 造成

다. 政府의 外交的 措置

- o 多國籍軍과 前線國에 대한 5億弗에 달하는 財政 및 經濟支援
- o 醫療支援團과 空軍輸送團 派遣

0168

o 美國 및 中東各國과의雙務關係 强化를위한
大統領 및 外務部長官의 親書 發送

o 戰爭中 中東地域에 情勢調査團 派遣하고,
美國에도 外務部 第1次官補 派遣

o 外務部次官을 委員長으로하는 中東對策
委員會를 設置, 第1次會議 (3.20)開催

o 4月末頃 大統領 特使를 걸프地域에 派遣 豫定

o 駐 쿠웨이트 大使館 3.9 부터 活動再開,
곧 建設官과 KOTRA職員도 赴任 豫定

o 駐 이라크 大使館은 이라크內 情勢가
安定되는 대로 活動 再開키위해 待機中

o 시리아와의 關係 樹立, 이집트와의 關係
格上을 위해 努力 傾注

o 이스라엘과는 우리의 유엔加入 實現과
팔레스타인 問題의 解決 努力進展에 따라
關係增進해 나갈 豫定

o 6月初 알제리, 모로코, 튜니시아에 대한
官.民 使節團 派遣計劃

o 요르단에 撤收해 있는 駐 레바논 大使館은
情勢 好轉되는 것을 注視한後 再開與否
檢討

맺는말

o 금번에 각 재외공관 보고서를 토대로한 "걸프전후
복구사업 참여 안내"자료를 작성, 배포한바, 많은
활용기대

o 기타 주요정보자료 전경련을 통해 계속 제공하겠음.

o 기타 당부 말씀등 감사 인사

0169

중동지역 시장동향 및 대응방안

1991.4.12

상 공 부

0170

1. 전후 중동지역 무역환경의 변화

가. 개 황

o 현재까지는 전쟁의 직접적인 피해를 입은 쿠웨이트, 이라의 전후복구 계획이 구체화되지 않아 본격적 전쟁특수는 현재화되지 않고 있음

- 쿠웨이트 난민의 재정착에 필요한 일부 기초생필품 및 성지순례 기간중 섬유류에 대한 구매는 활발함

o 하반기 이후 전후복구사업이 본격화될 경우 대중동 수출이 호조를 보일 것으로 전망됨

- 3 월중 대중동 수출업체의 L/C 내도가 철강, 타이어, 섬유 및 일용 잡화를 중심으로 증가추세임

- 앞으로 걸프전과 관련한 GCC국가 및 인근국가와의 정세변화에 따른 상인 및 근로자등의 이동으로 일반소비재의 신규수요가 예상됨

- 또한 걸프주변국가에 대한 서방국가의 지원확대, 유가인상에 따른 구매력회복 및 국방관련 투자확대에 따른 상품수출증대가 예상됨

o 중동지역의 신규수요는 대부분 가격조건보다 적기에 신속한 공급가능 여부가 수주의 성패를 좌우할 것으로 판단됨

나. 정부조사단에서 파악한 주요국별 시장동향

o 사우디

- 금번 걸프전에 대비하여 작년하반기이후 주요생필품을 대량비축하여 두었기 때문에 전후의 단기적 특수는 기대하기 어려움

- 다만, 사우디의 국방시설 투자사업과 관련 피복, 방독면등 비살상용 군수품수출과 쿠웨이트 지역에 대한 우회수출증가 전망

o U.A.E

- 두바이지역은 풍부한 INFRASTRUCTURE, 자유무역항정책, 활발한 금융기능 등에 힘입어 과거 쿠웨이트가 담당하던 중계무역역할까지 담당예상

- U.A.E 정부는 두바이지역을 "중동의 홍콩" 역할을 할수 있도록 물류처리기능의 보강 및 외국인 투자유치 정책을 강화할 방침임

o 이집트

- 종전이후 이집트근로자의 대GCC 송출쿼타증대, 관광수입회복, 외채탕감 (약160 억불) 및 국영기업 민영화, 환율의 실세화등 국내경제개혁 조치로 금후 이집트 경제활성화 전망

- 이집트정부가 집중투자중인 섬유 및 생산품생산에 필요한 섬유기계, 플라스틱가공기계에 대한 플랜트 수주확대 전망

o 요르단

- 걸프사태와 관련 GCC 국가와의 관계악화로 원조자금 유입중단, 근로자귀환 및 외환시장 악화로 구매력이 매우 위축됨

2. 우리의 대응방안

가. 기본방향

o 단기적으로는 걸프전의 종료를 계기로 하지수요, 쿠웨이트 피난민 복귀등에 대비한 일반생필품의 조기공급체제 구축

- 정부의 적극적 관여시 대외의 비판적 여론을 고려, 업계가 자율적으로 활발한 수주활동을 전개토록 여건조성에 주력

- 대중동 수출유망품목의 공급능력 극대화 및 활발한 정보교환을 통한 신속한 DELIVERY 체제 구축

0172

o 장기적으로는 대중동시장에 대한 진출여건보강 및 시장다변화에 주력

- 그동안 업계의 대중동 시장에 대한 소극적 대응자세의 전환유도

- 중동시장의 특성인 소량다품종 수주에 대비하여 중소기업 기반 조성 및 제품차별화 사업추진

나. 주요추진 과제

o 중동지역 시장개척단 파견검토

- 파견기간 : '91년 4월 17 일 - 5월 7일
- 파견지역 : 두바이, 제다, 담만, 카이로, 테헤란 5개지역
- 파견업체 : 중소기업 25 개사내외

o 두바이 상품전시회 참가

- 두바이 한국상품종합전시회 및 Int'l Spring Fair에 적극참가
- 전시기간 : '91.5.28 ~ 6.1 (5 일간)
- 중동지역 전시회에 자동차 및 첨단기술제품을 전략적으로 출품시켜 아국기술수준을 과시하므로써 제값받기운동의 측면지원

o 중소기업 진출기회확대를 위한 시장정보 공급체제 구축

- 중소기업제품에 대한 공급가능정보는 무역업자 편람뿐이므로 금년중 전무역관에 PC 를 설치, 중소제조업체 및 제품 DATA BASE를 공급

- 조속한 시일내에 KOTRA와 해외무역관 사이에 ON-LINE으로 제조업체 및 국산공급가능상품관련 정보유통체제의 구축추진

o 대중동 기업진출의 여건조성

- 종전후 미국중심으로 검토중인 중동개발은행(MEBRD) 에 아국의 적극적 자본참여를 통하여 우리기업의 대중동진출 지분확대

- 이집트, 이란등에 대한 PLANT 수출증대 및 중동국가로부터의 원유, 1 차산품등과의 구상무역제의에 대비, 지원자금 사전확보방안 강구

걸프戰後復舊事業 參與方案

(中東對策 民·官 懇談會 資料)

1991. 4. 12

建　　設　　部

0174

目　　次

0175

1. 海外建設進出 現況

ㅇ 우리나라의 海外建設은 現代建設이 1965年에 泰國에 最初로 進出한 이래 금년 3月末 현재 37個 業體가 39個國에서 總 938億弗을 受注, 그중 234億弗 相當工事를 施工中으로 施工殘額은 113億弗이며 進出 人力은 10,609名, 裝備는 24,419臺임.

ㅇ '70年代 後半부터 '80年代 초반까지 획기적인 成長發展으로 國民經濟에 괄목할만한 寄與를 했던 海外建設은 '80年代 중반以後 中東 産油國의 石油收入 減小에 따른 發注減小 및 我國業體의 競爭力 低下로 受注額이 急激히 減小하여 '81年에 137億弗 受注했던 것이 '87年에는 17億弗, '88年에는 16億弗에 不過하였으나 '89年 以後 漸次 增加하기 시작하여 '90年에는 68億弗을 受注하였으며 금년도는 3月末 現在 442百萬弗을 受注하였음.

ㅇ '91年度 海外建設受注는 當初 35億弗로 推定하였으나 걸프戰後 復舊事業 展望등 海外建設市場 與件의 肯定的인 變化를 考慮할때 推定額을 上廻할 것으로 展望됨

-1-

0176

2. 걸프戰後 復舊事業展望

o 쿠웨이트

· 戰爭被害狀況

- 現在 被害狀況을 調査中에 있어 正確한 內容은 把握이 않되고 있으나 油田 및 貯油施設 被害가 가장 큰것으로 보임

  (950個 油井中 650個가 現在 불타고 있으며 26個 貯油施設中 18個가 破壞됨)

- 發電設備, 通信網, 海水淡水化設備, 道路網의 破壞가 큰것으로 보임

- 各種 建物中 20% 정도는 補修後 再使用이 可能하나 我國業體가 施工한바 있는 쉐라톤호텔등 15% 정도는 다시 建設해야 할것으로 보임

· 復舊計劃 : 緊急復舊와 恒久復舊로 區分

- 緊急復舊 : 國民生活 不便 解消

  美工兵團((C.O.E) 主管으로 3個月동안 10億弗을 投入하여 通信,電氣,道路,橋梁,石油關聯施設의 補修事業을 施行中

- 恒久 復舊

  緊急復舊가 完了되면 本格的으로 道路, 建物, 住宅, 空港, 港口등 各種 社會間接資本과 石油關聯施設등 各種 産業施設工事를 쿠웨이트 政府가 主管하여 發注計劃

  發注規模는 現在 進行중인 戰爭被害 調査 完了後에 確定될 것이나 約 1,000億弗로 推定되며

  財源은 쿠웨이트 政府 保有資産,國際金融機關으로 부터 借款導入 및 施工業體 金融등을 통하여 調達計劃

  本格的인 工事發注는 緊急復舊完了, 被害狀況調査 및 設計등의 段階를 거쳐 금년 下半期나 來年初에 이루어 질것으로 보임

o 이 라 크

· 戰爭被害 狀況

- 戰爭 被害額은 約 4,000億弗로 推定

- 石油生產施設의 80% 以上이 破壞됨

- 通信施設 및 發電施設의 25% 以上이 破壞됨

- 바스라港이 破壞되어 原油輸送 不能狀態

· 復舊計劃

- 이라크의 政治體制 安定後에나 被害復舊計劃을 樹立할 것으로 展望되나 長期間의 戰爭遂行에 따른 財源枯渴로 自體能力에 의한 復舊는 어려울 것임

o 隣近國家

· 걸프戰終了에 따라 사우디, U.A.E 등 GCC 國家들은 國家安保에 대한 再認識으로 各種 軍事施設 및 國民生活 向上을 위한 各種 社會間接資本建設이 活潑히 이루어질 것임

· 多國籍軍에 參與했던 이집트, 시리아도 美國等 先進國들의 經濟 援助를 받아 活潑한 開發計劃 推進 展望

· 리비아 이란은 걸프戰爭 期間동안의 石油收入 增大와 특히 이란의 경우 對이라크 戰爭被害復舊 事業等 活潑한 開發計劃 推進展望

3. 外國業體의 受注活動 動向

ㅇ 美 國

- 商務省안에 Gulf Reconstraction Center를 開設하여 美國企業의 쿠웨이트 復舊事業 參與를 支援

- 美國 C.O.E 가 現在 쿠웨이트 緊急復舊를 管掌하고 있고 戰爭 被害狀況을 調査中인바, 恒久復舊에도 쿠웨이트 政府를 支援 하면서 影響力을 行事할 것으로 보임

- 商務省長官이 지난 3月, 쿠웨이트 訪問

- 美國業體의 中東戰後 復舊事業 參與 支援을 위하여 美商務省의 알라스카所長이 지난 3.29부터 3個月間 豫定으로 駐사우디 美國 大使館에 派遣 勤務中

- 美國은 걸프戰後 中東情勢를 主導하면서 中東 各國의 復舊事業 및 開發事業에 Bechtel등 建設業體를 통하여 積極的으로 參與할 것으로 보임

ㅇ 英 國

- 外務長官을 團長으로 한 官民合同經濟 使節團이 지난 2月 사우디 타이프에 所在하고 있던 쿠웨이트 亡命政府를 訪問, 戰後復舊事業 參與 協議

- 商工省에서 사우디 담맘에 쿠웨이트 再建特別委員會를 設置, 英國 業體의 쿠웨이트 復舊事業 參與 案內 및 支援

o 프랑스

- 全經聯 代表團이 지난 2月 사우디 타이프에 所在하고 있던 쿠웨이트 亡命政府 訪問

- 豫算擔當長官과 對外貿易省長官이 經濟人團을 引率하고 쿠웨이트를 訪問, 戰後復舊事業 參與 協議

- 4月 下半期中에 佛- 쿠웨이트 共同委員會를 開催키로 兩國 政府間 合議

o 이태리, 벨기에, 네덜란드등 餘他 EC 國家들도 美國業體와 合作 또는 下請參與를 摸索中임

o 이집트, 터키, 사우디, 시리아등 中東國家 業體들도 多國籍軍에 參與, 걸프戰을 勝利로 이끈데 대한 寄與度를 발판으로 積極的인 쿠웨이트 戰後復舊 事業參與를 希望하고 있음

o 獨逸, 日本은 걸프戰爭中 戰鬪兵力을 派遣하지 않아 쿠웨이트 戰後復舊事業 參與에 制約要因이 되고 있어 이라크 復舊事業에 더 關心이 많으며 外信報道에 의하면 쿠웨이트 政府가 日本 業體의 復舊事業 參與에 肯定的인 姿勢를 보이고 있어 日本도 積極的인 參與를 摸索할것으로 보임

—5—

0180

4. 我國의 受注活動 現況

ㅇ 政府活動

- 걸프戰後 復舊事業 進出與件 把握을 위한 걸프地域 政府調査團의 一員으로 걸프地域에 出張, 쿠웨이트 亡命政府人士 및 KERP 關係者를 만나 我國業體의 쿠웨이트 復舊事業 參與意向을 表明, 好意的인 配慮를 約束 받은바 있음

- 2.24日부터 2週日동안 서울에서 開催된 韓.英 共同委員會에서 兩國이 걸프戰後 復舊事業에 共同參與키로 合議

- 모스베커 美商務省 長官의 訪韓期間中 商工部를 통하여 걸프 戰後復舊事業에 我國業體와 美國業體가 共同參與할 수 있도록 協助 要請

- 業界로 부터 쿠웨이트 地雷除去 事業 參與에 대한 關心 表明이 있어 駐쿠웨이트 大使를 통하여 同事業의 內容 및 我國의 參與 可能性을 調査中임

- 海外建設協會에 걸프戰後 復舊事業 情報센타를 設置, 現地公館 報告, 國內外 言論報道, 國內外 硏究機關의 分析結果, 業體들의 活動內容을 蒐集하여 業界에 配布하여 受注活動을 支援할 計劃

ㅇ 業體活動

- 中東地域에 進出中인 26個 業體들은 本社에 걸프戰後 復舊事業 推進 Task Force 팀을 設置하고, 過去 協力關係가 많았던 先進國 業體, 美 C.O.E, 쿠웨이트政府 人士 및 KERP 關係者와 緊密히 接觸中
  - 美 C.O.E에 PQ 提出 : 15個社
  - 極東建設등 21個 業體가 美國등 7個 先進國의 40餘個 業體와 共同進出 協議中

- 韓逸開發이 쿠웨이트 緊急復舊 工事參與 推進中
  - 推進狀況 : 美 C.O.E 가 發注한 8個 建物 補修工事中 쿠웨이트 現地業體인 알카라피社가 受注한 2百萬弗 相當 1件 工事에 대하여 下請受注 協議中
  - 政府措置 : '91. 4. 10 都給許可 實施

5. 參與方案

o 外國業體와의 共同進出 推進

· 技術集約型 플랜트 工事

- 先進國業體와 合作 또는 下請 進出

· 單純土木, 建築工事

- 사우디, 이집트, 터어키, 中國業體와 合作進出

o 我國業體間 共同進出對策 講究

· 海外建設協會 中心으로 業體間 協助體制 構築

o 第3國人力 積極活用

· 中國內 僑胞人力 및 이집트人力 雇傭 擴大

o 建設外交 强化

· 主要 發注國등에 政府代表 派遣등 積極的 外交交涉 展開

· 美 C.O.E 本部 및 BECHTEL 등에 民. 官合同의 受注交涉團 派遣

o 海外建設支援 施策의 改善

· 海外建設 就業人力에 대한 인센티브 賦與

- 租稅, 住宅, 兵役等

· 海外建設에 대한 金融支援 强化

- 現地金融, 延拂輸出 金融等

· 進出指定 制度의 前向的 再檢討

6. 中斷工事再開 推進現況

o 中斷工事 現況

單位:百萬弗

國 別	業 體 數	工事件數	契約額	施工殘額	裝備(臺)
3 個 國	11個業體	23	3,523	964	3,008
쿠웨이트	1 "	4	209	82	779
이 라 크	4 "	6	2,691	755	1,785
사 우 디 東 部	9 "	13	623	127	444

o 工事再開 推進現況

· 쿠웨이트

- 工事現場에 保管中인 資材,裝備가 大部分 損.亡失된 것으로 推定

- 現代 職員 10名이 쿠웨이트 政府로 부터 入國비자를 發給받아 被害狀況 調査 및 工事再開 準備를 위하여 4.23 쿠웨이트에 入國豫定

· 이 라 크

- 現代建設이 요르단 支社를 통하여 입수한 情報에 의하면 工事現場의 資材, 裝備는 큰 被害가 없는것으로 把握

- 現代建設 所屬 殘留人員 2名은 現在 바그다드 事業本部에 駐在하면서 資材,裝備 保護中

- 이라크 國內狀況이 좀더 安定되면 被害調査팀을 派遣할 計劃 이며 工事再開는 相當期間 동안 어려울 展望

· 사우디 東部地域

- 9個 進出業體중 6個 業體는 人力을 再投入(254名)하여 工事再開中이고 나머지 3個 業體는 工事再開를 위하여 發注處와 協議中

- 工事中斷 事由인 戰爭危險에 대하여 發注處가 認定치 않고 있어 이의 妥結를 위하여 業體別로 發注處와 交涉中

ㅇ 工事再開에 따른 損失 最少化 對策

· 工事中斷이 契約條件上 不可抗力狀況 發生에 의한 것임을 發注處에 充分히 說明하고 迅速히 工事를 再開함으로써 施工者로서의 誠實한 姿勢를 堅持

· 事態와 關聯하여 發生한 追加費用은 契約條件등 關聯 規定에 의거 클레임을 提起

- 專門 國際辯護士등을 積極 活用하고 與件이 같은 外國業體와 共同으로 對處

- 政府는 [illegible] 外交經路를 통하여 積極 交涉 支援

- 클레임 提起 結果가 如意치 않을 경우 國際司法裁判所에 提訴

· 物價上昇分은 發注處 및 監理社와 協議, 工事金額에 反映되도록 推進

· 原油受領等 多角的인 未收金 早期 受領 方案 講究

정 리 보 존 문 서 목 록					
기록물종류	일반공문서철	등록번호	2021010218	등록일자	2021-01-28
분류번호	760.1	국가코드	XF	보존기간	영구
명 칭	걸프사태 : 전후복구사업 참여, 1991-92. 전6권				
생 산 과	중동1과/경제협력2과	생산년도	1991~1992	담당그룹	
권 차 명	V.3 1991.2월				
내용목차					

0001

원 본

외 무 부

종 별 :

번 호 : JAW-0534 일 시 : 91 0204 1440

수 신 : 장관(경이,경일,중근동,건설부)

발 신 : 주 일대사(경제)

제 목 : 쿠웨이트 복구 문제

걸프전쟁 종결후 쿠웨이트 복구사업 관련한, 쿠웨이트 정부 및 미국기업들의 움직임을 당지언론 보도를 중심으로 다음 보도함.

(닛께이 2.3자 보도)

1.복구를 위한 쿠웨이트측 대비

0 90.8. 이라크의 쿠웨이트 침공후 쿠웨이트 정부는 워싱턴에 '쿠웨이트 긴급부흥기관(KERP)' 를 설치, 전후 경제재건 계획의 수립과 외국기업과의 협의를 수행중.

2.복구 비용(추산)

0 KERP 측은 현재까지의 피해만으로도 복구에 400억불 소요 예상

- 경제기반의 정비, 파괴된 석유생산. 정유시설이 중심이나, 여타 주택, 상.하수도, 교육시설등 도시 기능복구에도 다대한 비용 소요

3.미 기업의 움직임.

0 미국의 엔지니어링, 건설, 토목 관련 기업들이 KERP 와 적극 접촉중

- 엔지니어링 분야 대기업인 '후루아'사, '백텔'사 (정유시설, 송유 파이프라인) ,'모터롤라'사, 자원개발분야 대기업인 '도레사 인더스트리즈'사, 유전개발전문기업인 '하리바톤' 사등이 KERP 와 적극 접촉중

,0 쿠웨이트는 1천억불을 넘는 해외자산을 보유하고 있어, 공사대금 회수가 분명하다는 점에서도 미 기업들은 복구사업 수주에 적극적인 것으로 보임.

끝.

(공사 이한춘-국장)

공람 국제경제국 년 월 일 | 담당 | 과장 | 심의관 | 국장 | 차관보 | 차관 | 장관

경제국 장관 차관 1차보 2차보 미주국 중아국 경제국 정문국
청와대 총리실 안기부 건설부 대책반

당직실

PAGE 1 91.02.04 22:00 DA

외신 1과 통제관

0002

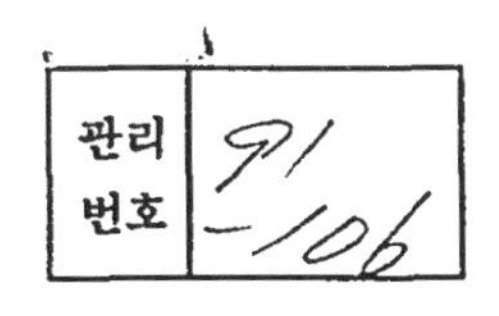

외 무 부

종 별 :

번 호 : FRW-0434 일 시 : 91 0205 1740

수 신 : 장관(중근동,경이,구일,기정동문)

발 신 : 주 불 대사

제 목 : KUWAIT 전후 복구사업 참여

표제관련, 당지 주요 언론의 보도내용 아래 종합보고함.

1. 전후 KUWAIT 경제전망

-민주화로 일반상인, 기업가, 지식인들이 보다 많은 권리와 부의 배분을 요구하게 될것임.

-전쟁의 참화로 KUWAIT 산업시설의 대부분이 파괴되더라도, 원유수출 대금 적립등 해외자산이 1,000 억불 수준(이에 따른 연간 수익이 90 억불)에 달하므로,전후 KUWAIT 복구에는 큰 문제가 없을것임.

-KUWAIT 가 자국이 지분을 갖고있는 MISLAND 은행, DAIMLER-BENZ, HOECHST 등에서 철수할 경우 국제 증권시장에 다소의 혼란이 예상되나, 동 사태의 발생 가능성은 희박함.

2. 전후 복구사업 관련 동향

-현재 KUWAIT 망명정부가 소재한 SAUDI 의 TAEF 에는 미국을 비롯한 서방제국의 기업인, 정부인사들이 쇄도하여 전후 복구사업 참여를 위한 교섭을 진행중임.(당초 복구사업 위원회는 워싱턴 소재 세계은행내에 위치하다가 TAEF 로 이전한 것으로 알려짐)

-동 복구사업 관련, KUWAIT 의 INFRASTRUCTURE (도로, 공항, 정유시설, 통신시설) 복구에만도 250-400 억불이 소요될 것이며, 여타 시설 복구까지 감안할 경우 복구비는 800 억불 수준까지 육박할수도 있을 것임.

3. 각국의 참여동향

가. 미국

-전후 복구사업에서 가장 큰 목을 차지하게될 미국은 "URGENT PROGRAM FOR THE RECONSTRUCTION OF KUWAIT"라는 이름으로 이미 수백만불에 달하는 계약을 체결했거나

중아국 장관 차관 1차보 2차보 미주국 구주국 경제국 청와대
종리실 안기부 건설부 2/6

PAGE 1

공람	국제경제국	년 월 일	담 당	과 장	국 장	차관보	차 관	장 관

0003

91.02.06 04:27
외신 2과 통제관 DO

정 (사본 건설부)

또는 교섭중임.

-이와관련, 최근 KUWAIT 가 135 억불의 자금을 미국에 전비명목으로 지원했다는 발표가 있었으나, 실제로 이를 지불하지 않고 전후 복구시 동 금액에 상당하는 혜택을 미국에 제공키로한 것으로 알려지고 있음.

나. 영국

-전후 복구사업에 대한 미국의 단독참여를 우려하고 있는 영국은 미국과의 합작을 통한 사업참여를 적극 추진중임.

-현재 영국의 TRAFALGAR HOUSE 는 미국의 KAISER 와, CLEVELAND BRIDGE MIDDLE EAST(TRAFALGAR HOUSE 의 자회사)는 미국의 BECHTEL 과 공동진출을 추진중이며, TAYLOR WOODROW 도 합작 참여를 교섭중임.

다. 프랑스

-현재 DJEDDAH 에 주쿠웨이트 임시 대사관을 설치중인 주재국은 미.영에 비해서 활동이 저조한 편인바, KUWAIT 측은 통신분야에 한해서만 주재국의 참여를 고려중이라는 설이 있음. 끝.

(대사 노영찬-국장)

예고:91.12.31. 까지

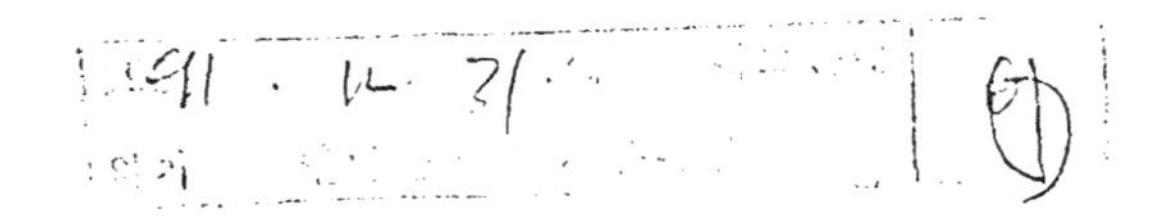

검토필(1991. 6. 30.)

PAGE 2

0004

관리 번호	91-126

	분류번호	보존기간

발 신 전 보

번 호 : WUS-0524 910209 1221 CG 종별 :

수 신 : 주 수신처 참조 대사 . 총영사 WJA -0569 WUK -0253 WFR -0256 WGE -0210

발 신 : 장 관 (경이)

제 목 : 쿠웨이트 전후 복구. 참여문제

1. 언론보도에 의하면 걸프전후 쿠웨이트 ~~전후~~ 복구사업관련 ~~에 대하여~~ 베이커 미국무장관은 가칭"중동부흥개발은행" 창설을 재안하였으며, 미국의 벡텔사 등 대기업들은 이미 쿠웨이트 긴급 부흥기관(KERP)과 계약체결 또는 고섭중이라 하며 영국도 미국과의 합작을 통한 사업참여를 적극 추진중에 있다고 함.

2. 또한 쿠웨이트 망명정부도 전후 복구를 위한 "귀환계획" 을 수립, 외국건설 업체들과 각종 복구사업 계약을 재결하고 있다함.

3. ~~동~~ 이와관련, 쿠웨이트 등 중동 전후 복구사업과 관련한 귀주재국 정부 및 업계 조치 및 동향등을 조사 보고 바라며, 동건 계속 주시 필요사항 수시 보고 바람.

(국제경제국장 이종무)
(~~장 관~~ - 대 사)

수신처 : 주미, 일, 영, 불, 독 대사

예고문 : 91.12.31.

91.12.31. 의거 [stamp]

검토필(1991.6.30.)

중동아국장 제2차관보

보안통제	

앙 고 재	91년 2월 9일	경2과	기안자 성명		과 장		국 장		차 관	장 관
			정용찬				전결			

외신과통제

0005

관리번호	91-124

원 본

외 무 부

종 별 :

번 호 : UKW-0389 일 시 : 91 0211 1800

수 신 : 장관(경이,중근동) 사본: 상공부

발 신 : 주 영 대사

제 목 : 쿠웨이트 전후 복구 참여 문제

대: WUK-0253

1. 대호 관련, 당관 이경우 참사관이 2.11(월) 주재국 상공부 G.CLARK 쿠웨이트 담당관과 접촉 확인한 바, 주재국은 지난주말(2.9) HURD 외상의 걸프순방시LORD PRIOR GEC 회장등 각 주요 기업대표 10 명으로 구성된 별도 통상사절단을통해 쿠웨이트 망명정부(SHEIKH SAAD 수상)측에 걸프전쟁 이후의 쿠웨이트 복구에 대한 영국의 참여 계획안을 제출하고 쿠웨이트 해방을 위한 영국군의 역할에 상응하여 쿠웨이트 재건에 주요한 기여를 할수 있도록 쿠측의 협조를 요청하였다 함

2. 상기 영측 계획안은 상공부 산하 중동무역위(COMMITTEE FOR MIDDLE EASTTRADE, 회장 MR. BROOKS)의 건의에 따라 마련된 것이라 하며 사절단 구성은 아래와 같음

단장: LORD PRIOR, GEC 회장(전직 각료)

관련회사: MORGAN GRENFELL(금융), JOHN BROWN ENGINEERING(설계), BOWATER(프라스틱 제품), COSTAIN AND SIR ALEXANDER GIBB(설계, 건설), AMEC

기타: CROWN AGENTS(외무성 산하 회사)

DTI(상공부)

3. 당지 언론 보도에 의하면, 영측의 금번 사절단 파견은 전후 쿠웨이트 복구사업(소위 AWDA 계획, 총공사비 약 400 억미불 예상)에 대한 미국 기업의 독주를 견제하고 걸프전에 대한 영측의 군사적 기여도에 따른 쿠 정부의 정치적 고려를 보장받기 위한 것으로 관측되고 있음

한편 일부 언론은 한국회사의 낮은 가격 계약을 방지하기 위하여 영국회사들이 경쟁입찰 대신 특혜를 받아야 한다는 견해도 보도하고 있음

관련 언론보도 FAX 송부하였음. 끝

(대사 오재희-국장)

경제국	장관	차관	1차보	2차보	중아국	청와대	안기부	상공부

PAGE 1

공람	국제경제국	년 월 일	담 당	과 장	국 장	차관보	차 관	장 관

91.02.12 07:13

외신 2과 통제관 BW

0006

김(정리)

91.12.31. 까지

검토필(1991. 6. 30.)

PAGE 2

0007

쿠웨이트 전후 복구사업 참여 경쟁

ㅇ 영국업계는 쿠웨이트 전후 복구에 있어 미국기업이 이미 지배적인 역할을 보장 받았다는 위기의식하에 자국정부의 미온적인 태도로 인해 전후 참여에 있어 받게될 불이익을 우려, 자국 정부의 보다 적극적인 자세 전환을 촉구

ㅇ 쿠웨이트 전후 복구에는 적어도 200억불 이상의 자금이 소요될 것으로 예상되는 가운데 영국 통상사절단은 Taif에 있는 망명 쿠웨이트 정부와 접촉 영국의 전후 복구사업 참여 계획을 설명. 한편, 정부의 지원을 받고 있는 미국기업들은 복구사업의 수주권을 이미 확보한 것으로 보임. 이러한 미국의 우선권은 쿠웨이트 전쟁에 대한 미국의 군사적 기여도에 기인

ㅇ 영국기업들은 종전 직후 복구를 둘러싼 중요한 계약들이 이루어질 것으로 보고, 존 메이저 총리 등 정부인사를 포함한 캠페인을 벌릴 계획인 바, 영국총리는 지난달 전후 복구사업에 있어 영국기업의 우선권 보장을 촉구하는 서한을 망명 쿠웨이트 정부에 보낸바 있음. 이러한 특별 대우 요구는 기존의 정.경 분리정책의 포기를 의미

ㅇ 그러나 영국기업들에 따르면 이미 미국기업들이 상당한 프로젝트를 확보한데 반해 영국기업들은 그러한 프로젝트에의 참여가 배제되었으며, 기타 독, 일, 한국 등 전쟁에의 기여도가 낮은 국가들이 참여하게 될 것이라는 예측이 나옴.

ㅇ 한편, 기타 제3국의 전후 복구사업을 둘러싼 경쟁도 치열한 바, 독일은 석유화학 관련 공사를 맡을 것으로 예측되며 일본과 한국기업들도 본격적인 수주경쟁에 뛰어들 차비를 갖춤.

ㅇ 결국 영국정부는 지금까지의 미온적 대응에서 벗어나 이 문제의 중요성을 인식, 앞으로 강력한 외교적인 발언권을 행사할 것으로 보임.

공람	91년 2월 12일	담당	과장	국장	차관보	차관	장관
		(서명)					

THE FINANCIAL TIMES (91.2.11),
THE DAILY TELEGRAPH (91.2.6) 보도

0008

(총 4 매)

4 — 1

주 영 대 사 관

UKW (F) - 0079 DATE: 1991. 2. 11

수 신 : 장 관 (경이)

발 신 : 주 영 국 대 사

제 목 : 쿠웨이트 전후 복구 관계

배부처	장관	차관	1차보	2차보	기획실	의전장	아주국	미주국	구주국	중아국	국기국	경제국	통상국	정문국	영교국	총무과	감사관	공보관	외연원

THE FINANCIAL TIMES -1991. 2. 11

US and UK groups battle it out for contracts

Andrew Taylor and **David Owen**

report on hopes for a share in the reconstruction of Kuwait

WITH bombs still falling in Kuwait, construction and engineering companies are chances of winning substantial contracts to rebuild the country when the fighting finishes.

"It may seem a little sick to be pursuing commercial advantage when people are dying but there is no point waiting for a more sensitive moment and finding the Americans have already carved up the market," says the chief executive of one Britain's biggest construction companies.

The view that US engineering groups have already ensured themselves a dominant role when Kuwait is rebuilt is shared by a large number of British companies.

They fear that the initial reluctance of British authorities and company executives to exploit the situation has left them at a competitive disadvantage — in spite of recent assurances by Mr Ghazi al-Rayes, Kuwait's ambassador to Britain that UK companies would not lose out to their US counterparts.

Al-Rayes: assurances that Britain will not lose out

A British trade mission at the weekend met the Kuwaiti government-in-exile at Taif in Saudi Arabia and presented its plans for British participation in reconstruction. The mission was organised by the British Trade and Industry Department, which estimates Kuwait will have to spend at least £00bn to restore basic amenities such as transport, power, water and sewerage facilities.

US groups, backed strongly by administration officials, have been more aggressive in pursuing this work and are almost certain to project-manage the crucial early stages of reconstruction.

The US Corps of Engineers, a part of the army with strong links with the US private sector, is understood to have been awarded a 90-day contract to manage the initial restoration of essential services.

Bechtel, a big US engineering group, has been granted what amounts to a letter of intent to manage the reconstruction of the oil and gas industry. British engineers say US project managers traditionally prefer to operate with other US companies.

Bechtel, however, has agreed in principle to include the UK subsidiaries of four other groups in its plans to repair Kuwaiti oil and gas facilities. Three are units of US companies: McDermott, Fluor-Daniel and Foster Wheeler. The fourth, TPL, is owned by an Italian company. No British-owned companies have been invited to share in the work.

The strength of US claims to the lion's share of future reconstruction work rests in part on

0009

4-2

THE FINANCIAL TIMES - 1991. 2. 11 (계속)

its massive military commitment to the Kuwaiti cause.

Kuwaiti officials have been planning for the recovery of [illegible] September in an initiative dubbed Project *Awda* (Arabic for "return") and masterminded in its initial stages from Washington and London.

Most London-based forward planning has concerned the oil and gas sector, where Bechtel is to play a crucial role. *Awda* representatives, many of whom relocated last week to Jeddah, have been reporting direct to the Kuwaiti cabinet-in-exile in Taif, Saudi Arabia.

Efforts have concentrated on preparing a blueprint for the restoration of essential services during the first three months after a reoccupation. This has included ordering a host of basic supplies from mobile generators to sticking plasters.

One of the priorities has been to ensure that basic hospital equipment will be available as quickly as possible, according to Mr Hamad Fawzi al-Sultan, a World Bank executive director. "Nobody will be performing any kidney transplants for a while," he said.

Almost from the start, the assumption has been that Iraqi looting will have denuded Kuwait of all fixtures and fittings and that the state will need restocking almost completely regardless of the extent of bombing damage. As many as 100,000 Kuwait-registered cars are reported to have been taken to Iraq.

"If you go to the Kuwait Petroleum Corporation [KPC] offices in Kuwait City, even the light-bulbs are missing," according to Mr Nader Sultan, president of London-based Kuwait Petroleum International.

Mr Sultan said that his information had been obtained largely from a constant trickle of KPC employees emerging from Kuwait. "Probably half of the oil and gas planning team members were in Kuwait until 10 weeks ago," he said. "We know that we have no additives for our refineries, no spare parts, no spare pumps, no drilling rigs."

Before the outbreak of war, the Middle East was already being seen as a promising market by western construction and engineering groups, not least because of the damage left in the wake of the eight year Iran-Iraq conflict.

Kuwait is particularly attractive to overseas contractors thanks to the vast hoard of accumulated wealth at the state's disposal. The emirate's foreign assets are conservatively estimated at $100bn (£50.2bn) with much of the pot handled by the powerful and secretive Kuwait Investment Office (KIO), a London-based fund management body.

British construction companies such as Beazer, Wimpey, Trafalgar House and Taylor Woodrow say the most attractive contracts will be those placed immediately after the war. "It is there that the money will be made," said one UK contractor.

The campaign, according to contractors, has involved Mr John Major, the prime minister, and Mr Douglas Hurd, the foreign secretary, who have expressed their disquiet to the Kuwait and US authorities about the lack of British involvement in reconstruction plans.

0010

4-3

THE DAILY TELEGRAPH - 1991. 2. 6

When it's over, who will win the work?

Even now, foreign companies are pitching for lucrative contracts to rebuild post-war Kuwait. Britain is in danger of not getting its fair share. HUGO GURDON explains why

WITH every moveable Kuwaiti possession now stowed in Iraq and every immoveable object liable to damage or destruction, totting up the final repair bill for the ravaged emirate remains a matter of best guessing. But on current estimates, it is reckoned that the no-frills rebuilding bill will be about £[illegible] billion.

That is just for the 100 kilometres of motorway, the airport and sea ports, the water and power plants, and the oil and communications facilities that have been destroyed so far.

Britain has provided the second biggest contingent fighting to liberate the emirate and has been more resolute than any other country on the Gulf Arabs' behalf, so British companies might reasonably expect favour when reconstruction starts.

But Britain has been snubbed before — in 1973 Edward Heath in vain asked Kuwait to exempt us from the Arab oil embargo — and there remains a serious danger that we will be snubbed again.

The Department of Trade and Industry only began thinking in November that Kuwait was likely to need rebuilding. By that time, the Kuwaiti government had been working for two months in new offices at the World Bank in Washington, negotiating with American companies and allocating contracts.

At least three big US contractors have been awarded major projects. Kuwait's new telecommunications network, which could have been installed by Britain's Cable & Wireless, will instead probably be provided by American Telephone & Telegraph. Britain's Property Services Agency (Whitehall's estate manager) is negotiating for military construction work worth £1 billion to British companies, but nothing has yet been secured. And Britain is far behind when it comes to civilian contracts.

The Foreign Office and the trade department have begun to co-ordinate the British effort, but the process of awarding contracts is already so far advanced that Kuwait closed the Washington office a fortnight ago and its staff decamped to Saudi Arabia.

Interested parties are invited to call, but British companies will have to queue up with competitors from the other 28 countries in the anti-Saddam alliance.

It is not just Whitehall that has been caught flat-footed. British companies, too, have been backward in coming forward. British Aerospace, which has long-standing contracts to supply Saudi Arabia with £15-20 billion of military equipment, feels it would be indelicate to raise the issue of the Gulf's inevitable re-armament until after the war.

Bechtel, the giant oil and engineering company, had the wit to offer exiled Kuwaitis a floor of its London headquarters to plan reconstruction work — but Bechtel is American and has almost incestuous links with the US Corps of Engineers, already active in Saudi Arabia.

Ghazi al Rayes, the Kuwaiti ambassador to Britain, said on Monday that the emirate would remember its friends after the war, but the pronouncements of Gulf Arabs are not consistently soothing.

WHEN the Gulf Co-operation Council met recently and condemned Iraqi aggression, it expressed no gratitude towards America or Britain for the forces they sent to the rescue. An explanation was offered by a Yemeni diplomat: "A lot of the Gulf rulers simply do not feel that they have to thank the people they've hired to do their fighting for them."

Washington twisted arms to get post-war business and Anglophile Kuwaitis say we will need to abandon delicacy if we want a slice of the action. One London-based member of a senior Kuwaiti family says: "The British have been, as usual, more gentlemanly about the whole business."

Keith Mans, Tory MP for Wyre in Lancashire, has raised the issue in the Commons, suggesting that "those countries which contributed most to the allied effort in money, material and men should be at the front of the queue for jobs, work and contracts, and those among our near neighbours who have contributed least should be firmly at the rear".

Yesterday he said: "It is clear the Government is very much involved now. What I don't know is what it has been doing previously. I have this sneaking worry that all our competitors who left the Middle East on August 2 [when Iraq invaded Kuwait] will be on the first flight back and taking all the contracts."

Worried as they are about being left in the corporate wilderness, British companies remain coy about speaking on the subject. Privately, they acknowledge the need for a forceful diplomatic and commercial campaign, but do not want to be seen implying that business and jobs should be bought with British lives.

When he talked to the Emir in the Gulf last month, the Prime Minister discussed post-war work. Since then, he has added a strong letter to the exiled government in Taif making it plain that Britain would be "vexed" if plenty of business did not come its way.

There is still time to turn hope into reality because, so far, only Americans have Kuwaiti signatures on contractual dotted lines. But some British companies say they have already been rebuffed by American project managers, and analysts predict that competitors from less worthy countries will be successful.

Metallgesellschaft, a German engineering concern, is expected to pick up petro-chemical related orders and Japanese and Korean contractors are poised to move in. There is talk of British joint ventures with Kuwait firms but at that stage, we could be down to the crumbs.

Redeeming Britain's IOUs, and demanding special treatment, would mean suspending the government's policy of disengagement from indus-

0011

4-4

THE DAILY TELEGRAPH - 1991. 2. 6 (계속)

Towers of opportunity: John Major has told the Emir that Britain will be vexed unless plenty of the work of rebuilding Kuwait's landmarks and infrastructure comes its way

try. There is a lot of support for the view that the war has created a special case.

Mans says: "There should be preferential treatment for British companies provided they bid in a band of competitiveness." In other words, a Korean company should not be able to secure a contract by offering a marginally better price.

Britain is demanding, perhaps just in time, a presumption of support in the Gulf for British (as well as American) contractors. The DTI wants a guaranteed — but as yet undisclosed —percentage of the work to go to our builders and engineers, such as Trafalgar House, Taylor Woodrow, Wimpey and Costain. They already have more experience in the region than many of their competitors.

THERE will also be a military pie to slice. Kuwaiti and Saudi tanks will be destroyed in the land battle and Vickers will want to assume that some of their Challenger IIs (as well as American Abrams) will be bought as replacements so long as they perform well.

The new French Le Clerc tank could be a contender. The link between diplomacy and export business is not lost in Paris and French newspapers recently bemoaned their country's predicament. By joining battle, France could expect no favours from Arab countries which support Iraq, they said, but President Mitterrand's vacillation and vanity at the eleventh hour will have damaged France's reputation in Taif and Riyadh.

Germany, which has loosened the strings to its hefty purse but whose support of Kuwait has not extended to disclosing details of Iraq's chemicals weapons potential, may find it difficult to sell its Leopard II.

Britain will probably also need to do some fast talking in Washington, making up with forceful persuasion what it has lacked in alacrity. American companies have hogged the post-war spoils potential largely because American politicians worked on their behalf.

A director of a British contractor says: "Our Government has just been a lot slower than the Americans. Let's hope they feel they owe us something." But Peter MacGregor, director of the Export Group for the Constructional Industries, is not optimistic: "Americans are not very good at passing on business to others."

Britain is likely to get a sympathetic hearing in Washington, however. Since war began, American politicians have gone out of their way to contrast Britain's performance favourably with that of its European neighbours. Our military involvement and diplomacy, more than anyone else's, ensured that what might have remained essentially an American (and thus a more controversial) war is now a truly international effort.

Britain has been desperately slow to act but, perhaps just in time, appears to recognise that banging a fist on the diplomatic table now will be more efficacious, not to say more dignified, than stamping a foot when the battle has passed.

THE KUWAIT EXPORT BALANCE BEFORE THE WAR

BRITAIN ran a healthy trade balance with Kuwait before the war. The cushion of North Sea oil meant Britain had little need of Kuwait's main asset, although oil imports rose after the creation of the Kuwait-owned Q8 retail petrol network.

In 1987 exports to Kuwait totalled £225 million, while imports were £82 million. In 1988, exports reached £238 million and imports £76 million but began to shrink in 1989 with exports shading to £229 million as imports jumped to £150 million. In the first six months of 1990, exports were £148 million, imports £83 million.

The biggest export items in 1989 were electrical machinery worth £26·3 million (£11·8 million in the first five months of last year). Tobacco exports topped £14 million (£6·8 million); oils and perfumes represented business worth £13 million (£6·7 million). Medical and pharmaceutical exports totalled £13·1 million (£4·8 million) and other industrial machinery £12·8 million (£7·1 million).

Kuwait was widening its range of exports to Britain. Oil represented £122 million of the 1989 total, £68 million in the first five months of 1990. But power generating equipment accounted for £12 million of the 1989 total (£5·4 million) while exports of scientific instruments were almost £4 million (£1·1 million) and telecommunications and sound recording equipment £1·7 million (£100,000).

Roland Gribben

0012

TOTAL P.04

걸프戰後 복구사업 참여

건설受注 활동 본격전개

李부총리, 종합대책 마련 지시

정부는 걸프戰이 끝난후 전쟁복구 수요에 대한 대책마련에 나섰다.

이와관련, 걸프戰사태 특별위원장인 李承潤부총리는 지금까지 걸프사태가 우리경제에 미치는 영향을 극소화하는 소극적인 자세에서 벗어나 전쟁후 수요나 中東지역에의 수출확대등을 위한 사후대책마련에 나서도록 관계자들에게 지시했다.

12일 경제기획원에 따르면 李부총리의 이같은 지시에 따라 걸프戰 종식후 이지역에서의 건설수주 확대, 섬유등 소비재수출시장 확보를 위한 종합대책 마련에 착수하는 한편, 외교경로를 통해 관련국가들과 접촉을 가질 계획이다.

정부가 걸프戰대책을 이처럼 적극적인 입장으로 바꾸기로한것은 전쟁이 오래끌지 않을것으로 예상되는데다 美國 英國 日本 獨逸등의 기업들이 6백여달러로 추산되는 쿠웨이트 복구사업에 진출하기 위해 망명정부를 상대로 이미 치열한 수주전을 전개하고 있는 데 따른것이다.

우리정부도 2차에 걸쳐 戰費 5억달러를 분담했고 과거 이지역에서 건설공사 실적이 많은 사실을 들어 적극적인 수주활동을 전개하기로 했다.

정부는 또 전후 건설공사외에도 섬유·가전제품등 일반소비재 수출확대 방안도 추진키로 했다.

경제기획원은 걸프戰 종결이후에 대한 대책을 마련한후 외무·상공·건설부등 관계부처별로 종합대책을 수립, 中東지역 特需에 총력을 기울여 대응하기로 했다.

매일경제신문 2月12日 화요일

0013

관리 번호	91-145

원 본

외 무 부

종 별 :

번 호 : FRW-0555 일 시 : 91 0213 1840

수 신 : 장관(경이,중근동)

발 신 : 주 불 대사

제 목 : 전후 복구사업 참여

대:WFR-0256

연:FRW-0434

1. 표제건 관련, 주재국 산업성 석유국 관계관 언급내용 아래 보고함.

. 상금 정부차원에서 전후 쿠웨이트 복구사업 참여 문제가 공식 협의된바는 없으나, 산업성내에서는 유전시설 중심으로한 전후 복구사업 규모에 대해 조만간 검토에 착수할 예정임.

. 쿠웨이트는 전통적으로 미국과 영국등 앵글로색슨 국가의 경제적 영향권내에 있었으므로 전후 불란서의 참여 가능 규모는 별로크지 않을 것임.

. 이라크와는 과거 주재국 석유회사 "TOTAL"이 최초로 이라크 국영 석유회사와 합작을 한바 있으며, 그간 양국간의 긴밀한 정치.경제 협력관계에 비추어 불란서의 복구사업 참여는 쿠웨이트에 비해 유리한 입장이나 전후 이라크의 재정상태를 고려시 대규모 공사 발주 능력에는 다소 회의적임.

2. 한편 금 2.13. 주재국 전경련(CNPF) 회장 FRANCOIS PERIGOT 는 기자회견을 통해 상금 전후 쿠웨이트, 이라크 복구사업 참여를 위한 불업계의 구체적 움직임은 없으나, 참전국으로서 복구사업 참여에 관심을 갖고있다고 밝힘.끝.

(대사 노영찬-국장)

예고:91.12.31. 까지

검토필(1991. 6. 30.)

경제국 장관 차관 1차보 2차보 중아국 청와대 안기부

PAGE 1

91.02.14 06:10

외신 2과 통제관 DO

0014

관리번호	91-141

원 본

외 무 부

종 별 : 지 급

번 호 : USW-0760 일 시 : 91 0215 1034

수 신 : 장관(경이, 경기원, 건설부)

발 신 : 주 미 대사

제 목 : 쿠웨이트 전후 복구 참여

대:WUS-0524

1. 걸프전후 쿠웨이트 복구사업 관련 베이커 미국무장관의 가칭 "중동부흥개발은행" 창설 제안은 아직 구체적인 추진 방향은 마련되지 않았으며 다만 중동지역(이락, 이란 포함) 의 항구적인 경제발전을 위한 하나의 구상으로 제시된것이라 함.

2. 쿠웨이트 망명정부는 긴급 필요시설인 주택, 상하수도, 전기, 통신등 공공시설은 걸프전 종식과 동시에 시작, 단일내에 완료 목표로 하고 있으며 그 참여 업체등의 선정시 걸프전 참전 연합국의 업체에게 우선권을 부여 한다고 한바 있다 함.

3. 동 구체적 추진 과정은 계속 확인중에 있으나, 동 사업은 기본적으로 긴급 부흥기금(AKERP)이 전담하되 실질적 공사 계약 상담은 주로 주미 쿠웨이트 대사관에서 담당한다고 함.

4. 중동 부흥 개발은행 설립문제와 관련, 당관 민태정 건설관이 국무부 TINDELL 중동경제 담당관과 접촉, 타진한바는 아래와 같음.

가. 중동 부흥개발 은행은 종전후에야 설립이 가능할것으로 사료됨.

다. 동 은행은 쿠웨이트 전후 복구사업에 대해 직접적인 영향은 없을것이며, 쿠웨이트 전후 복구는 쿠웨이트 자체 자금(현 약 1,000 억 해외 자산보유 추정)에 의해 충당될것으로 추측됨.

5. 연이나 동 은행은 종전후 아랍전지역의 경제개발을 위한 목적으로 설립 되는 만큼 우리나라의 아랍 지역에 대한 건설 및 상품 수출의 지속적인 신장을 위해서는 동 은행에 가입함이 바람직하다고 사료됨.

6. 쿠웨이트 긴급 부흥기관(AKERP) 과 미국 대 기업간의 전후 복구사업에 대한 사전 공사계약 체결 또는 교섭등에 관한 정보는 수집되는대로 추보 하겠음.

경제국	장관	차관	1차보	2차보	중아국	청와대	경기원	건설부

PAGE 1

공람	국제경제국	년 월 일	담 당	과 장	국 장	차관보	차 관	장 관

91.02.16 07:24

외신 2과 통제관 CW

0015

다만, 현재까지 구체적 공사며, 계약금액, 계약회사는 명확치 않으나 아래 미국 건설회사들이 쿠웨이트 전후 복구 사업에 대한 수주활동을 하고 있다함을 참고로 보고함.

FLUOR CORP

BECHTEL GROUP INC.

M.W. KELLOGG CO.

MCDERMOTT INC.

MORRISON KNUDSEN CORPT.

PARSONS CORPT.

ABB LUMMUN CREAST INC.

BROWN AND ROOT INC.

ICF KAISER ENGINEERS

CDM INTERNATIONAL INC.

PSOMAS AND ASSOCIATES

FOSTER- WHEELER

(공사 손명현- 국장)

예고:91.6.30 까지

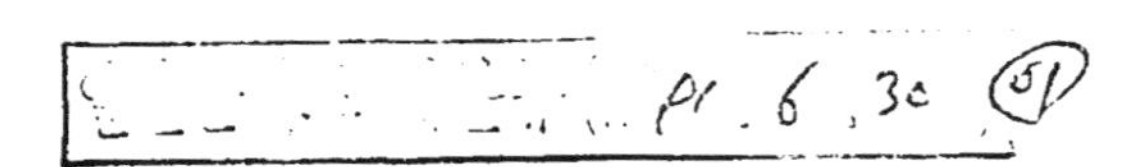

PAGE 2

0016

주 사 우 디 알 라 비 아 대 사 관

사우디(건)91- 82

수 신 : 장 관

참 조 : 국제경제국장, 건설부 건설경제국장

제 목 : 쿠웨이트 회복후 재건계획 관련 정보 보고

현지 언론등에 주재국에 위치한 쿠웨이트 망명정부 관리들이 국가회복후 재건계획을 구체화 하고 있다는 정보가 있어 그 내용을 별첨과 같이 보고 합니다.

첨 부 : 쿠웨이트 회복후 재건 계획 관련 정보 1부. 끝.

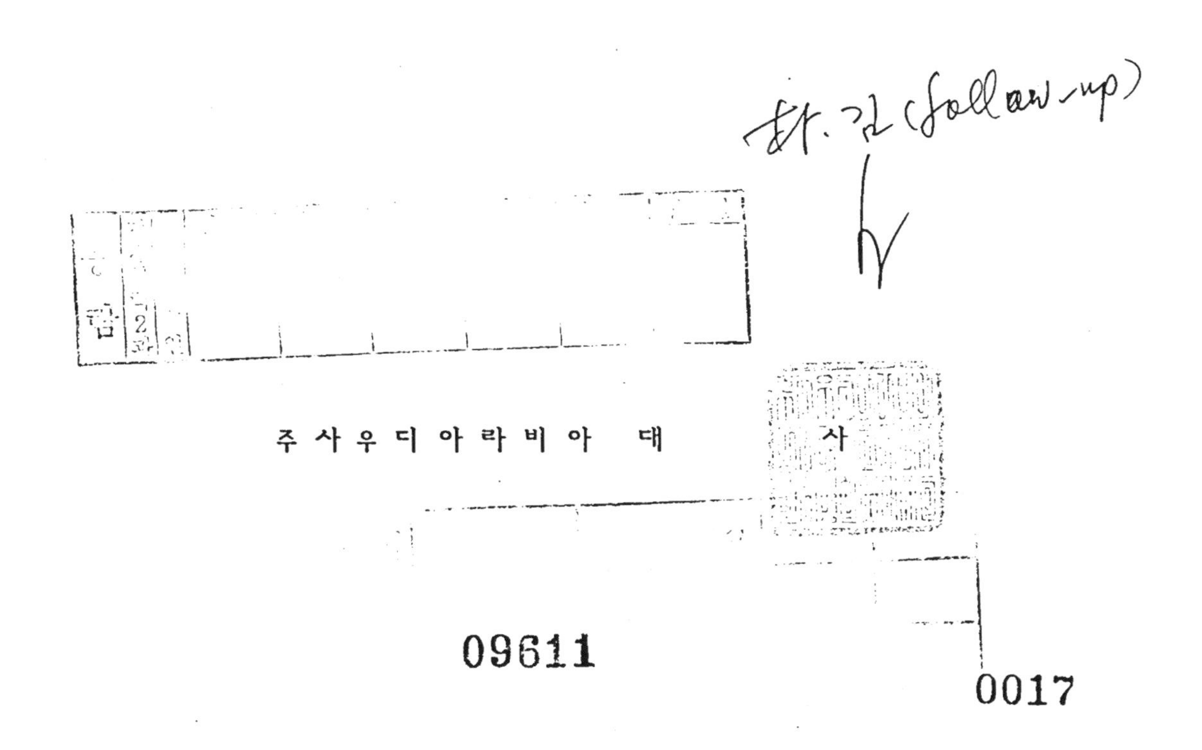

주 사 우 디 아 라 비 아 대 사

09611

0017

쿠웨이트 회복후 재건 계획 관련 정보

- 지난 90.10월부터 쿠웨이트 망명 정부 관리들은 600억불 상당의 쿠웨이트 재건을 위한 사업을 추진하기 위해 미국의 BECHTEL,FLOUR CORP등 ENGINEERING사와 DRESSER INDUSTRICS INC , HULLIBURTON CO 등 석유관련 회사등과 접촉하고 있으며 영국도 무역 산업청 (DEPARTMENT OF TRADE AND INDUSRY)과 중동무역 위원회를 중심으로 활발한 활동중임.

- 현재 쿠웨이트의 피해정도와 전쟁종료까지의 추가 피해정도에 대해선 알수없는 상태이지만 쿠웨이트의 현 동원 가능한 자금은 1,000억불 이며 직접 재건사업에 600억불 내외를 투자 할것으로 예측하고 있음.

- 현재 파괴된 유전시설과 기타 유전 관련 시설을 복구하는데 최소 50억불은 투입되어야 할것이라고 ROBERT BAIRD사의 석유전문가인 GEROGE GASPAR는 말하고 있음.

- 본 계획은 2단계로 첫단계는 기본 서비스시설인 상하수도.전기시설 복구사업으로 전쟁후에도 기본시설의 복구후에 쿠웨이트 난민들이 귀국하게 될것이고,
2단계로 2 - 3년에 걸친 INFRA STRUCTURE등 기간사업으로 복구하고 복구담당 국장인 DR. IBRAHIM MAJID AL - SHAHEEN 은 말했으며 또한 쿠웨이트는 이 복구계획의 실현에 필요한 돈은 이미 확보되었다고 밝혔음.

- 이미 8억불 상당의 긴급구조품.의약품.급수.식품.전기등의 공급을 위한 171건 계약이 체결되었는데 70% 이상이 미국계 회사로 알려지고 있음.

- 쿠웨이트의 DE AL - RAYS GROUP 회장이며 상공회의소 회장단인 SABAH AL - RAYS에 의하면 파괴된 장비 구입비에 400 억불,재건설 투자비는 200억불에 달할것이라고함.

- IBRD의 쿠웨이트 담당인 FAWZI HAMAD AL - SULTAN은 재 건설에 필요한 비용을 200-400 억불이 될것이라고 예측하고 있음.

- 영국의 JOHN MAJOR 수상은 지난 1월 쿠웨이트 정부와 재건계획에 대해 의견을 나눌때 복구사업에는 다국적군에 참여한 국가들을 우선 고려해야 할것이라고 언급함.

0018

- 프랑스는 전쟁전에 이락과 무역 거래에 있어서 큰 비중을 두고 있었으나 지금 관심을 쿠웨이트 재건 참여에 크게두고 있음.

- 일본은 현재 국내 건설 수요 충족에 메여있는 실정이고 아시아등 다른 해외건설 수요를 찾고 있으며 전후 쿠웨이트 재건 참여는 매우 신중히 위험요소등을 고려하고 있는것 같음.

0019

쿠웨이트 戰後복구비 8百億달러

망명政府설치 「워싱턴 대책본부」 밝혀

쿠웨이트망명정부가 걸프전쟁이 끝 중요될 것이란는 판단아래 美國워싱턴에 최근 긴급대책본부를 설치, 주요국가에 복구작업 참여를 요청하고 나섬에 따라 우리나라 기업들도 참여 대책을 서둘러야 할 것으로 보인다.

상공부및 大韓무역진흥공사에 따르면 쿠웨이트정부는 다국적군의 대규모지상전이 시작되면 단기간내에 쿠웨이트영토가 수복될 것으로 보고 美國워싱턴에 「쿠웨이트 긴급재건 프로젝트(KERP)」라는 공식 대책기구를 설치, 가동에 들어갔다.

韓國등 다국적軍참여국에 入札우선권 부여

쿠웨이트정부는 이 대책기구를 통해 韓國을 비롯, 다국적군 참여국가와 기타 주요국가를 중심으로 쿠웨이트 복구사업 참여에 관심있는 업체들은 업체의 현황과 참여를 원하는 분야를 문서로 작성, 제출토록하라고 발표했다.

이기구는 아직 구체적인 복구사업계획이 마련되지는 않은 상태지만 전쟁이 끝나고 피해상황이 확인되면 참여 신청서를 제출한 업체들을 대상으로 입찰이 실시될것이라고 밝혔다.

쿠웨이트정부의 이 재건기구는 특히 지난10일현재 각종 정보를 통해 분석한결과 쿠웨이트 전국 산업및 기간시설을 전쟁 시작 이전 수준으로 복구하는데는 약8백억달러(약58조원)의 비용이 소요되는것으로 분석됐다고 밝혀 終戰후 이지역에서 대규모 特需가 일어날 것임을 시사했다.

이와관련, 상공부및 貿公은 우리 업체의 참여가 유망한 분야로 ◇도로 항만의 건설공사 ◇통신설비의 복구사업 ◇파괴된 정유시설의 복구를 위한 각종 플랜트사업 ◇전자 정보기기의 대규모 공급사업등을 들었다.

특히 우리나라가 다국적군에 전쟁비용을 제공했고 의료지원단 및 공군수송단까지 파견했기때문에 쿠웨이트 복구사업에 우선적 참여가 가능할 것으로 전망된다는 것이다.

상공부의 한 관계자는 쿠웨이트정부로부터 정부차원에서의 복구작업 참여요청을 받은것은 아니지만 워싱턴소재 KERP가 복구사업 참여희망업체의 신청을 접수중이라는 소식은 들었다고 밝혔다. 이 관계자는 걸프전쟁이 종료되는 즉시 쿠웨이트와 이라크의 재건사업이 다국적군참여국가사이에서 논의될 것으로 내다보고 이에따른 업계차원에서의 대책이 서둘러 마련돼야 할 것이라고 지적했다.

貿公이 밝힌 「쿠웨이트 긴급재건프로젝트」 기구의 연락처는 다음과 같다.

1510H ST. N.W.
Washington D.C. 20005 전화(202) 508—0250

<李圭敏기자>

동아일보
1991. 2. 18

0020

걸프 전쟁 이후 쿠웨이트 복구사업 참여

1. 전후 복구사업 계획

o 90.9 쿠웨이트 망명정부, 쿠웨이트 긴급부흥기관(KERP)을 설치, 전후 경재재건계획(Awda Project)을 수립하고 외국기업과 전후 복구사업 참여문재 협의중

o 도로, 공항, 항만, 석유생산.정유시설, 통신시설 등 기간산업시설 복구 및 주택, 상하수도, 교육시설 등 도시기능 회복에 약 400 - 1,000억불 소요 예상

2. 각국 동향

o 미 국

- 쿠웨이트 긴급 재건 개획에 따라 복구사업 참여 추진을 위해 KERP와 적극 접촉
  - · 쿠웨이트 해방을 위한 미국의 군사개입에 대한 반대 급부로 전후 복구 사업에 대대적 참여 추진
  - · Motorola, Bechtel 등 미국 유수기업의 쿠웨이트 복구 Project 수주 노력 적극 전개

o 영 국

- 미국의 단독참여를 우려하여 미국과의 합작을 통한 전후 복구사업 참여 추진
  - · 91.2 통상사절단(단장: Lord Prior GEC 회장)을 파견, 쿠웨이트 망명정부측에 영국의 전후 복구 참여 개획안을 재시하고 쿠웨이트 해방을 위한 영국군의 역할에 상응하여 쿠웨이트 복구사업에 참여할 수 있도록 쿠웨이트측의 배려 요청
  - · 쿠웨이트 재건사업 참여를 위해 사우디에 상설 무역대표부 설치 예정

심의관

공람	경제2과	91년 2월 18일	담당	과장	국장	차관보	차관	장관
			김택					

0021

o 프랑스

- 사우디 젯다에 주쿠웨이트 임시 대사관을 설치, 통신분야 등의 복구사업에 참여 모색

o 일 본

- 외무성내에 "전후 대책반"을 설치, 쿠웨이트 복구사업 참여방안 마련중
  - 요르단, 터키, 이집트 등 3개 전선국가에 20억불 원조공여 약속

o 독 일

- 중동재건을 위한 마셜플랜 수립에 적극 노력
  - 터키에 20억불의 원조공여 약속
- 쿠웨이트 전후 복구사업의 석유화학 관련분야 참여 기대

3. 아국의 참여 추진방안

o 필요성

- 걸프전쟁 전비 5억불 분담에 따른 경제적 반대급부 확보 필요
  - 전선국가(이집트, 터키, 요르단)에 4,000만불의 대외경제 협력기금 지원 포함
- 중동지역은 아국의 원유도입 및 건설진출 주대상지역으로 아국경제 발전에 중요(Vital)한 지역
- 경제난국 극복을 위한 제2차 중동 특수 기대
  - 아국 상품의 수출환경 악화에 따른 수출 차질 보전
  - 유가상승으로 인한 물가상승 등 불리한 경제여건 극복 계기로 활용

0022

* 아국의 대중동 교역 및 건설진출 규모

- 교역

(단위 : 백만불)

구 분		1988	1989	1990(1 - 11)
전 체	수출	60,696 (100%)	62,377 (100%)	57,971 (100%)
	수입	51,811 (100%)	61,465 (100%)	63,346 (100%)
중 동	수출	2,852(4.7%)	2,311(3.7%)	2,217(3.8%)
	수입	3,591(6.9%)	4,572(7.4%)	5,451(8.6%)
쿠웨이트	수출	342(0.6%)	210(0.3%)	113(0.2%)
	수입	206(0.4%)	382(0.6%)	498(0.8%)

- 건 설(1966 - 1990.11)

(단위 : 백만불)

구 분	전 체	중 동	쿠 웨 이 트
금 액	92,953 (100%)	82,660(88.9%)	2,955(3.2%)

o 참여 추진방안

- 민간기업의 전후 복구사업 참여 노력 적극 전개 권고 및 정부의 제도적 지원 강화
  - 대 쿠웨이트 건설진출 및 교역 실적이 있는 기업(현대건설, 삼성물산 등)과 연고가 있는 쿠웨이트의 유력인사를 활용한 복구사업 참여 노력 전개
  - 복구사업 참가 아국 기업에 대한 금융, 세제상의 특혜 부여
- 외교적 노력 전개
  - 쿠웨이트 망명정부 접촉, 아국이 당면 경제난에도 불구, 걸프 전쟁관련 5억불의 전비분담 사실 및 과거 양국간 경제협력 실적을 ~~강조하고, 같은 개도국으로서 아국~~의 쿠웨이트 복구사업 참여에 ~~특별배려 요청~~

0023

- 가칭 "중동개발은행" 설립시 아국의 적극 참여 노력 경주
  - 유럽부흥개발은행(EBRD) 의 경우와 같이 아국이 중동개발은행 설립에 적극 참여함으로써 우리의 대중동 경제협력 의지표명을 통하여 쿠웨이트 등 중동지역 국가의 경제개발계획 참여 여건 조성 필요

첨 부 : 서방국가의 중동경제 재건 계획(제 2 마셜 플랜) 1부. 끝.

0024

(첨부)

서방국가의 중동경제 재건계획(제 2 마셜 플랜)

1. 중동경제 재건계획 수립의 배경

ㅇ 중동지역 국가간의 빈부격차 완화를 위한 대규모 경제원조 필요

- 향후 중동지역의 항구적인 평화정착을 위하여 중동국가간의 균형있는 경제발전 긴요

* 미국은 중동국가간 부의 불균형 해소를 위해 사우디, 쿠웨이트 등 중동지역 부국의 재원을 이용한 중동개발은행을 설립, 중동지역 전체국가의 발전에 사용함으로써 소득이전효과 모색

ㅇ 중동지역 국가의 반미.반서방 감정 완화 노력 필요

- 반미.친이라크 성향의 이슬람 근본주의(Islamic Fundamentalism)의 확산으로 전후에 정치적 동요가 예상되는 이집트, 사우디와 같은 친서방 중동국가의 정권안정을 위해 향후의 중동문제는 무력사용보다는 경제적 영향력 행사(Economic Leverage)를 통한 해결 도모
- 걸프전쟁의 여파로 직접적인 피해를 당한 전선국가에 대한 경제원조 확대 방안 강구

2. "중동개발은행" 설립구상 경위

91.1.21	Kohl 독일 총리, 걸프전쟁 종료후 중동의 경제재건을 위한 제 2의 마셜 플랜 수립 필요성 언급
91.2. 3	스위스 Davos 시 개최 "세계경제 연례 포럼", 중동지역 복구를 위한 국제적인 경제협력 방안 수립 필요성 인정
91.2. 7	Baker 미 국무장관, 미 상원 외교위 청문회에서 유럽부흥개발은행(EBRD)형의 "중동개발은행" 설립 제안 * EBRD : 동구의 경제개혁 노력을 재정적으로 지원하기 위해 설립추진중이며, 아국은 7,800만불 (0.65% 지분)을 출자 예정

0025

3. 각국의 입장

o 미국

- 전후 중동문제의 해결에 있어서도 주도권 확보 도모

  · 무역적자 및 재정적자로 인하여 미국의 재정적 분담에는 한계가 있을 것으로 예상

o E C

- 중동재건을 위한 마셜플랜 수립에 적극적 자세

  · 2.19 브뤼셀 개최 예정인 EC 외상회담시 마셜플랜 구상 논의 예정

o 일본

- 과거의 수동적 국제협력 자세를 탈피, 일본의 주도에 의한 중동판 마셜플랜 형태의 국제종합안전보장방안 강구

0026

관리 번호	미-922

	분류번호	보존기간

발 신 전 보

번 호 : WUS-0627 910218 2138 DQ 종별 : 지 급

수 신 : 주 미 대사. 총영사

발 신 : 장 관 (중동일)

제 목 : 쿠웨이트 전후 복구

1. 최근 보도에 의하면, 쿠웨이트 망명 정부는 쿠웨이트 영토가 곧 수복될 것으로 보고 귀지 워싱턴에 쿠웨이트 긴급 재건 프로젝트(KERP)라는 공식 대책기구를 설치, 가동에 들어 갔으며 다국적군의 참여국가와 기타 주요국가 중심으로 복구 사업 참여 희망 분야별로 각 업체의 신청을 접수 중이라 함. 또한 쿠웨이트 망명 정부는 BECHTEL을 포함 3개의 미국회사를 PROJECT MANAGER로 지정하였다 함.

2. ~~특히~~, 아국은 ~~다국적군에 군비를 지원 하였으며 의료지원단, 군수송단을 파견한 점에 비추어 걸프전쟁이 종료된후~~ 쿠웨이트 복구사업 적극 참여를 검토 중인바 ~~동 관련~~, 대책 수립에 필요하니 하기 주소 참조, 동기구의 성격과 임무등 관계 자료 수집 보고 바람.

KERP 주소 : 151 OH ST.N.W
Washington D.C. 20005
전화 : 202-508-0250

(중동아프리카국장 이 해 순)

예 고 : 91. 12. 31. 일반

검 토 필 (1991. 6. 30)

보 안 통 제	

앙 고 재	91년 2월 18일	중동일과	기안자 성 명		과 장	심의관	국 장		차 관	장 관
			[서명]		[서명]	[서명]	전결			[서명]

외신과통제

0027

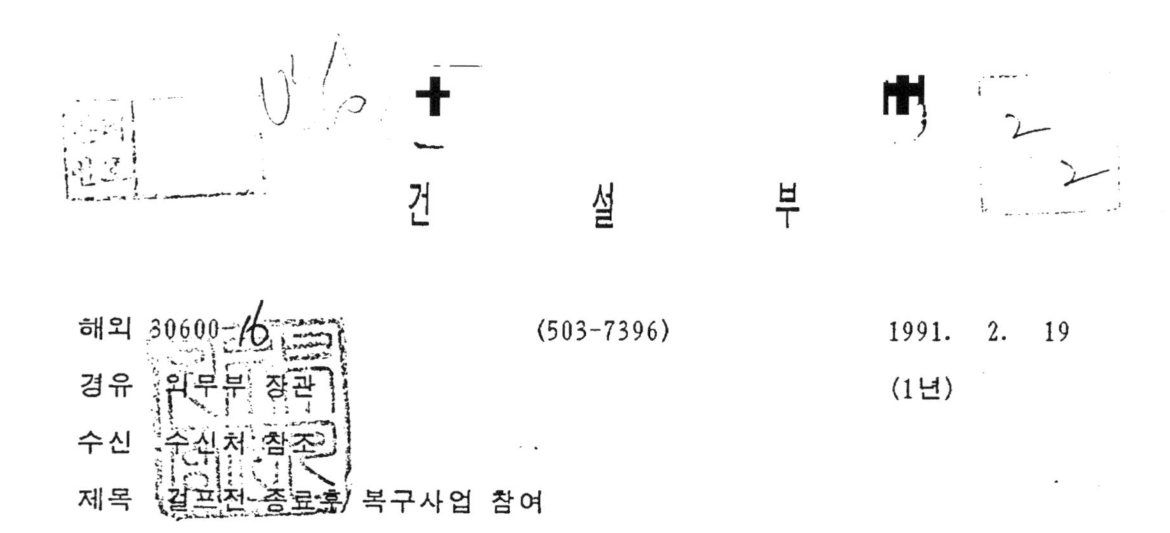

건 설 부

해외 30600-16 (503-7396) 1991. 2. 19

경유 외무부 장관 (1년)

수신 수신처 참조

제목 걸프전 종료후 복구사업 참여

걸프전 종료후의 쿠웨이트에 대한 복구사업 계획이 쿠웨이트 망명정부 및 워싱톤 주재 KERP(쿠웨이트 복구사무소) 중심으로 추진되고 있다는 바, 아국의 다국적군 기여 및 쿠웨이트에 대한 기존 건설협력 실적등을 바탕으로 당해정부 및 기관과 가능한 범위내에서 긴밀히 접촉, 아국업체의 복구사업 참여방안등을 협의 추진하고 그 결과를 회시하여 주시기 바랍니다.

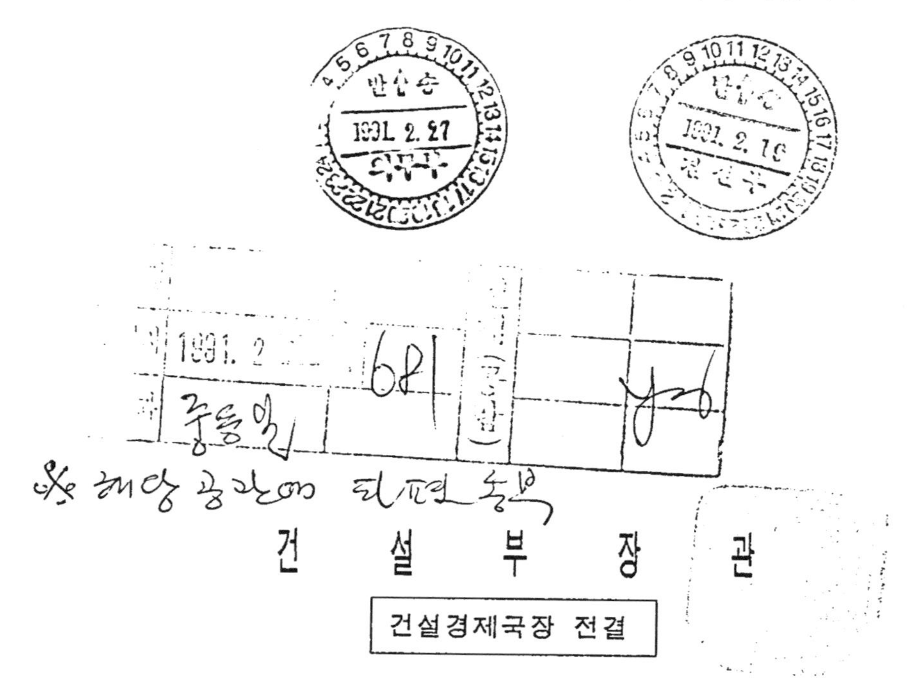

건 설 부 장 관

건설경제국장 전결

수신처 : 주사우디, 쿠웨이트대사.

0028

관리번호 91-151

원 본

외 무 부

종 별 :

번 호 : FRW-0614　　　　　　일 시 : 91 0219 1800

수 신 : 장관(경이,중근동,구일)

발 신 : 주 불 대사

제 목 : KUWAIT 전후복구사업 참여

연:FRW-0555,0434

1. 표제관련, 주재국 전경련(CNPF) 대표단이 91.2.27-28 간 KUWAIT 명명정부 소재지인 연호 SAUDI 의 TAEF 를 방문키로 결정하는등 민간업계의 복구사업 참여 움직임이 구체화되고 있는바, 이와관련 주요 동향 아래 종합보고함.

가.KUWAIT 복구 소요경비 및 기간

. 소요경비(피해액)

-90.8. 이래 현재까지 약 250 억불 상당 사회 간접자본 피해 초래

-지상전이 전개될 경우 피해액은 500 억불 규모에 이를 것으로 추산

이라크 복구 소요경비는 현재로서 추정이 어려우나, 과거 IRAN-IRAQ 전쟁 피해 복구비는 양국을 합해 1,100 억불로 추산

. 복구 소요기간:12 년 내외

나. 미국의 복구사업 참여

.KUWAIT 망명정부에 의해 복구공사의 거의 대부분이 미국에 발주될 것으로 예상되는 가운데 이미 상당수의 미국 기업이 계약을 체결한 것으로 알려지고 있음.

(RAYTHEON: 공항, BECHTEL: 정유시설, SANTA FE INT'L: 가스시설, PARSONS: 일반시설 복구등)

. 한편 상기 주요 PROJECT 의 FINANCING 관련, 미국은 동구개발은행(EBRD)과 같은 형태의 소위 "중동개발 은행" 창설을 희망하고 있는 반면, 일본은 기존의 국제 금융기구를 통한 FINANCING 을 선호하고 있음.

다. 주재국의 참여 가능성

.90.8. 이래 현재까지 주재국의 대쿠웨이트 수출손실은 44 억프랑으로 추산되는바, CNPF 대표단의 TAEF 방문시 주재국 업체의 복구사업 참여 가능성이 처음으로 양국간에

경제국　장관　차관　1차보　2차보　구주국　중아국　청와대　안기부

PAGE 1

공람	국제경제국	년 월 일	담 당	과 장	국 장	차관보	차 관	장 관

91.02.20　07:27

외신 2과　통제관 BW

(follow-up)

0029

협의될 것이라 하며, 주재국 업체는 IRAQ, IRAN, TURKEY 등에 대한 진출에 관심을 보이고 있음.

. 또한 주재국 정부는 주재국이 20-25 프로 정도의 시장을 점유하고 있는 마그레브 지역(모로코, 알제리, 튀니지)에 대한 기존시장을 유지토록 업계를 독려중임.

2. 한편, 주재국의 300 개 기업주에 대한 여론조사 결과에 따르면, 주재국 기업체들은 GULF 사태의 여파로 COFACE(국영 수출보험공사) 지불보증 중단, 보험요율 급증, 항공편 축소에 따른 업무차질등의 어려움을 겪고있으며, 정부차원에서 투자및 고용문제 해결을 위한 적극적 대책수립을 요망하고 있음. 끝.

(대사 노영찬-국장)

예고:90.12.31. 까지

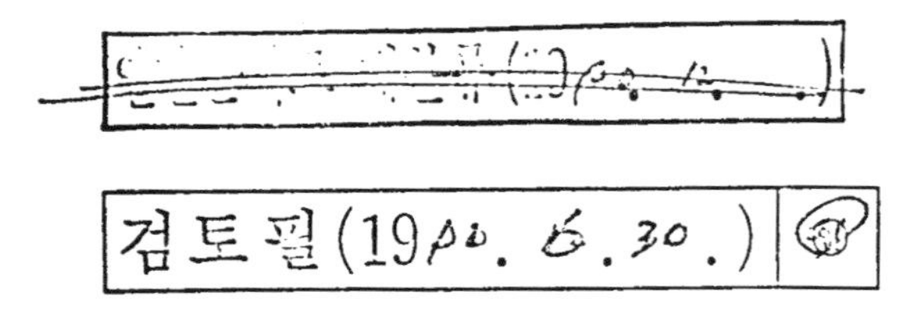

관리 번호	91-151

원 본

외 무 부

종 별 :

번 호 : FRW-0632 일 시 : 91 0220 1800

수 신 : 장관(경이,중근동,구일)

발 신 : 주 불 대사

제 목 : 쿠웨이트 전후복구사업 참여

연:FRW-0614

1. 표제건 관련, 주재국 전경련(CNPF) THIERRY COURTAIGNE 국제부장 면담 내용 아래 보고함.(2.20. 조참사관 접촉)

가. 연호 쿠웨이트 망명정부와 접촉할 주재국 업계 대표단이 관민 혼성 사절단(35 명)으로 확대되어 JEAN-MARIE RAUCH 대외무역성 장관이 인솔 예정임.

나. 불란서는 쿠웨이트 망명정부 소재지인 사우디 TAEF 에 관거 주쿠웨이트대사를 역임한 AMB. BRESSOT 를 SPECIAL ENVOY 자격으로 상주시켜 금번 사절단방문 주선등 현지에서 양국간 접촉 채널을 유지하고 있음.

다. 현재 상당수 미국 기업이 복구사업 계약을 쿠웨이트 망명정부와 이미 체결한 듯한 보도가 계속되고 있으나, 이는 대부분 풍문이거나 LETTER OF INTENTION 수준의 단계임.

라. 금번 방문은 전후복구사업에 적극 참여코자 하는 불란서 정부업계의 의지를 쿠웨이트측에 전달하는데 목적이 있으며 현단계에서 구체적인 상담이 이루어질 것으로는 보지않음.

0 한편 ROCARD 불수상도 90.2.14. 사우디 방문시 쿠웨이트 망명정부와 접촉,전후복구사업에 참여코자하는 불측 희망을 적극 표명한 것으로 알려짐.

마. 비록 전후복구사업에 있어 불란서가 미국, 영국에 비해 열세인점은 인정하나 주요 참전국인 불란서에도 기회가 충분히 주어질것으로 보며 특히 ALCATEL(통신), ALSOTHOM(중공업) 등의 참여를 기대함.

바.91.1 동인 방한시 한국 전경련 국제부와 접촉, 전후 복구사업 공동참여 문제를 제기하였으나 별다른 반응을 얻지 못하였다는바 한국측이 보다 적극적인 관심을 가져주기 바람.

경제국 장관 차관 2차보 구주국 중아국

PAGE 1 91.02.21 05:34

외신 2과 통제관 CA

0031

2. 동인은 관민사절단 일원으로 TAEF 방문 예정인바, 동인 귀환후 재접촉, 관련 사항 추보 위계임.끝.

(대사 노영찬-국장)

예고:91.12.31. 일반

검토필(1991. 6. 30.)

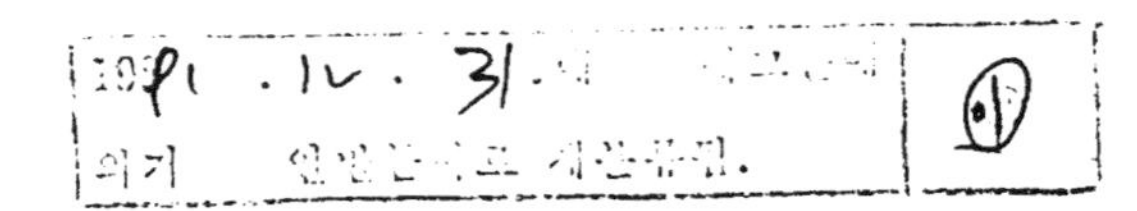

관리 번호	91-2003

원 본

외 무 부

종 별 : 지 급

번 호 : USW-0831 일 시 : 91 0221 1122

수 신 : 장관(중동일)

발 신 : 주 미 대사

제 목 : 쿠웨이트 전후 복구

대:WUS-0627

연:USW-0760(91.2.15)

대호 관련 사항 우선 연호 보고 참고 바라며, KERP 관련사항은 자료수집되는대로 추보 예정임.

(공사 손명현-국장)

예고:91.12.31 일반

19 에 예고문에 의거 일반문서로 재분류됨 91. 6. 30.

중아국

PAGE 1

91.02.22 06:25

외신 2과 통제관 CE

0033

관리 번호	91-821

	분류번호	보존기간

발 신 전 보

번 호 : WUS-0677 910222 1148 CT 종별 : 긴급

수 신 : 주 미 대사. ~~총영사~~

발 신 : 장 관 (중동일)

제 목 : 전후 쿠웨이트 복구사업

연 : WUS 0627

1. 외신 보도에 의하면 미 육군의 ARMY CORPS OF ENGINEERS는 쿠웨이트 망명정부와 협력, 전후 쿠웨이트 복구사업의 DAMAGE ASSESSMENT, PROCUREMENT 및 PLANNING을 담당하고 있으며, 이에따라 이미 상당수의 계약을 체결하였거나 체결 단계에 있다고 하는바, 아국 건설회사들이 과거 쿠웨이트에서 다수의 건설 공사를 시공한 풍부한 경험과 KNOWHOW를 축적하고 있음에 비추어 아국 회사들을 동 복구사업에 참여시키는것이 쿠웨이트 정부를 돕고있는 미국으로서도 바람직할 것으로 사료됨.

2. 따라서 귀 주재국 관계당국(국방성 및 ARMY CORPS OF ENGINEER등)과 접촉, 아국의 걸프사태 대미 협조사실을 부각시키고, 전후 복구사업 참여기회 관련 미측의 협조를 요청하고 결과 보고 바람. 끝.

검 토 필 (1991. 6. 30.)

(중동아국장 이 해 순)

예 고 : 91.12.31.일반

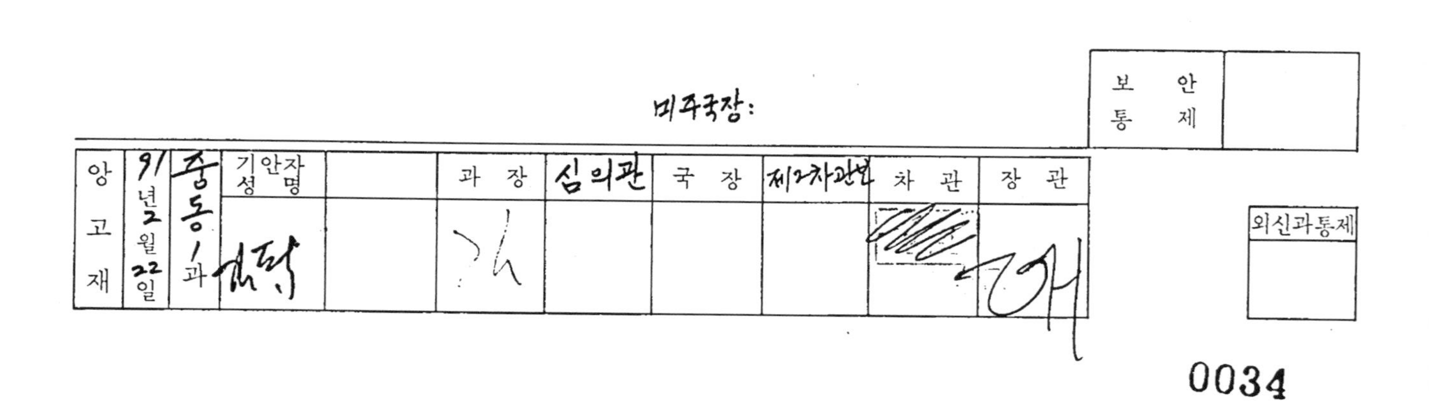

미주국장:

앙 고 재	91년 2월 22일	중동1과	기안자 성명		과 장	심의관	국 장	제2차관보	차 관	장 관

보 안 통 제	

외신과통제

0034

관리번호	91-404

원 본

외 무 부

종 별 :

번 호 : ANW-0044 일 시 : 91 226 1600

수 신 : 장관(미북,통일,중동)

발 신 : 주 아틀란타 총영사

제 목 : 걸프전후 복구사업

연:ANW-0041

1. 당지 CBS 방송은 2.25 저녁뉴스후 해설에서 해설자는 걸프전후 복구사업계획과 관련, 아래와 같이 언급 하였는바, 업무에 참고바람.

가. 미국내 벡텔사등 과기업 중심으로 이미 쿠웨이트 망명정부와 전후 복구계획 추진에 대해 내약 되어있는 것으로 보이며, 이러한 미국이 거의 독점하고 있는데 대해 영국 기업측에서는 걸프전 적극 지원 활동에 비추어 불만을 나타내고있다고 언급함.

나. 한편, 쿠웨이트 전후 복구사업에 있어 독일, 일본, 한국등 걸프전에대한 비교적 참여도가 적은 국가들이 실질적으로 많은 부분의 건설사업에 참여 하기 위해 적극적으로 노력할 가능성이 있음을 경계해야 함.

2. 상기 발언을 고려할때 아국의 걸프전 참여 및 지원 활동에 대한 홍보를 강화함이 바람직한 것으로 보임.

(총영사 김현곤-국장).

끝.

예고 : 1991.12.31 까지

검 토 필 (1991.6.30.)

일반문서로 재분류(1991.12.31.)

미주국	장관	차관	1차보	2차보	중아국	통상국	청와대	안기부

PAGE 1

91.02.27 07:05

외신 2과 통제관 FE

0035

원 본

외 무 부

종 별 :

번 호 : USW-0926　　일 시 : 91 0226 1728

수 신 : 장 관(경일,중동일,건설부)

발 신 : 주 미 대사

제 목 : 쿠웨이트 전후 복구 사업 참여

1. 미국 육군 공병대는 쿠웨이트 전후 복구 사업을 위해 쿠웨이트 정부와 다음과 같이 계약하였다함.

가. 업무 수행 범위:

- 이락군의 철수후 각종 폭팔물의제거 (지뢰,부뷔트렙등)

- 피해 조사, 긴급 복구공사에 대한 계획, 설계, 발주 (민간 기업체에 시공의뢰), 공사 감리

나. 업무수행기간: 3개월

다. 계약금액: 45백만불

2.또한 쿠웨이트 전후 긴급 복구 공사에 대한 민간기업체에 시공 의뢰시 이에 대비하기 위해 참여의사가 있는 기업에 대해 사전 등록 토록 다음과 같이 공고하였음. (관련자료 별첨)

가.전후복구사업 범위:(별첨)

나. 자격요건(별첨)

다. 등록마감일: 공고일 (1991.2.19)로부터 30일 이내

라. 등록 양식: SF254,SF 255 의거 작성 제출 (동양식 별첨)

마. 제출처: US ARMY CORPS OF ENGINEERS, MIDDLE EAST/ AFRICA PROJECTS OFFICEP.O.BOX 2250 WINCHESTER,VA 22601-1450

3 상기 자격요건 및 미국정부 공사 실적등의 요건은 사실상 외국업체의 참여를 봉쇄하고 있으나 주미 진출업체들의 참여는 가능할것으로 보이므로 이들 업체 적극 참여 촉구가 요망 (주미 대사관에서도 미국진출 아국 건설업체에 자료 송부, 참여 독려 조치중임)

4. 앞으로 미공병대는 3개월기간 만료후 일부가 남아 쿠웨이트 장기 복구사업에

경제국　1차보　2차보　중아국　안기부　건설부　차관　장관　미주국　청와대

PAGE 1

91.02.27　08:55 WG

외신 1과 통제관

0036

대한 감독 기능을계속 수행할 것이라고 함.

(공사 손명현-국장)

첨부: USW(F()-0687(12 매)

번호: USW(F)-0687

수신: 장관 (경일, 중동일, 건설부)

발신: 주미대사

제목: 쿠웨이트 전후복구 사업 참여
(USW 0926의 첨부)

총 13매 (표지 제외)

0038

U.S. Army Corps of Engineers, Middle East/Africa Projects Office, PO Box 2250, Winchester, VA 22601-1450

C -- RESTORATION OF THE GOVERNMENT OF KUWAIT MUNICIPAL FACILITIES POC Point of Contact, Mr. Roger Thomas, (703) 665-3989) Contracting Officer, Marsha Rudolph, (703) 665-3693 Damage Assessment, Planning, Studies, Programming Preparation of Final Designs and Specifications, Cost Estimates, Construction Schedules, Geotechnical Services and Topographic Surveys, and other services required to procure competitive construction bids for restoration of infrastructure roads, bridges, harbors, piers, public buildings, housing complexes, airports, school facilities, hospitals facilities, furniture, furnishings, equipment, petroleum facilities, cold storage facilities, chemical processing facilities, religious facilities, communication systems, computer facilities, dams, desalinization water plants, fire protection, industrial facilities, industrial waste treatment plants, irrigation systems, power generation facilities, correctional facilities, railroad systems, waterway structures, security systems, and utility systems in Kuwait. The Government reserves the right to make multiple selections and award more than one contract from this announcement, based on Kuwait Government's requirements, the firm's professional capability, and the firm's experience in the Middle East and Kuwait country. Award of the proposed contract(s) is subject to authorization and funding. The proposed contract will be firm fixed price. Title II services may be required at the Government's option. Interested firms and/or their consultants must have and indicate in their submittal (Section 10/11 of SF 254), current or recent design experience in profile codes (listed in numerical order): 002 (Aerial Photogrammetry); 005 (Airports; Navaids; Airport Lighting; Aircraft Fueling); 006 (Airports, Terminals & Hangars, Freight Handling); 010 (Barracks; Dormitories); 011 (Bridges); 013 (Chemical Processing & Storage), 016 (Cold Storage, Refrigeration; Fast Freeze); 018 (Communications Systems; TV; Microwave); 019 (Computer Facilities; Computer Service); 021 (Construction Management); 023 (Cost Estimating); 024 (Dams (Concrete; Arch)); 025 (Dams (Earth; Rock); Dikes; Levees); 026 (Desalinization (Process & Facilities)); 029 (Educational Facilities; Classrooms); 036 (Fire Protection); 039 (Garages; Vehicle Maintenance Facilities; Parking Decks); 040 (Gas Systems (Propane, Natural), Etc)); 042 (Harbors; Jetties; Piers; Ship Terminal Facilities); 046 (Highways; Streets; Airfield Paving; Parking Lots); 048 (Hospital & Medical Facilities); 050 (Housing (Residential, Multi-Family; Apartments; Condominiums)); 052 (Industrial Buildings, Manufacturing Plants); 054 (Industrial Waste Treatment); 055 (Irrigation; Drainage);

0687-1

0039

059 (Landscape Architecture); 062 (Lighting (Exteriors; Streets; Memorials; Athletic Fields, Etc.)); 072 (Office Buildings; Industrial Parks); 074 (Ordnance, Munitions, Special Weapons); 076 (Petroleum and Fuel (Storage and Distribution)); 077 (Pipelines (Cross-Country - Liquid & Gas); 079 (Planning (Site, Installation, and Project)); 083 (Power Generation, Transmission, Distribution); 084 (Prisons & Correctional Facilities); 087 (Railroad; Rapid Transit); 089 (Rehabilitation Buildings, Structures, Facilities); 092 (Rivers; Canals; Waterways; Flood Control); 094 (Security Systems; Intruder & Smoke Detection); 095 (Seismic Designs & Studies), 096 (Sewage Collection, Treatment and Disposal); 097 (Soils and Geologic Studies, Foundations); 102 (Surveying, Plotting, Mapping; Flood Plain Studies); 104 (Storm Water Handling & Facilities); 105 (Telephone Systems (Rural; Mobile; Intercom, Etc.)); 107 (Traffic & Transportation Engineering); 111 (Utilities (Gas & Steam)); 113 (Warehouses and Depots); and 115 (Water Supply, Treatment and Distribution). Significant evaluation factors to be considered, in the order of priority, are: (These evaluation factors supersede those listed in Note 62, and will be used to evaluate submittals for this selection). (1) Registered Professional Architects and Engineers with technical expertise and recent experience in design of similar facilities; (2) Adequacy of Internal Quality Assurance Plan for Design Management; (3) Staff Size (minimum prime firm/JV, 100 persons with distribution of a minimum of 2 professionals in each of the Architectural, Civil, Electrical, Mechanical, and Structural Disciplines) and capability to meet possible accelerated design completion schedules; (4) Specific experience in the design of facilities, systems, and structures listed above; (5) Prior experience in overseas projects for the U.S. Government, preferably in the Middle East and/or Kuwait; (6) Recent experience in the use of the Corps of Engineers Computer Aided Cost Estimating System; and (7) Volume of work previously awarded to the firm(s) by the DOD. Interested firms shall indicate, in Block 3 of SF 255, if your business is large or small. A small business is one whose average annual receipts and those of it's affiliates for it's preceding 3 fiscal years does not exceed $2,500,000. Firms must also indicate, in Section 10 of the SF 255, its internal quality assurance plan for design management, in addition to the dollar value of all DOD awards made to the firm and it's affiliated offices during the previous 12 months (do not include consultants). Interested firms desiring consideration shall submit SF 255 and current SF 254 postmarked within 30 calendar days of the date of this advertisement. Minority firms and firms utilizing minority firm participation are encouraged to submit. This is not an RFP. NOTE: Evaluation factors listed in Note 62 do not apply for this selection. (0045)

0687 -2

0040

'91-02-27 09:01 LENINPROTOCOL 137 P04

687-3

STANDARD FORM (SF) 255 Architect-Engineer Related Services for Specific Project	1. Project Name / Location for which Firm is Filing:	2a. Commerce Business Daily Announcement Date, if any:	2b. Agency Identification Number, if any:

3. Firm (or Joint-Venture) Name & Address	3a. Name, Title & Telephone Number of Principal to Contact
	3b. Address of office to perform work, if different from Item 3

4. Personnel by Discipline: (List each person only once, by primary function.)

___ Administrative	___ Electrical Engineers	___ Oceanographers	___ ______
___ Architects	___ Estimators	___ Planners: Urban/Regional	___ ______
___ Chemical Engineers	___ Geologists	___ Sanitary Engineers	___ ______
___ Civil Engineers	___ Hydrologists	___ Soils Engineers	___ ______
___ Construction Inspectors	___ Interior Designers	___ Specification Writers	___ ______
___ Draftsmen	___ Landscape Architects	___ Structural Engineers	___ ______
___ Ecologists	___ Mechanical Engineers	___ Surveyors	___ ______
___ Economists	___ Mining Engineers	___ Transportation Engineers	___ Total Personnel

5. If submittal is by JOINT-VENTURE list participating firms and outline specific areas of responsibility (including administrative, technical and financial) for each firm: (Attach SF 254 for each if not on file with Procuring Office.)

0041

5a. Has this Joint-Venture previously worked together? ☐ yes ☐ no

STANDARD FORM 255 (Rev. 10-83)

02/26/91 18:18 ☎202 — 0595 EMBASSY OF KORE ☑004

...spondent is not a joint venture, list outside key Consultants/Associates anticipated for this propo... ...ms, if not already on file with the Contracting Office).

Name & Address	Specialty	Worked with Prime before (Yes or No)
1)		
2)		
3)		
4)		
5)		
6)		
7)		
8)		

STANDARD FORM 255 (Rev. 10-83)

0042

'91-02-27 08:02 LENINPROTOCOL 137 P05

~~688-4~~ 687-4

'91-02-27 08:03 LENINPROTOCOL 137 P06

7. Brief resume of key persons, specialists, and individual consultants anticipated for this project.

a. Name & Title:	a. Name & Title:
b. Project Assignment:	b. Project Assignment:
c. Name of Firm with which associated:	c. Name of Firm with which associated:
d. Years experience: With This Firm ___ With Other Firms ___	d. Years experience: With This Firm ___ With Other Firms ___
e. Education: Degree(s) / Year / Specialization	e. Education: Degree(s) / Years / Specialization
f. Active Registration: Year First Registered/Discipline	f. Active Registration: Year First Registered/Discipline
g. Other Experience and Qualifications relevant to the proposed project:	g. Other Experience and Qualifications relevant to the proposed project:

0043

STANDARD FORM 255 (Rev. 10-83)

5

02/26/91 18:20 ☎202 — 0595 EMBASSY OF KOREA 006

'91-02-27 08:04 LENINPROTOCOL 137 P07

9-689

8. Work by firm or joint-venture members which best illustrates current qualifications relevant to this project (list not more than 10 projects).

a. Project Name & Location	b. Nature of Firm's Responsibility	c. Project Owner's Name & Address	d. Completion Date (actual or estimated)	e. Estimated Cost (In thousands) Entire Project	Work for which Firm was/is responsible
(1)					
(2)					
(3)					
(4)					
(5)					
(6)					
(7)					
(8)					
(9)					
(10)					0044

9

STANDARD FORM 255 (Rev. 10-83)

02/26/91 18:21 ☎202 7 0595 EMBASSY OF KORE ☑007

6-687

9. All work by firms or joint-venture members currently being performed directly for Federal agencies.

a. Project Name & Location	b. Nature of Firm's Responsibility	c. Agency (Responsible Office) Name & Address	d. Percent complete	e. Estimated Cost (In Thousands)	
				Entire Project	Work for which firm is responsible
					0045

STANDARD FORM 255 (Rev. 10-83)

10

10. Use this space to provide any additional information or description of resources (including any computer design capabilities) supporting your firm's qualifications for the proposed project.

11 The foregoing is a statement of facts

Signature ______________ Typed Name and Title: ______________

Date: 0046

11 GSA GC 75-10544 STANDARD FORM 255 (Rev. 10-83)

02/26/91 18:23 ☎202 — 0595 EMBASSY OF KOREA ☑009

'91-02-27 08:06 LENINPROTOCOL 137 P09

STANDARD FORM (SF) **254**
Architect-Engineer and Related Services Questionnaire

1. Firm Name / Business Address:

1a. Submittal is for ☐ Parent Company ☐ Branch or Subsidiary Office

2. Year Present Firm Established:

3. Date Prepared:

4. Specify type of ownership and check below, if applicable.

A. Small Business
B. Small Disadvantaged Business
C. Woman-owned Business

5. Name of Parent Company, if any:

5a. Former Parent Company Name(s), if any, and Year(s) Established:

6. Names of not more than Two Principals to Contact: Title / Telephone

1)
2)

7. Present Offices: City / State / Telephone / No. Personnel Each Office

7a. Total Personnel ______

8. Personnel by Discipline: *(List each person only once, by primary function.)*

____ Administrative
____ Architects
____ Chemical Engineers
____ Civil Engineers
____ Construction Inspectors
____ Draftsmen
____ Ecologists
____ Economists
____ Electrical Engineers
____ Estimators
____ Geologists
____ Hydrologists
____ Interior Designers
____ Landscape Architects
____ Mechanical Engineers
____ Mining Engineers
____ Oceanographers
____ Planners: Urban/Regional
____ Sanitary Engineers
____ Soils Engineers
____ Specification Writers
____ Structural Engineers
____ Surveyors
____ Transportation Engineers

9. Summary of Professional Services Fees Received: (Insert index number)

	Last 5 Years (most recent year first)				
	19___	19___	19___	19___	19___
Direct Federal contract work, including overseas					
All other domestic work					
All other foreign work*					

*Firms interested in foreign work, but without such experience, check here: ☐

Ranges of Professional Services Fees

INDEX
1. Less than $100,000
2. $100,000 to $250,000
3. $250,000 to $500,000
4. $500,000 to $1 million
5. $1 million to $2 million
6. $2 million to $5 million
7. $5 million to $10 million
8. $10 million or greater

0047

STANDARD FORM 254 (REV. 10-83)

01-689

☒011

Profile of Firm's Project Experience, Last 5 Years

Profile Code	Number of Projects	Total Gross Fees (in thousands)	Profile Code	Number of Projects	Total Gross Fees (in thousands)	Profile Code	Number of Projects	Total Gross Fees (in thousands)
1)			11)			21)		
2)			12)			22)		
3)			13)			23)		
4)			14)			24)		
5)			15)			25)		
6)			16)			26)		
7)			17)			27)		
8)			18)			28)		
9)			19)			29)		
10)			20)			30)		

1. Project Examples, Last 5 Years

Profile Code	"F", "C", "JV", or "IE"	Project Name and Location	Owner Name and Address	Cost of Work (in thousands)	Completion Date (Actual or Estimated)
		1			
		2			
		3			
		4			
		5			
		6			
		7			0048

STANDARD FORM 254 (REV 10-83)

02/26/91 18:26 ☎202 0595 EMBASSY OF KORE ☑012

'91-02-27 08:09 LENINPROTOCOL 137 P12

11-689

	21			
	22			
	23			
	24			
	25			
	26			
	27			
	28			
	29			
	30			

12. The foregoing is a statement of facts

Signature: ______________ Typed Name and Title: ______________

Date:

0049

489-12

Experience Profile Code Numbers for use with questions 10 and 11

001 Acoustics; Noise Abatement
002 Aerial Photogrammetry
003 Agricultural Development; Grain Storage; Farm Mechanization
004 Air Pollution Control
005 Airports; Navaids; Airport Lighting; Aircraft Fueling
006 Airports; Terminals & Hangars; Freight Handling
007 Arctic Facilities
008 Auditoriums & Theatres
009 Automation; Controls; Instrumentation
010 Barracks; Dormitories
011 Bridges
012 Cemeteries *(Planning & Relocation)*
013 Chemical Processing & Storage
014 Churches; Chapels
015 Codes; Standards; Ordinances
016 Cold Storage; Refrigeration; Fast Freeze
017 Commercial Buildings *(low rise)*; Shopping Centers
018 Communications Systems; TV; Microwave
019 Computer Facilities; Computer Service
020 Conservation and Resource Management
021 Construction Management
022 Corrosion Control; Cathodic Protection; Electrolysis
023 Cost Estimating
024 Dams *(Concrete; Arch)*
025 Dams *(Earth; Rock)*; Dikes; Levees
026 Desalinization *(Process & Facilities)*
027 Dining Halls; Clubs; Restaurants
028 Ecological & Archeological Investigations
029 Educational Facilities; Classrooms
030 Electronics
031 Elevators; Escalators; People-Movers
032 Energy Conservation; New Energy Sources
033 Environmental Impact Studies, Assessments or Statements
034 Fallout Shelters; Blast-Resistant Design
035 Field Houses; Gyms; Stadiums
036 Fire Protection
037 Fisheries; Fish Ladders
038 Forestry & Forest Products
039 Garages; Vehicle Maintenance Facilities; Parking Decks
040 Gas Systems *(Propane; Natural, Etc.)*
041 Graphic Design
042 Harbors; Jetties; Piers; Ship Terminal Facilities
043 Heating; Ventilating; Air Conditioning
044 Health Systems Planning
045 Highrise; Air-Rights-Type Buildings
046 Highways; Streets; Airfield Paving; Parking Lots
047 Historical Preservation
048 Hospital & Medical Facilities
049 Hotels; Models
050 Housing *(Residential, Multi-Family; Apartments; Condominiums)*
051 Hydraulics & Pneumatics
052 Industrial Buildings; Manufacturing Plants
053 Industrial Processes; Quality Control
054 Industrial Waste Treatment
055 Interior Design; Space Planning
056 Irrigation; Drainage
057 Judicial and Courtroom Facilities
058 Laboratories; Medical Research Facilities
059 Landscape Architecture
060 Libraries; Museums; Galleries
061 Lighting *(Interiors; Display; Theatre, Etc.)*
062 Lighting *(Exteriors; Streets; Memorials; Athletic Fields, Etc.)*
063 Materials Handling Systems; Conveyors; Sorters
064 Metallurgy
065 Microclimatology; Tropical Engineering
066 Military Design Standards
067 Mining & Mineralogy
068 Missile Facilities *(Silos; Fuels; Transport)*
069 Modular Systems Design; Pre-Fabricated Structures or Components
070 Naval Architecture; Off-Shore Platforms
071 Nuclear Facilities; Nuclear Shielding
072 Office Buildings; Industrial Parks
073 Oceanographic Engineering
074 Ordnance; Munitions; Special Weapons
075 Petroleum Exploration; Refining
076 Petroleum and Fuel *(Storage and Distribution)*
077 Pipelines *(Cross-Country—Liquid & Gas)*
078 Planning *(Community, Regional, Areawide and State)*
079 Planning *(Site, Installation, and Project)*
080 Plumbing & Piping Design
081 Pneumatic Structures; Air-Support Buildings
082 Postal Facilities
083 Power Generation, Transmission, Distribution
084 Prisons & Correctional Facilities
085 Product, Machine & Equipment Design
086 Radar; Sonar; Radio & Radar Telescopes
087 Railroad; Rapid Transit
088 Recreation Facilities *(Parks, Marinas, Etc.)*
089 Rehabilitation *(Buildings; Structures; Facilities)*
090 Resource Recovery; Recycling
091 Radio Frequency Systems & Shieldings
092 Rivers; Canals; Waterways; Flood Control
093 Safety Engineering; Accident Studies; OSHA Studies
094 Security Systems; Intruder & Smoke Detection
095 Seismic Designs & Studies
096 Sewage Collection, Treatment and Disposal
097 Soils & Geologic Studies; Foundations
098 Solar Energy Utilization
099 Solid Wastes; Incineration; Land Fill
100 Special Environments; Clean Rooms, Etc.
101 Structural Design; Special Structures
102 Surveying; Platting; Mapping; Flood Plain Studies
103 Swimming Pools
104 Storm Water Handling & Facilities
105 Telephone Systems *(Rural; Mobile; Intercom, Etc.)*
106 Testing & Inspection Services
107 Traffic & Transportation Engineering
108 Towers *(Self-Supporting & Guyed Systems)*
109 Tunnels & Subways
110 Urban Renewals; Community Development
111 Utilities *(Gas & Steam)*
112 Value Analysis; Life-Cycle Costing
113 Warehouses & Depots
114 Water Resources; Hydrology; Ground Water
115 Water Supply, Treatment and Distribution
116 Wind Tunnels; Research/Testing Facilities Design
117 Zoning; Land Use Studies
201 ____________
202 ____________
203 ____________
204 ____________
205 ____________

0050

전후 복구사업 범위:

Damage Assessment, Planning, Studies, Programing
Preparation of final Designs and Specifications,
Cost Estimates, Construction Schedules, Geotechnical
Services and Topographic Surveys, and other services
required to procure competitive construction bids
for restoration of infrastructure
roads, bridges, harbors, piers,
public buildings, housing

complexes, airports, school facilities, hospitals
facilities, chemical processing facilities, religious
facilities, communication systems, computer facilities,
dams, desalinization water plants, fire protection,
industrial facilities, industrial waste treatment
plants, irrigation systems, power generation facilities,
correctional facilities, rail-road systems, waterway
structures, security systems, and utility systems
in Kuwait.

자격 요건

(1) Registered Professional Architects and Engineers with technical expertise and recent experience in design of similar facilities

(2) Adequacy of Internal Quality Assurance Plan for Design Management

(3) Staff Size (minimum prime firm/JV, 100 persons with distribution of a minimum of 2 professionals in each of the Architectural, Civil, Electrical, Mechanical, and Structural Disciplines) and capability to meet possible accelerated design completion schedules

(4) Specific experience in the design of facilities, systems and structures listed above

(5) Prior experience in overseas propects for the U.S. Government preferably in the Middle East and/or Kuwait

(6) Recent experience in the use of the Corps of Engineers Computer Aided Cost Estimating System

(7) Volume of work previously awarded to the by the DOD.

677-13 끝

0051

INPROTOCOL

관리번호	91-139

원 본

외 무 부

종 별 : 지 급

번 호 : GEW-0509　　　　일 시 : 91 0226 1830

수 신 : 장관(경이) 사본:주독대사, 건설부장관

발 신 : 주 독 대사대리

제 목 : 걸프지역 전후 복구참여 문제

대:WGE-0210, 해외 30600-13-354(건설부)

1. 걸프전후 복구사업에 대한 주재국 정부및 경제계는 아직 확고한 계획이나 입장을 취하지 않고 있으며, 경제부 관계관은 전쟁의 진행과 결과의 가시적 예견이 정립되는대로 군사적, 정치적, 경제적으로 전후처리문제가 정립될 것으로예견하고 2.26. 브라셀 EC 집행위 회의후 독일의 참여계획이 구체적으로 토의될 것으로 예상된다함

2. 당지 언론계에 비춰진 전후 복구사업 전망에 관하여 아래 보고함

- 대부분의 전후 복구사업 참여에 미.영. 불이 차지하고 독일의 사업참여 기회가 미미할 것으로 봄

- 쿠웨이트 복구에 1,000 억 달러가 소요되고 전후 3 개월내에 450 억 달러상당의 PROJECT 가 시행될 것임

- 쿠웨이트 망명정부는 복구계획을 수립중이며 미.영. 불에 호의적임에 반하여 독일.일본에 냉담함

✓ - 독일.일본은 직접 참전하지 않음으로 이락 전후복구에 유리할 것임

- 쿠웨이트 복구사업지도자 SHAHEEN 은 200 개의 전후 복구사업 계약을 체결하였다하는바, 그중 70 프로는 미국기업이 차지하고 있다함

- 쿠웨이트는 미 공병대에게 4.5 백만불 상당 전기.수도.긴급통신 시설 복구를 의뢰 하였다함.

- 쿠웨이트의 연간 원유세입이 70-90 억 달러가 되기까지는 다소 시간이 소요될 것으로 전망(현재 해외재산은 800-1,000 억불로 추산)

- 미국이 참여가능한 사업

0 RAYTHEON(PATRIOT 로켓트 생산회사(982): 쿠웨이트 공항복구 57 억불

경제국	장관	차관	1차보	중아국	청와대	건설부	, 주독대사

0052

PAGE 1

공람	국제경제국	년 월 일	담당	과장	심의관	국장	차관보	차관	장관

91.02.27　19:57

외신 2과　통제관 CA

0 MOTOROLA: 통신망

0CATERPILLAR : 디젤발전기

0 BECHTEL: 건설

0 석유회사: 1,000 여개의 유정및 정유시설 복구수리

- 불란서 참여 가능사업

0 불란서는 이락에 83 억 마르크의 채권이 있으므로 이락의 전후 복구에 유리함

0 ALCATEL : 통신망

0 ELF: 원유및 정유

0 USINOR-SACILOR : 철강

0BOUYGUES SPIE, BATIGNOLLES: 건축및 산업기술

-독일기업의 견해

0 ESSEN 소재 HOCHTIEF 주식회사는 전쟁이 끝난후에야 재건에 관하여 거론할수 있음. 전쟁종결의 형태가 중요함. 즉 후세인이 권력을 계속 장악하고 있는한 서방국가는 이락재건에 차관보증을 하지 않을 것임

0 또한 프랑크푸르트 소재 독일유수 건설회사 PHILIPP HOLZMAN 주식회사 대변인은 "독일의 건설산업의 우수한 질이 말할수 있다"라고 말함으로서 전후 복구사업에 독일의 참여가능성을 간접적으로 시사함. 끝

(대사대리 안현원-국장)

예고:91.12.31. 까지

검토필(1991.6.30.)

91 12 31

원 본

관리 번호 91/2042

외 무 부

종 별 : 지 급

번 호 : CPW-0090(HKW-0814) 일 시 : 91 0227 1730

수 신 : 장관(친전)

발 신 : 주 북경 대표

제 목 : 걸프전후 복구사업

표제건 관련, 혹시 장관님의 참고가 되실까 하여 소직의 사견을 아래 올립니다

1. 우리정부가 공공연하게 걸프전후 복구사업 참가구상 및 계획을 검토하는것은 중동 각국뿐만아니라 우방국에 대해서도 본의아니게 오해를 초래하거나, 진의를 곡해받을 우려가 있음

2. 막대한 인명상실을 무릅쓰고 세계평화를 위한 전쟁이 치열하게 진행중에있는 이 시기에 한국측이 솔선해서 전쟁에 본격적으로 참가하는 일은 기피하면서도 70 년대의 중동 BOOM 을 통해 누린 이득을 또다시 노리는 일에 서둘러 나선다면 국제사회에 '경제동물' 이라는 타산적 이미지로 비춰질 우려가 있음

3. 따라서 전후 복구사업 참여계획 논의는 민간차원에서 하도록 하고 정부는 표면적으로 관여치 않는 입장을 취하는것이 옳은것으로 사료됨

4. 전후 복구사업은 민생구호, 공공시설, 민간주택및 기타 시설의 복구, 그리고 쿠웨이트 등의 군비재건등으로 나누어볼수 있는데, 각 항목별로 엄청난 자금이 소요될것인바, 소직의 견해로는 전후 일본을 위시한 경제적으로 여력이 있는 국가들에게 각종 복구사업의 자금갹출을 포함한 지원을 강요하는 방식으로 복구사업이 진행될 공산이 큰것으로 보임

5. 미국등 참전국의 눈에는 아국이 걸프전에 적극적으로 군사적 지원을 하지않는 나라로 비치고 있는 것이 사실이므로 전후 복구에 일본처럼 아국에 대해서도 과중한 재정적 부담을 강요할것으로 예상되는바, 이시점에서 아국정부가 전후복구에 적극적 자세를 보인다는것은 상대방에게 미리 언질을 주는 자승자박적인 결과가 될 위험이 있는것으로 보임

6. 만약 필요하시다면 소직명의를 인용, 상기 의견을 활용하셔도 좋을것임.끝

(대표 노재원-장관)

장관

PAGE 1 91.02.27 22:41

외신 2과 통제관 CW

0054

예고:91.12.31. 일반

검 토 필(1991. 6. 30)

PAGE 2

0055

관리 번호	91-1776

원 본

외 무 부

종 별 :

번 호 : FRW-0701 일 시 : 91 0227 0900

수 신 : 장관(중근동,경이,구일,사본:건설부)

발 신 : 주 불 대사

제 목 : 주재국의 대 IRAQ 미수금

이라크는 GULF 사태 이전, 주재국의 제 3 위 원유공급 국가였고, 주재국은 무기수출 및 토목건설 분야에서 IRAQ 의 제 2 위 협력대상국으로서 긴밀한 경제관계를 유지하여 왔는바, 표제관련 주재국 정부기관 및 업계등의 분석내용 아래 종합 보고함.

1. 미수금 현황

가.74 년 이래 누적된 대이라크 미수금 총액은 원리금 합계 290 억프랑에 달하며, 현재로서는 동 미수금 회수가 거의 불가능한 상태인바, 전후 주재국이 이라크 복구사업에 참여키 위해서는 당분간 미수금 지불을 이라크측에 종용할수도 없는 실정임.

나. 동 미수금의 대부분은 국영수출 보험공사에 대한 재정지원등 정부차원에서 해결할수 밖에 없어, 결국 국민의 부담으로 귀착될것임.

-특히, 불란서 국민은 이라크에 판매한 무기대금 및 동 무기파괴를 위한 전비를 동시에 부담하는 결과를 초래함.

2. 미수금 내역

0 총액:290 억프랑

-원금:250 억프랑(군사분야:140 억프랑, 민간분야 대형 PROJECT:110 억프랑)

-이자:40 억프랑

0 중수금 정부보증 현황

-COFACE(국영 수출보험공사) 보증액:190 억프랑

-COFACE 보증이 없는 기업체 또는 상업은행 부담액:100 억프랑

0 현재 대이라크 보증액이 전체 COFACE 보증액의 25 프로 점유

3. 정부보증 미수금 누적배경

0 74 년 CHIRAC 수상의 이라크 방문및 75 년 HUSSEIN 대통령의 방불시 BAGDAB

중아국 건설부 장관 차관 1차보 2차보 구주국 경제국 청와대 안기부

PAGE 1

91.02.27 22:50

외신 2과 통제관 CH

0056

공항건설(현재까지 20 억프랑 미회수)등 대형 PROJECT 추진 합의

0 80 년 IRAN-IRAQ 전 발발시 165 억프랑 수준에 도달하였으나, 불 정부는 이라크의 지불능력에 대한 신뢰를 견지하여 83 년 227 억프랑으로 확대

0 86 년 187 억프랑으로 축소(무기대금 일부를 원유로 상환) 되었으나, COFACE 보증 중단

0 88 년 215 억프랑으로 확대(86 년 CHIRAC 수상 재집권 이래 무기수출에 대해서도 정부보증 개시)

0 88.6. IRAN-IRAQ 전 종료이후 주재국의 이라크 복구사업 불참 및 이라크 측의 소극적 태도로 사실상 미수금 회수 불능사태 초래

0 91 년 190 억프랑 도달. 끝.

(대사 노영찬-국장)

예고:91.12.31. 까지

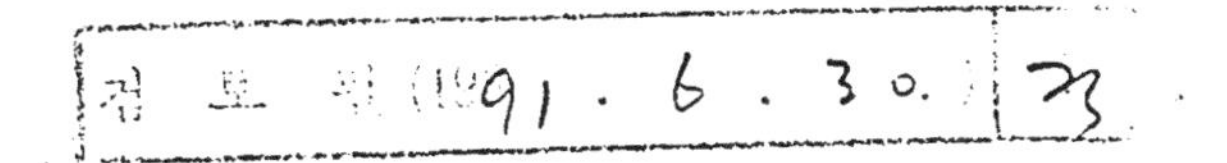

외 무 부

암호수신

종 별 :

번 호 : ECW-0197 일 시 : 91 0227 1630

수 신 : 장관 (구일,중동일,경일,통이,동구일,건설부)

발 신 : 주 EC 대사

제 목 : GULF 전후 복구사업

1. 2.27. C.CAPORALE EC 집행위 아랍국가 담당관에 의하면 GULF 전쟁 전후 복구문제와 관련, 쿠웨이트등 전쟁 피해국에 대한 EC 차원의 무상원조 형태의 재정지원은 고려치 않고 있으며, EC 회원국의 기업등이 전후복구 사업에 응분의 기여와 참여를 하게 되기를 희망한다고 말함

2. 동인은 전후복구 사업에 적극적으로 참여하기를 희망하는 EC 기업들이 쿠웨이트의 도로정비, 파괴된 고속도로 연결, 수도, 전기보수, 항구및 공항재개등 긴급 복구사업과 관련, 망명 쿠웨이트 정부가 이미 미국과 단독으로 계약을 체결한데 대하여 불만을 표시하고 이러한 초기단계의 관행이 앞으로도 계속될 것에 대하여 심각한 우려를 표하고 있다함

3. 동인은 금번 GULF 전쟁에 있어 미국의 역활로 비추어볼때 미국회사들이 전후 복구사업에 주도적으로 참여하는것은 당연한 일로 볼수 있겠으나 동 전쟁의두번째 기여국인 영국을 비롯, 프랑스, 이태리등 EC 국가들의 기여에 상응한 복구사업 참여가 보장돼야 할것이라고 강조하고, 이러한 EC 측의 의사를 망명 쿠웨이트 정부및 미국정부에 이미 전달한바 있다고 언급하면서 소련이 비록 직접적인 파병이나 재정지원은 하지 않았으나 GULF 사태에 관한 UN 안보리결의를 일관성있게 지지해왔고 또한 성의있게 평화제의를 내는등 나름대로의 기여를 하고 있음으로 전후 지역안보 기구 설치를 비롯한 동지역 신질서 구축과정을 비롯, 특히복구사업에 어떠한 형태로든 참여할수 있도록 기회를 특히 부여하는 것이 바람직하다고 말함. 끝

(대사 권동만-국장)

구주국 건설부	장관	차관	1차보	구주국	중아국	경제국	통상국	청와대

PAGE 1

91.02.28 05:29
외신 2과 통제관 CW

0058

관리번호	91-1277

외 무 부

종 별 :

번 호 : ITW-0311 일 시 : 91 0227 1700

수 신 : 장관(경일,구일,중근동,기정,국방부,건설부)

발 신 : 주 이태리 대사

제 목 : 걸프지역 전후 복구 언론보도

대:해외 30600-13-354

걸프전 종전후 쿠웨이트, 이락 전후 복구사업 관련 주재국 언론 보도를 종합 요약 보고하니 참고 바람.

1. 쿠웨이트

가. 주요 복구대상: 유전 HOLE 1 천여개(이중 현재 반정도가 연소중이며 원상복구에 2,3 년 이상 소요)및 정유시설 피해 수리, 70 프로가 파괴된 쿠웨이트시의 복구(도로, 건물등)

나. 복구비용 소요및 자금 조달

0 쿠웨이트 정부, 향후 5 년간 600 억불이 소요될 것으로 추정(확대시 1,000억불)- 유전 HOLE 및 정유시설 수리에만도 100 억불 소요예상

0 복구자금은 영국, 스위스 은행에 예치된 자금및 금(약 1 천억불)에 의존하나 국제금융및 대이락 배상청구도 고려하고 있음.

다. 복구계획: SALAUMAN MUTAWA 기획장관 주재 쿠웨이트 재건위원회를 설치3 단계 복구계획을 추진중임.

0 1 단계: 미.영측 동결 쿠웨이트 자산동결 해제 (2.25. 해제됨)

0 2 단계: 의료및 통신망 재개, 식수및 식품 공급, 정부수복

0 3 단계: 재건 5 개년 계획추진(사회기간산업, 병원, 도로망, 생산시설등 재건)

라. 외국의 복구사업 참여 움직임.

0 쿠웨이트 입장: 사업 참여 대상 선정 명분을 군사적 지원 보상에 둠. 특히 미국을 중심으로 영국, 사우디등의 참여를 우선시키고 있음.

- 미국

0 90.10 월부터 쿠웨이트와 복구사업을 상담해왔으며 200 개 사업중 약 70 프로

경제국 장관 차관 1차보 구주국 중아국 청와대 안기부 국방부 건설부

91.02.28 05:42
외신 2과 통제관 CW

0059

사업을 미국과 이미 계약 체결함.

백악관에 쿠웨이트 복구사업 조정반이 설치됨.

0 사업 참여 주요 업체: RED ADAIR (유전 HOLE 복구), O'BRIEN GOINS SIMPSON(유전시설), RAYTHEON(항공통제시설), IBM(콤퓨터), MOROTOLA (휴대용전화), CATERPILLER (제너레이터), BECHTEL, FLUOR CORP 및 PARSONS 사 (건설), 기타 DRESSER, HALLIBURTON, SCHLUMBERGER, SINTEX 사등

- 영국: 쿠웨이트측으로부터 다소 입찰참여 호혜는 받고 있으나 우려하는 입장임.

- 사우디: 도로 및 파괴물 청소, 위험건물 붕괴작업등에 참여 결정 (2.25. 일 5 건 58 백만불 계약체결)

- 여타국

0 유럽국은 쿠웨이트측이 사업참가 대상 결정에 있어 편견과 차별이 있음에불만, 비난도 표시함.

0 이태리등 일부국가는 MULTINATIONAL POOL 콘소시엄을 스위스나 오스트리아에 설치 운영할것을 제안함.

0 독일.일본은 미온적인 전쟁 참가로 쿠웨이트측의 비난을 받아, 쿠웨이트복구 사업에 적극 참여는 기대키 어려움.

2. 이라크

가. 주요복구대상: 다국적군 공격으로 파괴된 도로, 활주로, 통신시설, 공공건물, 민간주택, 대부분의 교량, 바소라 항만시설, 유전시설및 산업시설

나. 복구비용 소요및 자금조달

0 향후 10 년간 1 천억내지 2 천억불이 소요될 것으로 추정

0 자금조달방안으로 미국안인 중동재건은행을 설치(사우디 60 프로 참여)이락복구 마살계획을 시행하는 방안등이 거론되고 있음. 끝

(대사 김석규-국장)

예고:91.12.31. 까지

검 토 필(1991 . 6 30 .) 기

PAGE 2 9

0060

관리번호	91-1380

원 본

외 무 부

종 별 : 지 급

번 호 : USW-0959 일 시 : 91 0227 1728

수 신 : 장관(중동1,미북,경이,대책반,건설부)

발 신 : 주 미 대사

제 목 : 쿠웨이트 전후 복구

대:WUS-0627

쿠웨이트 전후 복구와 관련 당관이 파악한 사항 및 당지 주요 언론 보도를 종합하기 보고함.

1. 쿠웨이트 긴급 재건 프로젝트(KERP)

0 현재 KERP 와 접촉을 시도중이나 동기구에서는 외부의 접촉 요청을 기피하고 있는 상태이며(비서를 통해 멧세지를 남기라하고 회전을 하지 않는 등), 언론 보도에 의하면 쿠웨이트 망명 정부는 동기구 본부를 사우디 담망 으로 이전하고 현재 워싱턴에는 동기구의 실무 작업팀만이 활동하고 있는 것으로 알려지고 있음.(동 이동사실은 당지 KOTRA 에서도 확인한바 있음.)

0 동기구의 책임자는 IBRAHIM-AL-SHAHEEN 로서 동인은 현재 사우디 담맘 소재 OBEROI 호텔내에 위치한 쿠웨이트 망명정부의 기획부(PLANNING MINISTRY)본부에서 각종 긴급 복구 관련 계약을 상담, 체결하고 있는 것으로 보도됨.

0 동기구의 임무는 쿠웨이트 해방과 동시에 긴급 복구사업(복구, 보건, 위생, 의료시설, 전기, 전화, 상하수도, 주거시설 복구등)을 추진하는 것으로 알려져 있으며 장기 재건 계획은 종전후 피해 규모, 소요내용등을 파악한후 추진될것으로 예상됨.

2. 쿠웨이트 전후 복구 관련 당지 언론 보도 종합

0 현재 당지 전문가들 및 쿠웨이트 망명 정부 관리들은 쿠웨이트 전후 복구사업에 5 년간 약 600 억불에서 1,000 억불 정도가 소요될것으로 추정하고 있으나, 현재 쿠웨이트 정부는 쿠웨이트 해방후 3 개월간의 긴급 복구 사업 (총 8 억-10 억불 규모)에 중점을 두고 있음.

0 쿠웨이트 정부 관리들은 쿠웨이트 재건 계획과 관련된 각종 공사 계약 체결시 전쟁 노력(WAR EFFORT)에 기여한 걸프전 참전 연합국의 업체를 우선적으로 고려할

중아국	장관	차관	1차보	2차보	미주국	경제국	청와대	안기부
건설부	건설부							

PAGE 1

91.02.28 08:14

외신 2과 통제관 BW

0061

것이라고 언급하고 있으며, 주요 언론들은 실제로 쿠웨이트 정부는 영토 회복후 90 일간의 긴급 복구 사업의 계획 입안 및 감독 업무에 관한 계약을 미 육군 공병대(U.S. ARMY CORPS OF ENGINEERS)와 4,500 만불에 체결하였고 현재까지 체결된 200 건 이상의 복구 사업관련 계약(대부분 물자조달계약)중 약 70%가 미국 업체에게 돌아갔다고 보도하고 있음.

0 이와관련, 미국을 제외한 일부 연합국, 특히 영국측이 불만을 나타낸것으로 알려지고 있으며, 영국의 HURD 외상은 영국의 업체대표단을 인솔, 쿠웨이트 망명 정부가 소재한 사우디 TAIF 시를 방문, 자국업체의 보다 많은 참여를 요청한것으로 보도됨. 전통적으로 이라크에 중점을 두어온 프랑스는 아직까지 이렇다할 수주 활동을 보이지 않고 있으나 미국.영국의 적극적인 활동으로 수주기회를 상실하지 않을까 우려하고 있다함.

한편 다국적군에 참여하지 않은 일본은 쿠웨이트 복구사업보다는 이라크 복구사업에 관심을 가지고 있는것으로 현지 전문가들은 보고 있으나 쿠웨이트의 KERP 책임자인 AL-SHAHEEN 은 최종단계에서 일본의 참여를 배제하지 않고 있음. 일부 전문가들은 일본이 단독 참여보다는 미국의 대형업체와의 합작사업을 통해 참여를 모색할 것으로 보고 있음.

0 또한 당지 언론들은 이집트도 전후 복구 사업 참여를 희망하고 있으며, 특히 도로, 발전소 건설등의 경험이 있는 한국업체들도 수주활동을 위해 사전 답사팀을 파견했다고 보도함.

0 쿠웨이트 장기 복구 계획은 피해규모 및 소요재원이 파악되지 않은 상태에서 아직까지 구체화된것이 없으나 쿠웨이트 정부는 복구 사업 재원 마련에 필수적인 원유 생산 및 정유시설의 복구에 최우선을 둘것으로 예상되며 이와관련 쿠웨이트 관리는 동 시설의 재가동을 위해 과거 동 시설 건설에 참여했던 업체들로부터 도움을 모색하고 있다고 언급한 것으로 보도됨.

0 장기 복구 계획과 관련, 특히 원유생산 및 정유시설 복구와 관련, 당지 언론이 보도하고 있는 참여 가능성이 높은 업체는 아래와같음.

-BECHTEL GROUP IN.(현지 언론은 동사의 중동지역에서의 공사 경험에 비추어 PRIME CONTRACTOR 로 선정될 가능성이 높다고 함.)

-FLOUR CORP.(원유 생산 및 정유 프로젝트 담당)

-PARSONS CORP.(쿠웨이트에서 30 년간 영업 활동을 한 건축회사)

PAGE 2

0062

-DRESSER
-SCHLUMBERGER LTD.
-PARKER DRILLING CO.
-FMC CORP.
3. 동건 상세 파악되는 대로 추보 예정임.
(대사 박동진-국장)
예고:91.12.31 까지

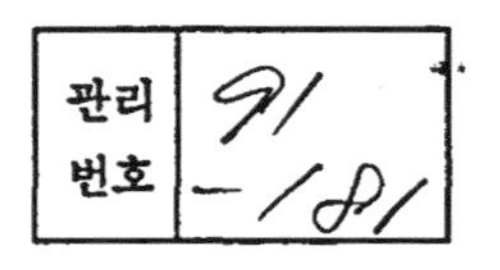

외 무 부

종 별 : 긴 급

번 호 : USW-0969 일 시 : 91 0227 1917

수 신 : 장관(미북,중동 1, 미안,경이,구일)

발 신 : 주 미 대사

제 목 : 국무부 정례 브리핑중 걸프 사태 관련 부분

1. 금 2.27 국무부 정례 브리핑시 TUTWILER 대변인 언급 내용중, 걸프 사태관련 주요 부분을 하기 요지 보고함(USW(F)-0706 으로 발췌 송부)

가. 주 쿠웨이트 미국 대사 임지 복귀

-현재 계획으로는 주 쿠웨이트 미국 대사가 명일중 임지 복귀토록 할 예정임(쿠웨이트 국왕등 쿠웨이트 정부 고위층의 복귀 시기는 상금 미정)

나. 쿠에이트 복구 사업 참여 문제

-미군 공병단(CORPS OF ENGINEERS)이 쿠웨이트내 교통 시설및 각종 공공 시설의 긴급 복구 수리 사업 관련, 쿠웨이트정부와 계약을 체결하였는바, 각 관련 업에체 다시 하청을 주고 있는것으로 알고 있음.

다. 미-영, 불, 독간 연쇄 외상 회담

-베이커 국무장관은 금일 HURD 영국외상과 회담을 가진데 이어, 명일은 DUMAS 불란서 외상과, 금요일은 GENSHER 독일 외상과 각각 연쇄 회담 예정인바, 전후 처리 문제 관련 4 대 부야(중동 지역 안보 장치 수립 문제, 군비 통제 문제, 아랍-이스라엘 문제, 경제 협력 문제)가 주 의제인것으로 알고 있음.

2. 한편, 금일 SCHWARZKOP 현지 사령관의 기자 회견 내용및 전기 베이커 장관의 연쇄 외상 회담 예정 사실등을 고려할때 미 행정부의 주 정책 관심 부야가 걸프 전쟁의 군사적 수행에서 전쟁 종결및 전후 처리 방안의 수립을 옮겨 가고 있는것으로 관찰되는바, 관련 동향 계속 보고 위계임.

(대사 박동진-국장)

91.12.31 까지

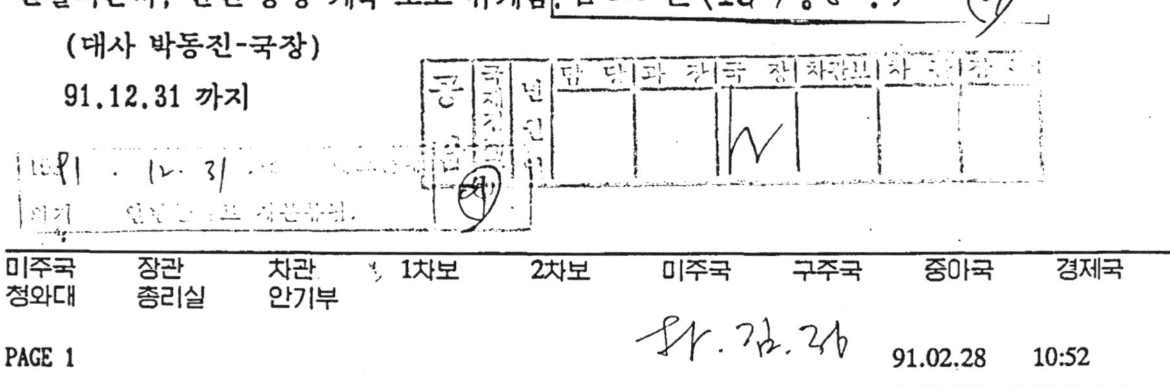

미주국 장관 차관 1차보 2차보 미주국 구주국 중아국 경제국
청와대 총리실 안기부

PAGE 1 91.02.28 10:52

외신 2과 통제관 BW

0064

91-02-28 09:14　　LENINPROTOCOL　　158 P01

번호 : USW(F) - 0706

수신 : 장 관(미북, 중동1, 아프, 경제(서지)) 발신 : 주미대사

제목 : 국무부 정례 브리핑 (걸프사태 관련 부분)　　(3 매)

STATE DEPARTMENT REGULAR BRIEFING
BRIEFER: MARGARET TUTWILER
12:15 P.M. (EST)/WEDNESDAY, FEBRUARY 27, 1991

MS. TUTWILER: Okay. Many of you all have been asking when the Emir and the legitimate government of Kuwait would be returned. There are still some uncertainties regarding the degree to which it is safe for senior levels of the Kuwait government and representatives of the foreign embassies to return.

The decision in this connection will be made by appropriate military commanders in consultation, obviously, with the Kuwaiti authorities.

Elements of the Kuwaiti authorities are already on the scene. They are in Kuwait City and are assisting military commanders in reestablishing orders and consulting with the Emir and his senior people.

So I don't have a time specific for you, but it is obviously something that they are very engaged in at this moment.

Concerning when our Ambassador Skip Gnehm would go back, of course we will be sending our United States Ambassador back, and we are planning to be able to return to our embassy Ambassador Skip Gnehm as early as tomorrow.

I would remind you that it is nighttime there in Kuwait City right now.

As far as who all will be going in with the Ambassador, he has assembled a -- what we refer to, as you know, a "country team." It is made up of representatives of several different agencies who have been there with him, working -- as many of you know, he's been working in Taif and in Riyadh. And they have been working for some time with their counterparts and appropriate Kuwaiti Ministers and other Kuwaiti government agencies.

The exact composition of the initial team that will be going in with the Ambassador depends to a
certain extent on the Kuwaiti government having their ministers back and their government back. But, initially, we would anticipate that the American team will initially be several dozen individuals. They

will obviously get the embassy up and running, and the embassy will be equipped to handle basic operations. Those, as you know, include political, economic, consular, public affairs, and administrative type of functions. And we do not have for you a thorough readout or overview of exactly what shape the embassy is in, but we do not have any information to tell us that it has been destroyed or anything like that.

0706-1　　91.2.28

0065

02/27/91　19:32　☎202 797 0595　　EMBASSY OF KOREA　　001

As far as yesterday I got a number of questions on what was the United States government doing in coordination with the Kuwaiti government on helping them, and as you know, our basic aim is to provide whatever technical support and advice the government of Kuwait asks of us. To do that, Ambassador Gnehm has held frequent high-level discussions with Kuwaiti officials over the past several months.

As part of our support, a task force of approximately 50 US civil affairs specialists belonging to the 352nd Civil Affairs Command have been consulting with the government of Kuwait and offering technical advice. The task force is working with military commander to restore emergency services, and will continue its efforts in support of the government of Kuwait once its senior leadership is back in place.

In addition, the Corps of Engineers has signed a contract with the government of Kuwait to perform emergency services and repairs in Kuwait for transportation facilities and public infrastructure. The 352nd Civil Affairs Command are offering advice and technical assistance, but are not involved in the actual negotiation of contracts. The Corps of Engineers group has been subcontracting under the terms of their contract with the government of Kuwait.

Contracts, it is my understanding, are negotiated and let by the government of Kuwait. US civil affairs advisors have not been involved, as I've said, with negotiations or contracts. The Corps of Engineers have solicited bids on their subcontracts from a number of international firms. I am aware that the government of Kuwait has signed a large number of contracts and I understand that a majority are with American firms, but that a large number are also with non-American firms.

AID -- several of you had asked me yesterday. There was some report that AID was preparing to send food to Kuwait. That is not a correct report. AID has been preparing contingency plans with its Office of Foreign Disaster Assistance for dealing with emergency civilian needs in the Gulf after the fighting has ceased. The projected areas of need include sanitation, public health, medical care, temporary shelter -- (clears throat) -- excuse me -- and other basic services. The full extent of these needs will obviously not be known until the war has ended and assessment teams are able to determine what type of assistance would be appropriate.

Excuse me -- (pause). On food. AID's Office of Food for Peace has also donated 29,000 metric tons of food to the United Nations world food program to assist the refugees and displaced who have fled to Jordan and Saudi Arabia. The value of this food aid is at $12.1 million.

On another subject that we had talked about yesterday -- POWs. I'd like to direct your attention to a press release that the International Committee of the Red Cross issued yesterday in Geneva. I will be happy to make it available to you afterwards, but I would like to highlight some of the things that it says. It says the ICRC is therefore sending additional staff to its delegation in Saudi Arabia to handle, as you know, we have thousands upon thousands of POWs.

0706-2 0066

The ICRC's visit to prisoners of war taking place in accordance with the provisions of the Third Geneva Convention relative to the treatment of prisoners of war. However, the ICRC has still not received any information concerning the prisoners of war captured by the Iraqi forces since August 2, 1990, and in military operations underway since January 17th, 1991. In spite of its numerous approaches, the ICRC has still not been notified by the Iraqi authorities of the identity of Kuwaiti prisoners and members of the coalition armed forces in their hands, nor has it been authorized to visit those prisoners in compliance with international humanitarian law. The ICRC hereby appeals to the authorities of the Republic of Iraq to take immediate action to remedy this serious situation, which constitutes a grave lack of respect of the third Geneva convention.

The last thing I will mention is several of you all have asked what was the purpose of Secretary Baker's meeting this afternoon with Foreign Minister Hurd, his meetings tomorrow with Foreign Minister Dumas, and Friday's meetings with Foreign Minister Genscher. Basically, it is as I stated yesterday. They will obviously be discussing the progress of the war, war termination issues, and they will obviously be consulting, beginning their consultative process on post-crisis issues.

And those four baskets, as you know, were laid out in quite some specifics by the Secretary of State in his testimony. The four baskets are arrangements -- security arrangements in the region, arms control and proliferation, Arab-Israeli issues, and economic cooperation in the region.

That's it.

0106-3

관리번호 91-182

원 본

외 무 부

종 별 :

번 호 : FRW-0721 일 시 : 91 0227 1840

수 신 : 장관(경이,중동일,구일,사본:건설부)

발 신 : 주 불 대사

제 목 : 쿠웨이트 전후 복구

대:WFR-0062

연:FRW-0703

주재국은 연초, 관민 혼성사절단의 사우디 파견에 이어 91.3. 월 중순경 쿠웨이트 복구위원회 대표단의 방불을 협의하는등 전후 쿠웨이트 복구사업 참여 움직임을 구체화하고 있는바, 표제관련 당관 파악내용 아래 보고함.

1. 피해현황 및 복구사업 참여동향 일반

가. 피해현황

0 유정 및 정유시설을 비롯, 일반건물과 교량등이 엄청난 피해를 입은것으로 보이나, 구체적인 피해범위와 규모 파악에는 수주일 이상이 소요될 것임.

나. 각국의 복구사업

0 프랑스: 지난 10 년간 2 회에 걸쳐 쿠웨이트공항 건설 및 현대화사업 타당성 조사를 수행한 PARIS AIRPORT 와 쿠웨이트에 송전시설을 공급한바 있는 EDF(국영전력공사), ALCATEL, FRANCE TELECOM 을 중심으로 공항, 전력 및 통신분야 참여를 추진중임.

0 미국:BECHTEL 은 정유시설 복구(1,000 억프랑으로 추산)의 최우선 PARTNER 로 지정되어 이미 담수화시설, 발전설비등을 입찰에 부친것으로 알려짐.

0 영국:BECHTEL 의 현지법인인 BECHTEL UK 를 통해 미국과 공동으로 복구사업 참여를 모색중이며,1 차로 미공병대 주관 90 일 긴급 복구작업에 46 백만불 규모 하청사업을 추진중임.

0 사우디:주로 파괴된 민간건물의 제거 또는 임시수리 및 건축자재 공급 참여 예상

2. 분야별 피해 및 복구사업 예상

가. 일반건축물 및 토목공사

경제국 장관 차관 1차보 구주국 중아국 청와대 안기부 건설부

PAGE 1

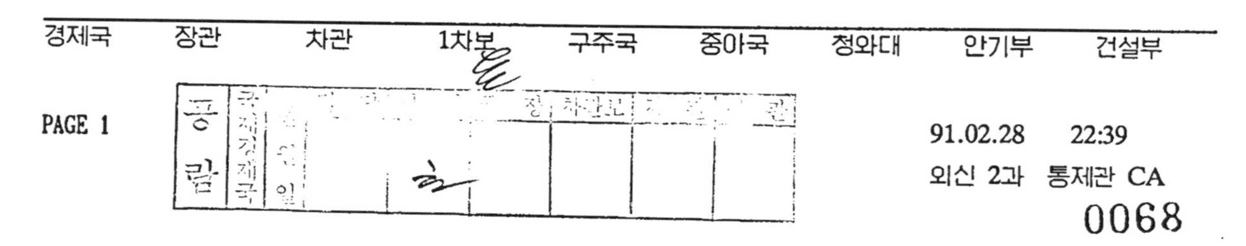

91.02.28 22:39

외신 2과 통제관 CA

0068

0 가장 시급한 교량복구는 교각 또는 교량파괴 양상에 따라 복구방법이 달라질 것이나 우선적으로 2 차대전 직후 프랑스가 사용한 철강재를 이용한 임시교량 구축 예상.

0 도로시설은 파괴된 부분만 보수하면 되나, 일반 건축물은 파괴정도에 따라 새로 건축하는 편이 나을경우도 있으므로 X-RAY 투시등 정밀조사후 복구 규모결정

나. 공항

0 활주로 복구는 비교적 손쉬우나 상. 하부 공항 시설물이 모두 파괴되었을경우, 신공항을 건설하는 편이 경제적임.

다. 전기시설

0 전기공사는 발전소와 송전시설이 70 프로 이상을 차질할 것임.

0 쿠웨이트는 인구 규모에 비해 상당수준(15 TERA WATT)의 전력 소비국이었는바, 전기시설 복구에 5-10 년에 걸쳐 200 억프랑이 소요될 것으로 추산됨.

라. 정유시설

0 전후복구의 가장 중요한 분야로서, 쿠웨이트측은 GCC 회원국에도 정유시설 복구를 위한 협조를 요청한바 있음.

0 현재 600 여개 이상의 유정이 파괴되어 시설복구에 앞서 진화작업이 약 1-2 년 정도 소요될 것으로 보임.(1 개 유정진화에 최대 6 주소요 예상)

0 원유의 재수출은 유정 복구와는 별도로 송유관, 항만, 해안 저장시설 복구 진척에 따라 결정될 것이나 최소 9 개월 정도 소요될 것임.

3. 쿠웨이트의 복구경비 조달문제

0 전문가들은 복구경비를 약 500 억불로 추산하나 피해범위가 확인되면 이보다 확대될 가능성이 있음.

0 쿠웨이트는 현재 약 1,000 억불의 해외자산을 보유한 것으로 알려지고 있으며, 복구사업 충당을 위하여는 자산매각 보다는 국제금융시장 또는 금융기구로부터의 차입 가능성이 크며 이와관련 주재국 CREDIT LYANNAIS 은행은 이미 쿠웨이트에 1 억 6 천만불 차관을 제공키로 함. 끝.

(대사 노영찬-국장)

예고:91.6.30. 까지

7h

쿠웨이트 복구사업

(미국 언론보도 종합)

長官, 次官, 次官補 報告畢

91. 2. 28. 3/1 기안

미 주 국

1. 복구사업 개요

가. 규 모

o 도로, 정유시설, 건물 등 복구에 향후 5년간 600억-1,000억불 소요 예상

o 최초 90일간 기본설비 긴급복구에 10억불 지출 예상

나. 계약체결 현황

o 현재까지 계약액은 약 8억불(약 200건)

o 이중 미국이 약 70% 차지

- 주요 계약사 : GM, Ford, Chrysler, Bechtel, Motorola, Caterpillar등

2. 쿠웨이트의 계약자 선정기준

o 경제적인 고려보다는 쿠웨이트 해방을 위한 외국의 노력에 감사한다는 도덕적 판단기준(moral stand) 적용

0070

3. 각국의 수주 노력

가. 주요 참전국

o 미 국

- 과거 쿠웨이트 건설 참여 실적, 걸프전쟁에서의 주도적 역할, 수주 과정에 있어서의 쿠웨이트 주둔 미군의 영향력 개입 등으로 인해 수주 경쟁에서 절대적 우세

- 슐츠 전 국무장관이 관여하고 있는 Bechtel사와 Kellogg Engineering 등이 대규모 수주 유망업체로 부상

o 영 국

- 대사관 수주 특별반 구성, 민관 수주 대표단 파견 등

o 프랑스

- 과거 이라크 건설 참여에 주력을 기울이고, 여타 걸프지역은 미.영 양국에 맡긴 연유로 쿠웨이트 복구사업 수주에는 상대적으로 열세

나. 기타 국가

o 일 본

- 걸프전쟁에 있어서 기대보다 미미한 지원을 한 것으로 쿠웨이트가 평가하고 있는 일본은 현재까지 수주 전선에 거의 나타나고 있지 않음.

0071

- 미국의 건설.기술 회사와 합작 추진 등 시도

o 독 일

- 과거 공급분중 파괴된 것의 대체 공급을 위한 계약 일부 체결

o 이집트

- 복구사업에 있어서의 건설.무역회사의 참여 강력 희망

o 한 국

- 과거 이라크와 쿠웨이트에서 도로, 공장, 발전소 등 건설 경험
- 복구사업 참여를 위하여 시찰단 파견. 끝.

0072

발 신 전 보

분류번호	보존기간

번 호 : WUS-0778 910228 1832 FD 종별 :

수 신 : 주 미 대사. /총영사

발 신 : 장 관 (중동일)

제 목 : 가칭 "중동 부흥개발은행" 창설 제의

베이커 주재국 국무장관은 2.7. 미상원 외교위 청문회에서 걸프전 종전후 중동지역 재건을 돕기위해 표제은행 창설을 제안한 것으로 보도된바, 동 제의의 내용등 관련사항을 파악 보고 바람. 끝.

(중동아국장 이 해 순)

미주국장 :
국제경제국장 :

보안통제	

앙고재	91년 2월 28일	중동1과	기안자 성명		과 장	심의관	국 장		차 관	장 관
							전결			

외신과통제

0073

원 본

외 무 부

종 별 : 지 급

번 호 : UKW-0560 일 시 : 91 0228 1930

수 신 : 장관(중동일,미북,구일)

발 신 : 주영대사

제 목 : 걸프사태

1. 메이저 수상은 금 2.28(목) 하원에서 연합군이 훌륭한 군사작전으로 승리를 거두었으며, 영국군병력은 가급적 조속한 시일내 귀국할 것이라고 말하는 한편, 이락이국제감시하에 모든 미사일과 대량파괴 무기를 파괴할 것을 요구함.

2. 여왕은 영국군이 신속한 승전에 결정적인 역할을 했다고 치하하고, 전사자의가족에 조의를 표했음.

3. 주 쿠웨이트 영국대사관은 2.28(목) 업무를 재개했으며, 금번 전쟁으로 16명의 영국군이 사망하고, 12명이 행방불명됨.

4. 허드외상은 2.27. 워싱톤에서 가진 기자회견에서 전후처리 주요문제로서 걸프지역 안보문제, 대량파괴 무기문제, 아랍.이스라엘 분쟁을 거론하고 요지 아래와 같이 말함.

가. 국제평화회의 개최안이 안보문제를 염두에 둔것이라면 이는 유엔안보리에서처리될 수 있으므로 별도의 대규모 회의가 필요한지 의문이나,아랍.이스라엘 분쟁을위해서는 어느정도 필요성이 있을 것으로 봄.

나. 다만, 어느 경우에도 어떠한 대규모 평화회의보다 개별적 문제를 위한 적절한 체제가 필요하다고 보며, 관계국 예컨데 아랍국, 이스라엘 및 팔레스타인 인들이 문제 해결을 위해 건설적으로 준비하는 노력이 중요하다고봄.

다. 사담의 장래는 이락인들이 결정할 것이나 이락을 통치하기에 적절하지 않은인물로 보며,경제제재는 만족스러운 평화가 정착될 때 까지 계속될 것임.

라. 배상문제에 관해서는 안보리 결의도 있는 바,이락의 석유수출 재개와 연계시켜 배상을 받는 방법을 생각할 수 있겠으나 구체적인 것은 결정된 바 없음.

마. 평화유지군 주둔문제는 이락정세의 발전에 달려있으나, 미.영. 또는 불란서는 지상군을 상당기간 주둔시키는 것을 바라고 있지 않음.

중아국	장관	차관	1차보	2차보	미주국	구주국	정문국	청와대
총리실	안기부							

PAGE 1

91.03.01 07:14 DQ

외신 1과 통제관

0074

바. 소련이 평화정착 과정에서 긍정적 역할을 수행할 것이라는데 대해 전적인 확신은 없지만 어느정도 낙관하고 있음.끝

(대사 오재희-국장)

0

0075

원 본

외 무 부

종 별 :

번 호 : ITW-0315　　　　일 시 : 91 0228 1810

수 신 : 장 관(중근동,미북,구일,기정,국방부)

발 신 : 주 이태리 대사

제 목 : 걸프종전 관련 주재국 동향(자응 91-29)

1. 주재국 의회는 금 2.28. 양원 합동 외무위를 개최 이태리의 참전 결과를 보고 받은바, 이자리에서 데 미켈리스 외상은 금번 전쟁 종료가 다국적군의 단합과 단결의 결과라고 하면서 만족을 표명함.

라말파 공화당 서기장등이, 이태리의 지상전 불참과 소규모의 군사 참여로 인한 미국의 불만을 지적한데 대해 동외상은 이로인한 미국과의 분열은 없으며 이태리는 적절한 전쟁 임무를 수행하였다고 답하고, 3.4.(월) 미국을 방문 부쉬대통령 및 베이커 국무장관과 면담할 것이라고밝힘.

2. 데 미켈리스 외상은 또한 금일 기자회견을 통해 지중해/ 중동지역 안보협력회의(CSCM)개최 필요성과 이를 위한 이태리 역할의 중요성을 강조하고, 동회의 개최를 유엔에 제의할 필요가 있다고 언급하였으며, 조만간 시리아, 이란, 쿠웨이트 그리고 바그다드를 방문예정이라고 밝힘.

3. 부쉬 대통령은 금일 안드레오띠 수상에게 멧세지를 보내, 걸프전기간중 상호협력하였듯 이전후 평화 구축과정에서도 긴밀히 협력할것을 요망하고 금번 걸프전 수행과정에서 미국과 이태리간에는 완전한 의견일치가 있었다고 강조함.

4. 한편 이태리 외무성은 조만간 쿠웨이트 주재대사를 귀임시킬 것이라 함.끝

(대사 김석규-국장)

중아국	장관	차관	1차보	2차보	미주국	구주국	정문국	청와대
총리실	안기부	국방부						

PAGE 1　　　　91.03.01 10:57 WG

외신 1과 통제관

0076

원 본

외 무 부

종 별 :

번 호 : HOW-0101 일 시 : 91 0228 1700

수 신 : 장 관(중근동,구일)

발 신 : 주 화란 대사

제 목 : 쿠웨이트 복구 사업

주재국 경제성 대변인 발표에 의하면, 화란 정부는 화란기업의 쿠웨이트 복구사업 참여 문제를 협의키위해 화란공식 사절단의 쿠웨이트 망명정부 방문 (다음주말)을 추진중이라고함. 동 사절단은 J.VELING 주 쿠웨이트 화란대사 및 2명의 외무성 고위관리로 구성될 예정이라하며, 금번 방문의 주된 목적은 쿠웨이트 복구를 위한 일차적인 사업 항목을 작성하는 길이라 함. 경제성측은 또한 화란업계에서도 정부와는 별도로 쿠웨이트 복구사업 참여를 위해 쿠웨이트 정부를 접촉중이라고 밝힘. 끝.

(대사 최상섭-국장)

중아국 1차보 구주국 정문국 안기부

PAGE 1

91.03.01 11:20 WH

외신 1과 통제관

0077

외 무 부

종 별 :

번 호 : NYW-0328 일 시 : 91 0228 1620

수 신 : 장 관(국경, 재무부국제금융국장)사본:미주국경유

발 신 : 주 뉴욕 총영사대리

제 목 : 걸프전쟁과 미국금융시장동향

대:WNY-0165

연:NYW-0170,0229,0276

1.중,장기 자본시장 동향

-걸프전이 2.27.자정 (미동부표준시간)을 기하여 휴전에 들어감에 따라 쿠웨이트와 이라크의 재건에 소요되는 자금의 조달문제가 금융시장의 주요관심사로 등장함.

-쿠웨이트의 경우 600억-800억달러 이상으로 추산되는 복구재원을 마련하기 위해 그동안 해외에 부자했던 자금을 회수할지 석유대금을 담보로 차입을 할지 분명치않으나 국제금융가용재원의 감소라는 점에서 그 효과는 마찬가지임.그결과 유럽계은행의 EC 통합과 동구권 재건을위한 투융자, 미국 일본은행의 자기자본적립으로인하여 자금부 족에 직면해 있는 국제금융시장에서 자금 경색이 더 심화 될것으로 우려되고있음.

-LOAN 시장에서도 걸프지역의 대출수요가 늘어나면 대주은행의 발언권이 높져 이미 오름세에있는 차관의 가산금리 (SPREAD)와 수수료율이 더상승할 것으로 보임.

-BOND 시장에서는 쿠웨이트가 처분하기 쉬운 재무성 증권이나 주식부터 매각할경우 시세 하락이 우려되기도 하나, 다른 한편으로는 조기 종전에 따른 유가하락과 경기회복의 촉진에 따라 현재의 활황이 좀더 계속될것으로 전망되고 있음.

그러나 미국의 금년도 재정적자 규모가 워낙큰데다, 경기회복에 따른 기업과 개인의 자금수요가 늘어날것으로 보여 금년 하반기에는 이러한 금리상승 요인이 현실로 나타 날 가능성이 큼.

-이러한 시장여건에 따라 우리나라 정부출자기관 (예:산은,수출입은)이 뉴욕시장에서 기채할경우의 예상 코스트는 기간별로 재무성증권의 수익률에 5년만기가 125-130BP, 10년만기가 140-145BP 정도 가산될것으로 추정됨.

경제국 미주국 재무부

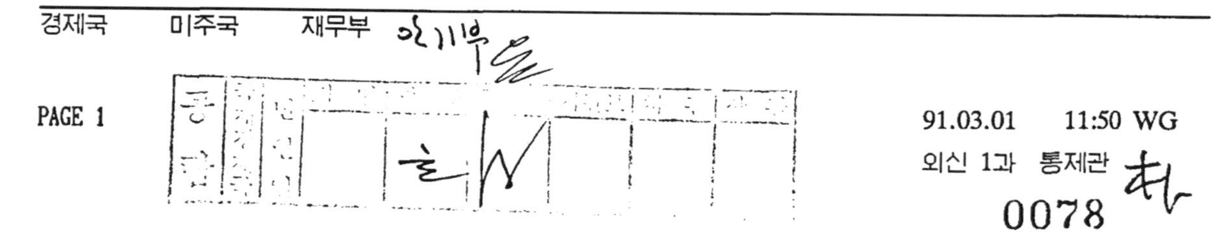

PAGE 1

91.03.01 11:50 WG

외신 1과 통제관

0078

2.주요 금리및 주가

- 전반적으로 강보합세 시현

2/22 2/27

FED FUNDS RATE 6.30 6.27 PERCENT

PRIME RATE 9.0-8.75 9.0-8.75퍼센트

LIBOR DOLLAR(3개월) 6.75 6.88 프로

TREASURY NOTE(10년) 7.91 7.99 프로

DOW JONES INDUSTRIAL(평균) 2889.36 2889.11 포인트

(총영사대리-국장)

정 리 보 존 문 서 목 록					
기록물종류	일반공문서철	등록번호	2021010219	등록일자	2021-01-28
분류번호	760.1	국가코드	XF	보존기간	영구
명 칭	걸프사태 : 전후복구사업 참여, 1991-92. 전6권				
생 산 과	중동1과/경제협력2과	생산년도	1991~1992	담당그룹	
권 차 명	V.4 1991.3월				
내용목차					

0001

관리번호	91-541

분류번호	보존기간

발 신 전 보

번 호 : WUS-0790 910301 2044 DA 종별 :

수 신 : 주 미 대사. 총영사

발 신 : 장 관 (미북)

제 목 : 걸프지역 복구 계획

1. 언론 보도에 의하면 미국 정부는 Robert Gates 백악관 안보담당 부보좌관을 중심으로 전후 걸프지역에서의 평화와 안정 회복을 위한 복구 계획을 거의 완료하였다 함.

2. 이와관련, 귀관은 미국의 전후 걸프지역 경제 복구 및 질서 재편 구상등을 가능한 한 파악 보고 바람. 끝.

(미주국장 반 기 문)

예 고 : 91.12.31.일반

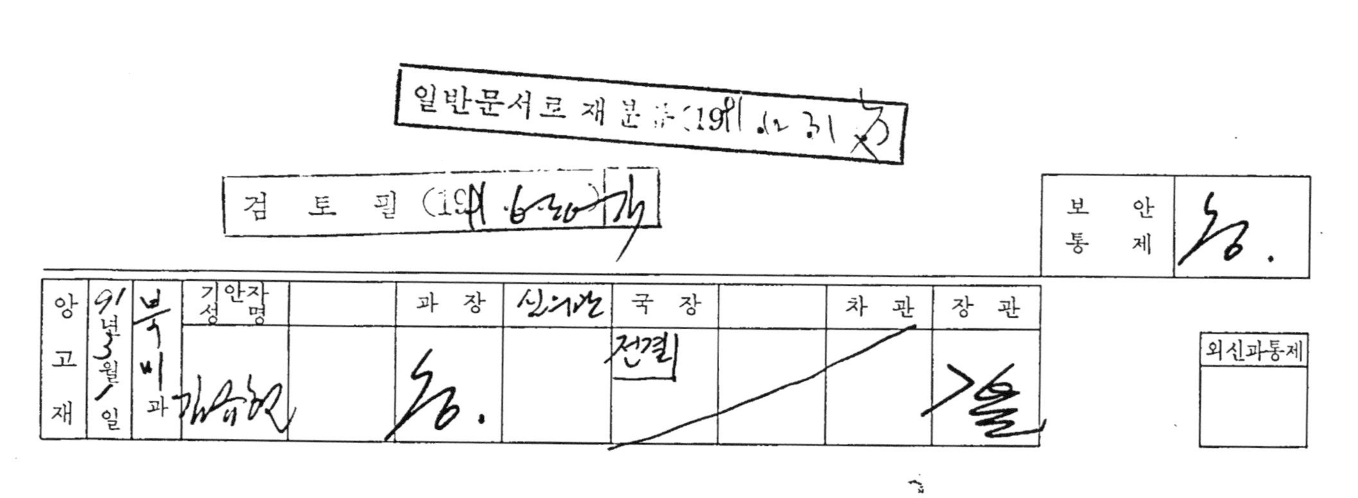

0002

중앙일보 3.2.

알 사바國王

쿠웨이트 복구 공사 韓國측서 기여 희망

알사바 쿠웨이트국왕은 2일 전후 복구사업 참여에대한 韓國기업들의 적극적인 관심을 환영하고, 韓國건설업체들이 중단된 공사를 조속히 재개할 수 있도록 협조하겠다고 우리 정부에 통보해 왔다.

외무부 당국자는 1일 세이크 사바 쿠웨이트 외무장관이 지난달 27일 망명정부 소재지인 사우디 타이푸에서 蘇秉用駐쿠웨이트대사와 만나 「전후복구공사의 대부분을 美國등 주요 서방다국적군국에 맡겼다」는 일부 외신보도를 부인하며 이같이 말했다고 전했다.

사바장관은 韓國교민들의 쿠웨이트 귀환문제와 관련, 앞으로 수주일동안 『쿠웨이트시내 지뢰제거등 안전조치가 완료된후 한국교민들의 조속한 귀환을 위해 협조하겠다』고 약속했다.

0003

조선일보 3.2.

쿠웨이트 복구工事 韓国업체 참여협조

사바外務장관

◇사바外務

쿠웨이트정부는 전후복구사업참여에 대한 韓国기업들의 적극적인 관심을 촉구하고, 한국건설업체들이 중단된 공사를 조속히 재개할 수 있도록 협조키로 약속했다고 외무부가 1일 밝혔다.

외무부당국자는 세이크 사바쿠웨이트 외무장관이 지난 27일(현지시간) 망명정부 소재지인 사우디 타이프에서 蘇秉用駐쿠웨이트대사와 만나 「전후복구공사의 대부분을 美国등의 나라에 맡겼다」는 외신보도를 부인하면서 이같이 밝혔다고 전했다.

사바장관은 韓国교민들의 쿠웨이트 귀환문제와 관련, 『앞으로 수주일동안 쿠웨이트시내 지뢰제거등 안전조치가 완료된후 한국교민들의 조속한 귀환을 위해 협조하겠다』고 밝혔다. 그는 또 쿠웨이트정부의 쿠웨이트市内 복구시기에 대해 「쿠웨이트정부는 늦어도 1주일내에 복구할수 있을것」이라고 말하고 『우방국대사관들은 안전문제등으로 쿠웨이트정부 복귀후 2~3주뒤에야 올 수 있을 것』이라고 덧붙였다.

부시-쿠웨이트王에 親電 盧대통령

盧泰愚대통령은 걸프戰 종료와 관련, 1일 부시 美대통령과 알 사바 쿠웨이트국왕에게 각각 親電을 보냈다.

盧대통령은 부시대통령에게 보낸 親電에서 『걸프사태이후 보여준 위대한 지도력은 세계가 냉전의 장벽을 허물고 화해와 협력의 21세기로 나아가는데 중요한 지표가 된 것』이라고 말했으며, 알 사바国王에게는 『쿠웨이트가 전쟁의 상흔을 씻고 조속한 기일내에 안정과 번영을 되찾게되기를 기원한다』고 밝혔다.

0004

서울신문 3.2

쿠웨이트 復舊사업 韓國업체 참여요청

사바外相, 蘇秉用대사와 면담

쿠웨이트정부는 1천억달러 규모로 예상되는 戰後복구사업에 韓國정부및 건설업체들의 적극적인 참여를 요청해 왔다고 정부의 한 당국자가 1일 밝혔다.

셰이크 사바 쿠웨이트외무장관은 지난달 27일 쿠웨이트 망명정부가 있는 사우디아라비아의 타이프市에서 蘇秉用 駐쿠웨이트대사와의 면담을 통해 대부분의 전후복구공사를 美國등에게 이미 맡겼다는 일부 언론보도를 부인하면서 韓國건설업체들의 많은 관심을 촉구하고 전쟁전 韓國건설업체들이 진행하고 있던 쿠웨이트내의 각종 공사가 조속히 재개될 수 있도록 조치하겠다는 약속을 했다고 이 당국자는 전했다.

당국자는 「사바장관은 또 쿠웨이트시내의 지뢰가 제거되는 등 안전조치가 이뤄지는 즉시 韓國교민들이 귀환토록 협조할 것이며 쿠웨이트망명정부는 다음주중 복귀할 예정이라고 말했으며 蘇대사는 이에대해 韓國의 걸프전에 대한 다국적군 지원내용을 설명하고 戰後평화회복및 쿠웨이트 경제부흥을 위해 우리나라가 적극 기여할 것임을 전했다」고 밝혔다.

0005

관리 번호	91-835

원 본

외 무 부

종 별 :

번 호 : JDW-0076 일 시 : 91 0301 1820

수 신 : 장관(중동일)

발 신 : 주 쿠웨이트 대사(주 젯다총영사관 경유)

제 목 : 쿠웨이트 토목,건축공사발주(출장보고 9)

쿠웨이트 부총리겸 외무장관의 수석보좌관 ABDULLA 대사의 설명으로는 기왕에 보고드린 소위 3 개월안에 피해조사를 시행하고 우선순위를 정하여 단계적으로 발주, 시행하게 된다고 2.27 SABBA 장관이 말한 것을 확인하였음. 끝.

(대사-국장)

예고:91.6.30 까지

91.6.30. 에 예고문에 의거 일반문서로 재 분류됨.

중아국 장관 차관 1차보 2차보 청와대 안기부

PAGE 1

91.03.02 06:49

외신 2과 통제관 CE

0006

77

관리번호 91/204

원 본

외 무 부

종 별 :

번 호 : JDW-0080　　　　일 시 : 91 0302 1700

수 신 : 장관(중동일)

발 신 : 주 쿠웨이트 대사(주 젯다총영사관경유)

제 목 : 쿠웨이트 복구공사(출장보고11)

연:JDW-0071

1. 2 차관보의 방문주선과 복구공사참여 관련정보수집을 위하여 IBRAHIM AL-SHAHEEN 과 전화로 계속 접촉중인데, 우리의 관심에 대하여 그는 금 3.2 오전에다음과 같은 MESSAGE 를 비서를 시켜 전화로 알려왔음.

DR.AL-SHAHIN SAID THAT KOREAN COMPANIES IN KUWAIT BEFORE HELPED IN CONSTRUCTION PLANS AND ALSO THEY WILL GET THEIR SHARE IN RE-CONSTRUCTION OF KUWAIT ON TIME, JUST HE REQUESTED FULL DETAILS AND INFORMATIOS OF THE KOREAN COMPANIES TO BE SENT.

2. 과거에 쿠웨이트에서 실적이 있는 회사를 포함하여 복구공사에 참여하기희망하는 우리건설업체(토목공사뿐 아니라 시설, 설비분야도)명부를 작성하여 보내주도록 조치하실 것을 건의함.(보내는 방법은 주 사우디대사관편으로 KUWAITTASK FORCE(IBRAHIM 의 기관)에 주던지, 쿠웨이트대사관이 복귀하고 IBRAHIM 도 쿠웨이트로 이동한 때는 주 쿠웨이트대사관경유)

3. 건설외에도 병원, 수송장비, 전기등 시설.장비분야도 포함되는 것이 좋겠음. 끝.

(대사- 국장)

예고:91.6.30 일반

중아국　장관　차관

PAGE 1

91.03.02 23:31
외신 2과 통제관 BW

0007

쿠웨이트 전후 복구 사업

1. 전후 복구사업 계획

가. 사업 관장

○ 재건 위원회에서 총괄

○ 단기 복구사업은 미 공병단(COE)과 쿠웨이트 정부 합동 Task Force (KTF)에 의해 검사 설계 발주

○ 장기 복구 사업은 각 소관 부서가 재무성 승인하에 발주
(걸프사태 이전과 같이)

나. 사업 단계

○ 1단계: 90일간 기본 서비스 시설 및 도로 항만 복구

○ 2단계: 3-5년간 국가기간 산업시설 영구 복구

다. 현황

<긴급복구사업>

○ 쿠 정부, 긴급복구사업계획, 입안 및 감독업무에 관한 계약을 COE와 체결 (4,500만불)

○ COE, 도시기능 정상화를 위한 긴급복구사업(전기, 수도, 전화, 도시청소, 긴급운송망, 기초 보건시설 등)을 위해 5-8억불의 공사 계약 체결 개시

– 기체결 계약중 70%가 미 업체

– 긴급복구사업 입찰 대상기업을 우선 미국 12, 영국 10, 사우디 10, 프랑스 2, 쿠웨이트 1, 사이프러스 1로 제한.

<장기 복구사업>

사업내용
– 전력, 상하수도, 담수 등 utility 설비
– oil 및 Gas 생산 설비
– 정부 시설물(건물, 병원, 복지 시설)
– 군사시설 및 공항 복구사업
– 도로, 항만, 공항 등 infrastructure 등

○ 쿠 정부, 상세한 피해 파악(약 3-5개월 정도 소요) 이전 까지는 다수의 계약 체결 자제 예상

○ 추진 단계

– COE는 주로 KTF에서 Assessment Report 제출

– Engineering Consultant사 선정 또는 Turn key Contractor 선정 (주로 oil, gas petrochemical 분야)
· 미. 영국이 90% 정도 참여 예상

– Prime Contractor 선정 (발전, 담수, 도로, 항만, 군사시설)
· 미. 영. 불 및 서방국 회사들의 경쟁을 통한 수주

– 건설업자 선정 및 건설자재, 장비, 인력공급, 식량 등
· 사우디, 이집트, 터키, 싱가포르 등 주요 공급자 선정 등 예상 유리. 0008

2. 각국 동향.

미국

o 미 공병단, 쿠웨이트 복구사업관련 [illegible] 90%. 쿠정부 자문역할 수행
 - 단기 복구사업, COE [illegible]
 - 장기 복구사업에도

o 미국 조사개입에 대한 반대여론 쿠웨이트 해방을 위한 전후 복구사업에 대대적 참여 촉구.

o 중동 부흥개발은행 창설제의.

영국

o 미국의 독주 우려, 복구사업 참여를 위한 다각노력 전개.
 - 91.2 통상사절단(단장: Lord Prior GEC 회장) 파견.

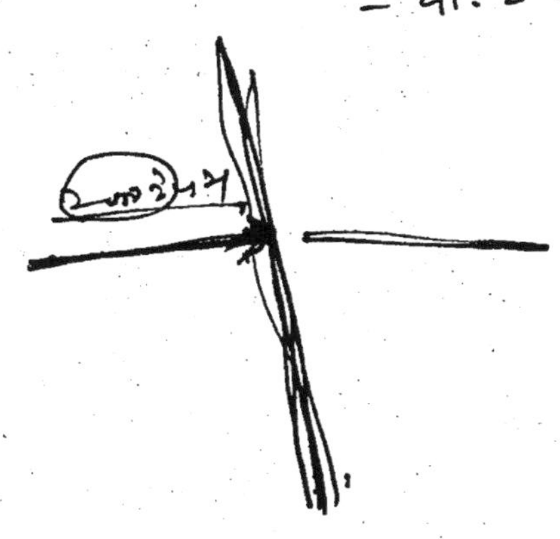

0009

걸프 전쟁 이후 쿠웨이트 복구사업 참여

1. 전후 복구사업 계획

o 90.9 쿠웨이트 망명정부, 쿠웨이트 긴급부흥기관(KERP)을 설치, 전후 경제재건계획(Awda Project)을 수립하고 외국기업과 전후 복구사업 참여문제 협의중

- 긴급부흥기관이 복구사업을 기본적으로 전담하되, 실질적 공사계약 상담은 주로 주미 쿠웨이트 대사관에서 담당

o 기간산업시설 복구 및 도시기능 회복에 약 400-1,000억불 소요 예상 (이락크 복구 포함시 1,100억불 소요 추산)

- 긴급 필요시설인 주택, 상하수도, 전기, 통신 등 공공시설은 전쟁 종식과 동시에 시작, 단시일내에 완료 목표

o 복구 소요기간 : 12년 내외

o 참여업체 선정시는 걸프전 참전 연합국의 업체에 우선권 부여 고려

* 피해액

- 90.8 이래 현재까지 약 250억불 상당 사회간접자본 피해 초래
- 지상전이 전개될 경우 피해액은 500억불 규모에 이를 것으로 추산

2. 각국 동향

o 미 국

- 쿠웨이트 긴급 재건 계획에 따라 복구사업 참여 추진을 위해 KERP와 적극 접촉

  · 쿠웨이트 해방을 위한 미국의 군사개입에 대한 반대 급부로 전후 복구 사업에 대대적 참여 추진

  · Raytheon(공항), Bechtel(정유시설), Santa fe Int'l(가스시설), Parsons(일반시설 복구)등 미국 유수기업의 쿠웨이트 복구 Project 수주 노력 적극 전개

0010

o 영 국

- 미국의 단독참여를 우려하여 미국과의 합작을 통한 전후 복구사업 참여 추진
  - 91.2 통상사절단(단장: Lord Prior GEC 회장)을 파견, 쿠웨이트 망명정부측에 영국의 전후 복구 참여 계획안을 제시하고 쿠웨이트 해방을 위한 영국군의 역할에 상응하여 쿠웨이트 복구사업에 참여할 수 있도록 쿠웨이트측의 배려 요청
  - 쿠웨이트 재건사업 참여를 위해 사우디에 상설 무역대표부 설치 예정.

o 프랑스

- 사우디 젯다에 주쿠웨이트 임시 대사관을 설치, 통신분야 등의 복구사업에 참여 모색
- 프랑스 전경련 대표단, 91.2.27-28간 쿠웨이트 망명 정부소재지인 사우디 Taif 방문, 프랑스업체의 복구사업 참여 가능성 협의 예정
- 프랑스 업체는 이락, 이란, 터어키등에 대한 진출에 주로 관심이 있는 한편, 프랑스가 20-25% 정도 시장을 점유하고 있는 모로코, 알제리, 튀니지등 마그레브지역에 대한 기존시장 유지를 위해 업계 독려중

o 일 본

- 외무성내에 "전후 대책반"을 설치, 쿠웨이트 복구사업 참여방안 마련중
  - 요르단, 터키, 이집트 등 3개 전선국가에 20억불 원조공여 약속

o 독 일

- 중동재건을 위한 마셜플랜 수립에 적극 노력
  - 터키에 20억불의 원조공여 약속
- 쿠웨이트 전후 복구사업의 석유화학 관련분야 참여 기대

0011

3. 아국의 참여 추진방안

ㅇ 필요성

- 걸프전쟁 전비 5억불 분담에 따른 경제적 반대급부 확보 필요
  - 전선국가(이집트, 터키, 요르간)에 4,000만불의 대외경제 협력기금 지원 포함
- 중동지역은 아국의 원유도입 및 건설진출 주대상지역으로 아국경제 발전에 중요(Vital)한 지역
- 경제난국 극복을 위한 제2차 중동 특수 기대
  - 아국 상품의 수출환경 악화에 따른 수출 차질 보전
  - 유가상승으로 인한 물가상승 등 불리한 경제여건 극복 개기로 활용

* 아국의 대중동 교역, 건설진출 및 원유도입 규모

- 교역

(단위 :백만불)

구 분		1988	1989	1990(1 - 11월)
전 체	수출	60,696(100%)	62,377(100%)	57,971(100%)
	수입	51,811(100%)	61,465(100%)	63,346(100%)
중 동	수출	2,852(4.7%)	2,311(3.7%)	2,217(3.8%)
	수입	3,591(6.9%)	4,572(7.4%)	5,451(8.6%)
쿠웨이트	수출	342(0.6%)	210(0.3%)	113(0.2%)
	수입	206(0.4%)	382(0.6%)	498(0.8%)
이 라 크	수출	42.2(0.07%)	67.2(0.1%)	89.9(0.16%)
	수입	146.2(0.28%)	64.0(0.1%)	173.1(0.27%)

- 건 설(1966 - 1990.11)

(단위 : 백만불)

구 분	전 체	중 동	쿠 웨 이 트	이 라 크
금 액	92,953	82,660(88.9%)	2,955(3.2%)	6,450(6.9%)

0012

- 원유도입(1989)

(단위 : 백만배럴)

구 분	전 체	중 동	쿠웨이트	이 라 크
도입량	296 (100%)	216 (73%)	15.1 (5%)	5.8 (2%)

ㅇ 참여 추진방안

- 민간기업의 전후 복구사업 참여 노력 적극 전개 권고 및 정부의 제도적 지원 강화
  - 대 쿠웨이트 건설진출 및 교역 실적이 있는 기업(현대건설, 삼성물산 등)과 연고가 있는 쿠웨이트의 유력인사를 활용한 복구사업 참여 노력 전개
  - 복구사업 참가 아국 기업에 대한 금융, 세재상의 특혜 부여
- 외교적 노력 전개
  - 쿠웨이트 망명정부 접촉, 아국이 당면 경제난에도 불구, 걸프 전쟁관련 5억불의 전비분담 사실 및 과거 양국간 경제협력 실적을 활용 쿠웨이트 복구사업에 적극 참여 방안 강구
- 가칭 "중동개발은행" 설립시 아국의 적극 참여 노력 경주
  - 유럽부흥개발은행(EBRD)의 경우와 같이 아국이 중동개발은행 설립에 적극 참여함으로써 우리의 대중동 경제협력 의지표명을 통하여 쿠웨이트 등 중동지역 국가의 경제개발계획 참여 여건 조성 필요

첨 부 : 서방국가의 중동경제 재건 계획(제 2 마샬 플랜) 1부. 끝.

0013

(첨부)

서방국가의 중동경제 재건계획(제 2 마셜 플랜)

1. 중동경제 재건계획 수립의 배경

ㅇ 중동지역 국가간의 빈부격차 완화를 위한 대규모 경제원조 필요

- 향후 중동지역의 항구적인 평화정착을 위하여 중동국가간의 균형있는 경제발전 긴요

* 미국은 중동국가간 부의 불균형 해소를 위해 사우디, 쿠웨이트 등 중동지역 부국의 재원을 이용한 중동개발은행을 설립, 중동지역 전체국가의 발전에 사용함으로써 소득이전효과 모색

ㅇ 중동지역 국가의 반미.반서방 감정 완화 노력 필요

- 반미.친이라크 성향의 이슬람 근본주의(Islamic Fundamentalism)의 확산으로 전후에 정치적 동요가 예상되는 이집트, 사우디와 같은 친서방 중동국가의 정권안정을 위해 향후의 중동문제는 무력사용보다는 경제적 영향력 행사(Economic Leverage)를 통한 해결 도모
- 걸프전쟁의 여파로 직접적인 피해를 당한 전선국가에 대한 경제원조 확대 방안 강구

2. "중동개발은행" 설립구상 경위

91.1.21 Kohl 독일 총리, 걸프전쟁 종료후 중동의 경제재건을 위한 제 2의 마셜 플랜 수립 필요성 언급

91.2. 3 스위스 Davos 시 개최 "세계경제 연례 포럼", 중동지역 복구를 위한 국제적인 경제협력 방안 수립 필요성 인정

91.2. 7 Baker 미 국무장관, 미 상원 외교위 청문회에서 유럽부흥 개발은행(EBRD)형의 "중동개발은행" 설립 제안

* EBRD : 동구의 경제개혁 노력을 재정적으로 지원하기 위해 설립추진중이며, 아국은 7,800만불 (0.65% 지분)을 출자 예정

0014

3. 각국의 입장

o 미국

- 전후 중동문제의 해결에 있어서도 주도권 확보를 위해 "중동개발은행" 설립추진
  - 무역적자 및 재정적자로 인하여 미국의 재정적 분담에는 한계가 있을 것으로 예상

o E C

- 중동재건을 위한 마셜플랜 수립에 적극적 자세
  - 2.19 브뤼셀 개최 예정인 EC 외상회담시 마셜플랜 구상 논의 예정

o 일본

- 과거의 수동적 국제협력 자세를 탈피, 일본의 주도에 의한 중동판 마셜플랜 형태의 국제종합안전보장방안 강구
  - 단, "중동개발은행" 설립을 통한 복구사업 재원 마련보다는 기존의 국제금융기구를 통한 재원마련을 선호

0015

관리 번호	91/1375

원 본

외 무 부

종 별 : 지 급

번 호 : SBW-0634 일 시 : 91 0302 1010

수 신 : 장관(중일,경이,건설부,국방부,기정)

발 신 : 주 사우디 대사대리

제 목 : 걸지역 전후 복구사업

1. 대:해외 30600-13

2. 전후복구계획 및 전망

0 사우디

-직접적인 피해는 거의 없음

-걸프전쟁영향으로 국방력 증강을 위한 각종 군사시설 건설사업 확대예상(비행장 건설, 병력증강에 따른 군사시설, 비상유류 저장고)

-기타 석유자원개발 및 생산시설 확충을 위한 사업확대예상(일산 1,000 배럴 규모)

0 쿠웨이트

-TASK FORCE TEAM(쿠웨이트미 C.O.E)이 구성 다란 및 담맘에 사무실 KERO 를 설치 복구 계획수립 조사 및 주업무 담당

% KERO:KUWAIT EMERENCY RESPONSE OFFICE

-개요

0 총 예산 사업비:1,000 억불 상당

0 사업단계

-제 1 단계:90 일간 기본서비스 시설 및 도로 항만복구(약 500 억불상당)

-제 2 단계:3-5 년간 국가기간 산업시설 영구 복구(약 500 억불상당)

-현황

0 긴급복구사업(90 일간)에는 미 COE 에의해 미국 12, 영국 10, 사우디 10,불 2, 쿠웨이트 1, 사이프러스 1 개사등 36 개사가 초청됨(91.2.20 마감)

0 현재 8 억불상당의 약 200 여건의 긴급불자조달, 인력및 장비공급등의 계약이 대부분 미국계 회사(174)가 체결됨

-미국 BECHTEL 사는 석유관련 산업 부분 복구를 위해 4,000 명의 기술자를

중아국 장관 차관 경제국 청와대 안기부 국방부 건설부

PAGE 1

91.03.02 17:15

외신 2과 통제관 CH

0016

파견하여 참여 할것임(이미 AGREEMEMT 가 이루어짐)

-참고정보

0 전후복구사업은 부수상겸 외무장관(SHEIKH SALAH AL-AHMAD AL-SABAH)를 위원장으로한 재건위원회에서 총괄

0 단기복구사업은 미공병단과 쿠웨이트 정부 합동 TASK FORCE TEAM(KERO)에의해 조사설계 발주

-91.3.1 부터 쿠웨이트내에서 조사활동중임

0 장기복구사업은 각소관 부서별로 재건위원회 협의하에 발주될것으로 보임

0 전후 복구사업 참여 지분은 다국적군 참여 기여도에 따라 미국, 영국등이대부분을 차지할것임

0 당관 건설관이 미 COE 및 쿠웨이트 인사를 접촉한바에 의하면 긴급복구계획의 경우도 공사물량이 많으므로 한국 건설업체의 참여기회가 많을것이라고 함

0 현지 아국 업체는 직접사업 참여 방안과 선진국 업체와 J/V 혹은 SUB CONTRACT 로 참여 방안을 모색하고있음

(대사대리 박명준-국장)

예고:91.12.31 까지

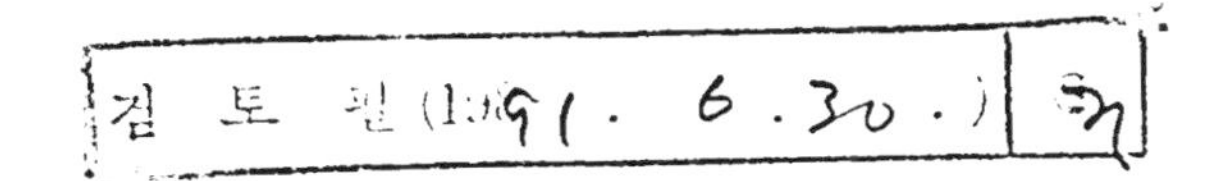

PAGE 2

0017

관리번호	91-1374

원 본

외 무 부

종 별 : 지 급

번 호 : JAW-1201　　　일 시 : 91 0302 1625

수 신 : 장관(중근동,아일,미북)

발 신 : 주 일 대사(일정)

제 목 : 페만 종전과 일정부의 대응(1)

연 : JAW-0916

1. 기이후 수상은 작 3.1. 참원본회의에서, 페만전쟁 종결에 즈음, 아래요지 발언함.

0 금후 페만지역의 안정을 위하여는 다국적군이 계속 일정기간 주둔할 필요가 있음

0 페만 지역을 포함, 중동전체의 진정한 평화의 확립을 위하여는 팔레스티나 문제의 해결이 불가결함

0 페만 각국의 부흥에 대한 일본의 협력에 대하여는 역내 국가의 이니셔티브를 존중하는 것이 중요하고 그 여망에 입각, 관계각국 및 유엔과 협력하여 가능한한 협력해 나감

0 페만 원유유출, 유정 소실에 의한 환경파괴 대책과 관련, 정부는 전문가를 포함한 현지 조사단의 파견을 검토하고 있음

2. 또한 나카야마 외상도 상기 본회의시 페만지역에 다수 노동자가 진출해 있는 아시아 각국도 경제적 타격을 받고 있으므로 이들국가에 대한 경제원조도 검토하고 있다고 말함

3. 일정부는 페만지역에 대한 향후 국제공헌책으로서 1) 긴급원조, 2) 경제부흥, 3) 환경오염 방지, 4) 군비관리, 5) 중동지역의 포괄적 평화에 기여한다는방침을 추진중인 것으로 보이는바, 이와 관련 아래와 같은 구체안이 나오고 있음

0 페만지역의 환경 파괴 방지대책을 모색하기 위한 정부조사단을 내주중 사우디, 바레인, 카타르, UAE, (쿠웨이트 제외)에 파견함.

(3.1. 외무보도관 기자회견)

0 쿠웨이트에 콜레라 발생의 위험이 있어, 국제긴급 원조대의 파견을 검토함.

(3.1. 외상, 중원 외무위원회 발언)

중아국	장관	차관	1차보	2차보	아주국	미주국	경제국	정문국
청와대	안기부							

PAGE 1

91.03.02　19:12

외신 2과　통제관 BW

0018

0 쿠웨이트에 물, 의약품등 긴급 인도적 원조를 제공함.

(2.28. 수상 및 외상, 주일 쿠웨이트 대사에게 표명)

0 유엔 재해 구조 조정관 사무소(UNDRO)의 요청에 의거, 이라크로 부터 이란에 유입된 피난민 구원을 위해 자동차 5 대, 모포 6 천매, 발전기 16 대, 석유곤로 12 대를 긴급 원조하기로 결정함. 동 물품 수송시 민간원조 단체의 구원물자로 함께 수송함.

(3.1. 정부 결정 보도)

0 국제평화 유지활동과 관련한 정전감시단 참가 문제에 유엔으로부터의 요청이 있을것으로 대비, 이를 검토함. (3.1. 수상, 민사당위원장과 회담시 발언)

4. 나까오 통산상은 3.1. 기자회견에서 전후 부흥과 관련한 일본기업의 수주활동과 관련, 전쟁에 직접 기여하지 않았던 일본이 전후 복구사업 참여에만 관심을 갖는것은 국제적인 오해를 초래할 가능성도 있으므로, 주의를 환기할 필요가 있다고 발언, 관련기업의 신중한 대응을 요청함.

5. 일정부는 중동지역의 부흥과 안전보장 구상에 대한 미국과의 조정을 위해 외무성 사또 정보조사국장, 마쯔나가 전주미대사, 오와다 외무심의관을 미국에 파견하였으며, 나카야마 외상은 90 억불의 추가지원 관련 추경예산안과 관련법안이 3 월 상순 국회통과하는 대로 방미, 미국과 전후 중동지역의 안전보장 및복구 문제등에 관해 논의할 희망을 표명하였음. 이와 관련, 미정부 당국자는 2.28. 일본이 ① 중동부흥 은행과 같은 기구를 통해 관계국에의 재정, 경제지원을 하고 ② 균형있는 아랍, 이스라엘 관계를 구축하기 위해 이스라엘과 정치, 경제관계를 강화하고 ③ 중동의 신질서 형성에 이란이 책임을 다하도록 요청하도록, 3 항목에 걸친 기대를 표명한 것으로 당지 언론에 보도됨.

6. 상기 1-3 항 일본의 대응은 현재로서는 검토단계로서, 금후 미국등 관계국과 협의해 가면서 구체안을 확정해 나갈것으로 보이는바, 관련사항을 외무성등과도 접촉, 계속 확인후 추보예정임.끝

(대사 이원경-국장)

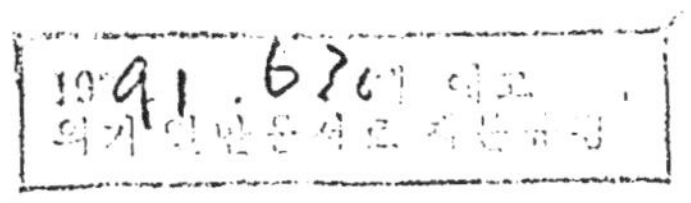

예고:원본접수처:91.6.30. 일반

사본접수처:91.6.30. 일반

원 본

외 무 부

종 별 :

번 호 : USW-1000 일 시 : 91 0302 1037

수 신 : 장관(중일,미북,경이, 건설부)

발 신 : 주미대사

제 목 : 쿠웨이트 복구사업 관련 기사 송부

쿠웨이트 복구 사업과 관련, 미 공병단이 쿠웨이트 정부의 자문 역할을 수행하면서 복구 사업 관련업체들의 수주 신청을 받고 있다는 WALL STREETJOURNAL 지 보도를 별첨 송부함.

첨부: FAX 1 매 (USWF-0731)

(공사 손명현- 국장)

구주국 2차보 미주국 경제국 건설부

PAGE 1

91.03.03 07:54 DN

외신 1과 통제관

0020

번호 : USW(F) - 0731 10302 1640
수신 : 장관 (중인, 미북, 경이, 건설부)
발신 : 주미대사
제목 : 쿠웨이트 전후 복구사업 (USW - 1000 관련 104)

An Army of Construction Companies Is Now Marching Toward Kuwait . . .

By CRAIG FORMAN
Staff Reporter of THE WALL STREET JOURNAL

KUWAIT CITY—For some, the battle has ended. For others, it's just beginning.

Yesterday evening, the first convoy of the Kuwaiti Task Force, a combined U.S. Army and Kuwaiti unit, rolled across the Saudi desert into Kuwait. The task force is an army engineering unit whose assignment is to put Kuwait City back into working order. That means restoring such basic services as water, electricity, sewerage and telecommunications.

The task force is the first element to tackle the massive rebuilding job facing Kuwait. It's a tougher job than anyone imagined.

As the convoy rolled north last night it passed other convoys carrying essential supplies of food and water toward the liberated capital.

Landscape of War

While there is no electricity in Kuwait City, the landscape is illuminated by an eerie orange glow caused by dozens of oil fires. Along the route there are masses of wrecked Iraqi tanks, overturned armored personnel carriers and other equipment. The four-lane superhighway, built when the thriving oil fields made Kuwait one of the world's richest countries per capita, is holed and blocked in many places.

In the next few weeks, groups of army and civilian specialists in oil services, telecommunications, and engineering are due to arrive.

Meanwhile, the competition for Kuwaiti contracts is growing more intense.

In the most recent development, the U.S. Army Corps of Engineers has narrowed to 36 the number of companies being considered for the first stage of contracts to rebuild Kuwait. The finalists include 12 U.S., 10 British, 10 Saudi Arabian, two French, one Kuwaiti and one Cypriot contractor.

The selection process reflects the huge volume of interest in participating in Kuwaiti reconstruction, a process that could be valued at $50 billion or more over the coming years. The Corps of Engineers received more than 300 responses to its initial request for bids on such infrastructure work as road and building reconstruction, sanitation facilities, and food and water programs. The engineers are operating as a consultant to the Kuwaiti government on a 90-day, $45 million emergency recovery program.

The mix of nationalities follows criticism by some British companies that a sudden deadline imposed for the bids worked against non-U.S. contractors. "The Kuwaitis are being careful about how their money is spent," says Col. Ralph V. Locurcio, who supervises the Corps of Engineers effort.

The corps didn't release the names of the companies, though British wire service reports said the British finalists are: Lilley PLC; GEC Marconi; Nuttall PLC; Weir Group PLC; Laing, Higgs & Hill PLC; Biwater PLC; Shand PLC; Wimpey PLC and Bebl Bros. PLC.

As the dust settles from the ground battle, a clearer picture is also emerging of precisely how the Kuwaitis intend to attack the enormous reconstruction challenge.

Three-Pronged Effort

In essence, three efforts are being mounted simultaneously. The first effort is the emergency program designed to quickly restore such essential services as police, sanitation, and roads. In the second effort, being mounted at the same time, the Kuwaitis have begun awarding larger and longer-term contracts for eventual refurbishment and reconstruction; for instance, the Big Three U.S. auto makers have all received large orders, as have such telecommunications companies as Motorola Inc.

The third effort, restoring the Kuwaiti economy, is perhaps the most important. This entails putting out the oil fires and restoring the oil fields to full working order, though it's still too early to know how long this will take and how much it will cost.

Meanwhile, the flow of businessmen increases to the Hotel Oberoi in Dammam, Saudi Arabia, where the Kuwait emergency recovery agency has its offices. Indeed, the level of activity has even the hotel staff scrambling to keep up. The fax machine works nonstop, receiving 40-page bids and construction proposals.

"There is going to be great opportunity here," says Baron Emmanuel de Mandat Grancey, a French businessman who markets pollution-control equipment and other industrial products in the Mideast. "This has been a very, very busy place."

3/1/91
W. S. J.

0021

外務部 걸프事態 非常對策 本部

題 目: 日日 報告 (83)

- DAY 45 -

1991. 3 3
06:00
작성자 : 김동억서기관

I. 정전 회담 동향

o 미.이라크 정전 회담 연기

- 3월2일 오후(현지시간)바스라에서 개최 예정이었던 미.이라크간 휴전회담이 이라크측 요구로 하루 연기 3월3일 개최 예정(유엔 본부 외신)
- 연기 이유는 이라크측의 실무적 준비 지연 관계로 관측
- 이라크.쿠웨이트간 비무장지대(DMZ) 설치 문제는 베이커 미국무장관 중동 방문시 논의 예정

II. 유엔 안보리 정전 결의안 토의

1. 유엔안보리 결의 연기

o 현지시각 3.1(금) 오전부터 하루종일 결의안 협상노력이 있었으나 비동맹 이사국의 반대로 24시간 토의 연기

2. 유엔 안보리, 종전을 위한 미측안 일부 수정

o 안보리 상임이사국은 휴전조건에 관한 원칙적 합의
단, 이라크가 요구조건 준수치 않을경우, 걸프지역 전투재개문제 논의 끝에 수정키로 의견 일치

o 미측휴전 조건

- 쿠웨이트 합병 무효화
- 쿠웨이트에 대한 전쟁피해 책임
- 쿠웨이트 자산 반환
- 다국적군에 대한 적대행위 금지
- 모든 전쟁 포로 석방
- 지뢰, 기뢰, 위치 정보제공 등

3. 비동맹 이사국의 반대 이유

o 결의안(초안)이 공식 휴전 조치에 관한것이 아님
o 다국적군측에 전투행위 재개 권한을 부여하고 있음
o 평화 유지군 파견에 관한 규정이 없음

政府綜合廳舍 810號 電話 : 730-8283/5, 730-2941. 6. 7. 9, (구내)2331/4, 2337/8 Fax : 730-8286

0022

III. 걸프지역 전후 복구사업

1. 사우디

o 직접 피해는 거의 전무

o 걸프전쟁 영향으로 국방력 증강을 위한 각종 군사시설, 건설사업 확대 예상(비행장 건설, 병력증강에 따른 군사시설, 비상유류 저장고)

o 기타 석유자원개발 및 생산시설 확충을 위한 사업확대예상 (일산 1,000만 배럴 규모)

2. 쿠웨이트

o 전후 복구사업은 부총리겸 외무장관(sheikh salah al-ahmad al-sabah)을 위원장으로 한 재건 위원회에서 총괄

- 단기 복구사업은 미공병단과 쿠웨이트 정부 합동 Task Force Team에 의해 조사 설계 발주

- 장기 복구사업은 각소관 부서별로 재건 위원회 협의하에 발주될 것으로 보임

o 사업단계

- 1단계 : 90일간 기본 서비스 시설 및 도로 항만 복구(약500억불 상당)

- 2단계 : 3-5년간 국가기간 산업 시설 영구 복구(약500억불 상당)

o 현 황

- 긴급복구사업(90일간)에는 미 COE에 의해 미국12, 영국10, 사우디10, 불2, 쿠웨이트1, 사이프러스1개사가 초청됨(91.2.20 마감)

- 현재 8억불상당의 약200 여건의 긴급물자조달, 인력 및 장비공급 등의 계약이 대부분 미국계 회사(174)와 체결함.

IV. 이라크 동향

1. 이라크 포로 교환 준비 발표

o 이라크는 3.2 국제적십자사 편에 이라크내 다국적군 포로들을 교환할 준비가 되어있다고 발표

- 다국적군은 공습중 12명 영국군과 9명의 미군이 포로로 잡힌바 있으며 45명의 미군이 실종된바 있음.

2. 반후세인 시위

o 이라크의 2대 도시중에 하나인 바스라에서 수천명의 이라크국민, 후세인 타도 시위가 벌어짐

0023

3. 후세인 후계자는 군부출신일 가능성(국무부관리 익명으로 언급)

o 권력을 계승하기 위해서는 권력이 있는자이어야 하므로 후세인 후계자는 군부에서 나올 가능성이 있음.

o 후계 가능성이 있는 장군은 모두 거세 됐으므로 아직 어떤 장군이 후계자가 될지는 모르나 이라크 국민이 결정할 일임.

V. 전 황 (다국적군측 발표)

o 다국적군 총110,000회 이상 출격

o 다국적군 인명피해

- 147명 사망(미국 88, 기타국 59)
- 66명 실종(미국 45, 영국 10, 이태리 1, 사우디 10)
- 13명 포로(미국 9, 영국 2, 이태리 1, 쿠웨이트 1)

o 이라크군 80,000 명 이상 포로
(이라크관리 발표)

o 이라크인 20,000명 사망, 60,000명 부상

VI. 기 타

1. CBS 기자 4명 석방

o 지난 1.21일 사우디 국경에서 행방불명 되었던 CBS 기자 4명이 이라크 당국에 의해 3.2 석방됨.

o 이라크 공보장관은 소련의 고르바초프 대통령 특사 프리마코프의 요청에 의하여 동 기자단 4명을 석방했다고 발표

2. GCC 외무장관 회의개최 예정(3.3 리야드)

o GCC 와 이집트, 시리아 외무장관 회의(3.3-4 다마스커스 개최예정)

o 지역 안보 및 경제협력문제 협의

3. 걸프사태 현지 조사단

o 이집트 일정을 마치고 사우디 도착

- 3.2 리야드 체류

0024

관리 번호	91-1784

원 본

외 무 부

종 별 :

번 호 : AEW-0175　　　　일 시 : 91 0304 1300

수 신 : 장관(중동일,통일,정일,기정)

발 신 : 주 UAE 대사

제 목 : 걸프전후 금융관계

연:AEW-0057

연호, 주재국 중앙은행총재는 3.2.GCC 금융당국은 이.쿠사태를 이유로 그간LOCAL 은행들과의 거래를 거부하여온 외국은행들에 대하여 이제는 GCC 합동으로 모종의 보복조치를 취할것임을 밝혔는바, 참고바람. 끝.

(대사 박종기-국장)

예고:91.12.31 일반

중아국 장관 차관 1차보 2차보 통상국 정문국 청와대 안기부

PAGE 1

91.03.04 21:31

외신 2과 통제관 CW

0025

관리번호 91-192

원 본

외 무 부

종 별 :

번 호 : JAW-1232 일 시 : 91 0304 1841

수 신 : 장관(경일,통일,중동일,아일,경기)

발 신 : 주 일 대사(경제)

제 목 : 걸프전 종료와 경제관련 사항

걸프전의 종료 당지 언론등에 보도되고 있는 세계경제동향 및 전후 중동지역 부흥문제등을 하기 보고함.

1. 종전후 세계경제 동향

가. 원유가

0 종전후 일시적으로 원유가(두바이산 기준)는 바렐당 10-12 불 까지 하락 예상

0 이후 OPEC 의 원유 감사추진등으로 15-20 불선까지 상승후, 수요가 증대되는 한반기에는 20-23 불까지 상승이 예상됨.

0 OPEC 의 예상동향

- 전후 복구자금 확보를 위해 감산 및 회원국간 생산량 할당을 검토중

- OPEC 은 91.4.-9 월간 대 OPEC 원유 수요를 일량 2,050 만 바렐로 추산, 현 생산량에서 일일 250 만베럴 규모 감산을 고려중

- 91.3.11 개최 예정인 OPEC 감시위원회가 주요 관심대상임.

- 향후 OPEC 내에서는 유가안정을 중시하는 사우디의 입장이 강화, 사우디는 RECESSION 국면의 미국에 대한 배려상 유가가 20 불을 초과하지 않도록 조정노력을 계속할 것으로 예상

나. 세계 경기전망

0 전쟁특수로 세계경기가 약간 자극을 받을것이나, 미, 영, 카나다등 주요국의 경기후퇴 및 일본경기의 감속경향등 구조적 요인 지속예상

- 미국의 소비자 및 기업의 투자심리 호전으로 인한 미국경기 호전 예상은 일부 의견에 불과

0 1 천억불로 예상되는 쿠웨이트 복구비용은 미국자체의 자금수요 2,800 억불(재정적자 보전용 자금), 쏘.동구의 경제개혁 소요 비용 500 억불, 비산유

경제국 청와대	장관	차관	1차보	2차보	아주국	중아국	경제국	통상국

PAGE 1

공람	국제경제국	년 월 일	담 당	과 장	국 장	차관보	차 관	장 관

91.03.04 22:05

외신 2과 통제관 CW

0026

개도국의 적자보전용 자금 330 억불등의 소요에 이어 세계적인 자금 압박요인으로 작용예상

- 쿠웨이트는 복구비용 차입예상

다. 일본경제 동향

0 금번 걸프전이 일본경제에 미친 영향이 미미하였던 만큼, 종전 이후의 영향은 적을 것으로 평가하는 분위기가 지배적임.

0 비참전국인 일본이 전후 복구에 적극 참여도 어렵고, 투자심리의 호전으로 인한 설비투자의 증대도 기대하기 어려운 바, 경기감속은 당분간 지속예상

2. 전후 중동복구 계획

가. IMF/IBRD 를 통한 복구지원

0 IMF, WORLD BANK 등이 쿠웨이트등의 피해 상황 및 부흥 필요액을 산정

- WORLD BANK 는 교통, 상수도등 INFRA-STRUCTURE 정비에 기술공여

0 쿠웨이트 및 주변국가를 포함하여 G-7 의 각국이 IMF, WORLD BANK 등과 협조하여 양국간 방식으로 융자실시

0 GCFCG 의 운용방법을 개선하여 지원대상국 확대

나. 중동부흥 개발은행의 설립

0 베이커 미국무장관의 제안으로 중동지역의 경제부흥을 위해 각국의 출자에 의해 은행설립 취지

0 도로, 수도등 사회간접 시설 복구 및 중동지역에서의 빈부차 해소에도 목적

0 이라크도 지원대상에 포함되어 있는바, 이에는 후세인 정권의 퇴진이 전제조건

다. 쿠웨이트 망명정부에 의한 복구계획

0 사우디의 쿠웨이트 망명정부는 복구 전문기간 KERP 을 발족

0 쿠웨이트측은 전후 90 일간의 초기단계 사업에의 외국기업의 수주를 접수중

- 공사입찰의 창구는 쿠웨이트 임시정부의 요청에 의해 미군 공병대가 대행중

0 쿠웨이트 정부의 시산에 의하면, 생활기반 관련시설(석유시설 제외) 복구비용은 약 500 억불 규모

3. 전후 복구관련 일본의 대응동향

가. 일본의 전후 공헌 방침(2.28 걸프만 위기대책 본부결정)

0 쿠웨이트에의 의약품등 긴급원조

0 환경오염대책

0 경제부흥지원

0 군비관리등을 포함하는 안정보장 체제 구축

나. 재정지원 방법

0 일본은 중동지역에의 재정지원 방법관련, IMF 등 국제기관을 통한 양자간협력 방법 선호

0 미국이 제안한 중동부흥 개발은행구상에 대해서, EBRD 설치에서 보여진바와 같이 새로운 기관의 설치에는 시간이 걸리고, 신속한 대응이 어렵다는 이유로소극적 자세

- 2.25. 외무성측도 미국의 구상에 난색을 완곡히 표시

- 하시모토 대장대신도 사견임을 전제로 반대의견

0 이는 전후 중동지역에서의 금융지원의 주도권을 둘러싼 미.일 간의 각축으로 해석되고 있음

- 일본으로서는 다자간 기관인 중동 부흥개발은행에의 출자보다는 양자간 협력방식에 의한 출자로 영향력 확보모색

다. 전후 복구사업 참여

0 걸프전에서 파괴된 쿠웨이트의 석유관련 시설복구에는 400-500 억불 정도가 소요될 것으로 추정

0 일본은 우선 2.27 쿠웨이트 7 개은행의 일본내 자산동결 해제를 3.18 부터 실시토록 결정

0 봉산성을 위시한 일본정부는 민간기업의 적극적인 전후복구사업 참여활동을 자제토록 업계에 지도중

0 일본민간업계는 당분간은 표면적 활동을 자제하면서 수면하에서 참여방안을 모색할것으로 보임.끝

(공사 이한춘-국장)

예고:91.6.30. 까지

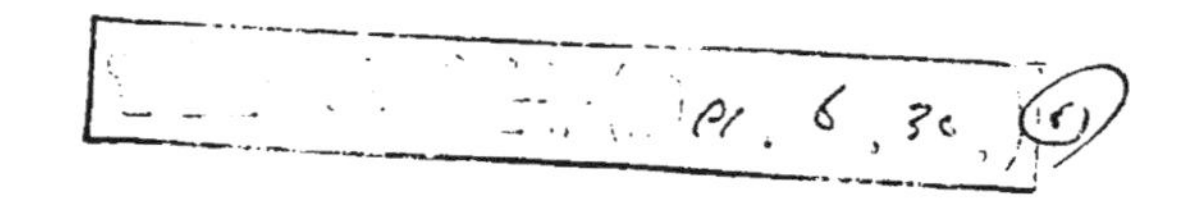

PAGE 3

0028

관리번호	91-1285

외 무 부

종 별 :

번 호 : FRW-0745 일 시 : 91 0304 1830

수 신 : 장관(경기,중근동)

발 신 : 주 불 대사

제 목 : 중동부흥개발은행 구상

대:WFR-0414

표제건 관련, 본직이 3.4. 주재국 경제재무성 DESPONTS 대외경제관계 총국장으로부터 확인내용 아래 보고함.

1. 상금 미측으로 부터 공식적인 협의는 없으나, 불란서로서는 중동지역 재건을 위하여는 새로운 기구의 창설보다는 현존하는 국제 또는 지역 금융기구를 활용하는 것이 바람직하다는 견지에서 표제은행 창설에는 부정적 입장임.

2. 향후 중동지역 재건을 위하여는 석유재원의 원활한 RECYCLING 이 절대적으로 긴요하며, 마그레브 지역을 포함한 모든 아랍국가를 지원대상으로 하여야 함.

3. 동건 구체내용 확인되는대로 추보 위계임.끝.

(대사 노영찬-국장)

예고:91.12.31. 까지

경제국 차관 2차보 중아국

PAGE 1

91.03.05 04:27

외신 2과 통제관 CW

0029

관리번호	91-194

외 무 부

종 별 :

번 호 : FRW-0747 일 시 : 91 0304 1850

수 신 : 장관(중동일,경일,정일)

발 신 : 주 불 대사

제 목 : 쿠웨이트내 손해 배상 문제

대:WFR-0403K

1. 대호 당관 손서기관이 금 3.4 일 접촉한 주재국 외무성 SASTOURNE 걸프전 전담관에 의하면 대호 배상 문제가 제기되고 있으나, 쿠웨이트와는 달리 복구 사업 및 배상 재원이 고갈된 이락에 대해서는 우선 경제 봉쇄 특히 석유 수출금지 조치가 해제된 이후에야 구체적으로 거론이 가능할것이며, 그경우 전후 복구 사업과의 연계도 고려될수 있을것이라함.

2. 동인은 이어 이락의 경우, 원유 수출 금지가 해제되면 국제금융기구(IBRD등) 가 원유를 담보로 차관공여, 전후복구 및 배상등을 현실화 시키는 조치가 장기적으로 있을것으로 전망된다함. 끝

(대사 노영찬-국장)

예고: 91.6.30 까지

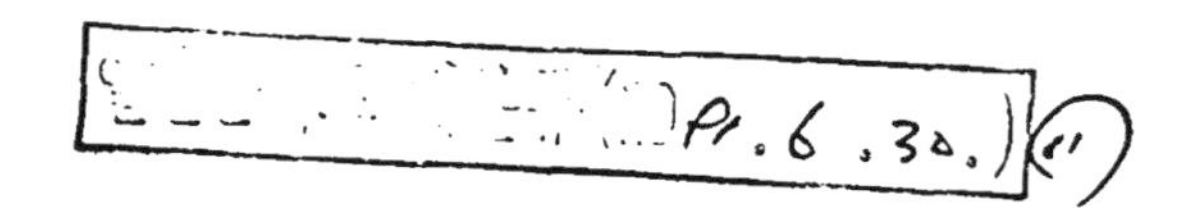

공람	국제경제국	년 월 일	담 당	과 장	국 장	차관보	차 관	장 관

중아국 차관 1차보 2차보 경제국 정문국 청와대 안기부

PAGE 1

91.03.05 04:30

외신 2과 통제관 CW

0030

관리번호 91-1387

외 무 부

종 별 :

번 호 : FRW-0765 일 시 : 91 0305 1810

수 신 : 장관(경이,중근동,구일,건설부,기정동문)

발 신 : 주 불 대사

제 목 : 쿠웨이트 전후복구사업 참여

대:WFR-0703

연:FRW-0721

1. 복구사업 참여

0 전후 긴급 복구사업 1 차참여대상 36 개 기업에는 주재국의 BOUYGUES(토목, 건축)와 SOGEA(상수도) 2 개회사가 포함 되었으나, 미 공병대는 우선 1 차로미국 3 개사, 사우디 1 개사와 15 백만불 규모 복구계약을 체결 하였으며 2 차계약도 영국 및 쿠웨이트 회사에 내정된 것으로 알려짐.

0 주재국 기업은 1 단계 복구사업 참여 가능성은 적은 것으로 보고, 약 500 억불 이상에 달할 것으로 보이는 본격적인 제 2 단계사업 참여를 위해 단독 또는미국기업과의 공동진출을 적극 모색하는 한편 COFACE(국영수출보험공사) 보증등 정부차원의 지원 확대를 요구하고 있음.

0 현재 까지는 약 12.5 억불 상당 총 170 개 계약이 체결된 것으로 알려진 가운데, 주재국 기업으로는 최초로 GEC-ALSTHOM 사가 이동식 발전용 가스터빈 4 개조의 공급계약(약 60 백만프랑)을 체결한데 이어, THOMSON-CSF 사도 3.1. 쿠웨이트 공보성이 긴급 사용할 이동식 TV 시스템(보도용차, TV 스튜디오,5KW 송신기로 구성)의 공급계약을 체결하였다고 발표함.

2. 주요인사 쿠웨이트 방문

0 현재 중동지역을 순방중인 CHARASSE 예산담당 장관은 UAE 에 이어 3.4 쿠웨이트를 방문하였으며, JEAN-MARIE RAUSCH 대외 무역상도 이집트 방문에 이어 내주중 쿠웨이트를 방문, 불기업의 복구사업 참여를 적극 요청할 계획임.

0 또한 FRANCOIS PERIGOT 주재국 전경련(CNPF) 대표단은 2 월말 이미 쿠웨이트 망명정부 소재지인 사우디 TAEF 를 방문한 바 있음.

경제국 건설부	장관	차관	1차보	2차보	구주국	중아국	청와대	안기부

PAGE 1

9

91.03.06 13:07

외신 2과 통제관 FE

0031

3. 쿠웨이트 자산동결 해제

0 주재국 정부는 91.3.3 자로 총액 75 억프랑에 달하는 주재국내 쿠웨이트 예금동결을 해제 키로 결정 하였으며, 동 조치로 인해 주재국내 쿠웨이트가 부자한 자산(특히 PARIBAS 등 금융기관 및 각종 기업지분)에 대한 동결도 해제됨.

4. 기타

0 BEREGOVY 경제재무장관은 3.3 걸프만 지역의 경제재건 특별계획 수립에 호의적 반응을 보이면서, IMF, 세계은행 또는 EC 의 유럽부자은행(EIB)등 기존 국제금융기구 주관하에 동 계획을 수립할 것을 제의함.

0 주재국 AIR FRANCE, UTA 등 항공사는 이미 이스라엘, 오만, 바레인에 대한 재취항을 시작 하였으며 사우디 운행은 내주 재개 예정임.

0 한편 불정부 및 기업은 전후 현재의 시기를 중동 경제진출의 호기로 보고 쿠웨이트 복구사업 참여는 물론, 각종 사회간접시설을 확충하고 있는 이란에 대한 진출도 적극 도모하고 있으며, 이와관련 TECHNIP 사는 이란 TABRIZ 에 대규모 석유화학단지(약 45 억불 규모) 건설계약을 체결함. 끝.

(대사 노영찬-국장)

예고:91.12.31. 까지

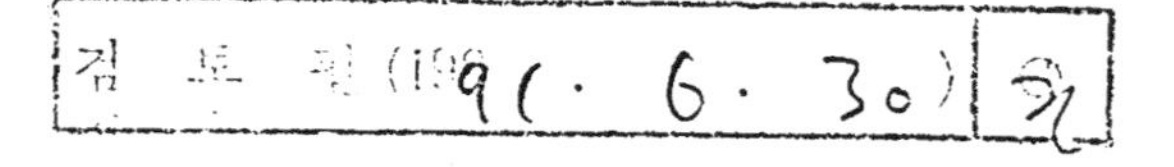

관리번호	91-200

홍

외 무 부

종 별 :

번 호 : JAW-1289 일 시 : 91 0306 1201

수 신 : 장관(중근동,아일)

발 신 : 주 일 대사(일정)

제 목 : 페만 종전과 일 정부의 대응(2)

연:JAW-1201

1. 주재국 사카모토 관방장관은 3.5. 기자회견에서 페만전쟁에 의한 페르샤만 유출 원유의 제거, 환경오염 대책을 검토하기 위해 환경, 외무, 농수(수산청), 통산, 운수(해상보안청, 기상청)의 관계 5 성청과 국제협력 사업단(JICA)의 전문직원 14 명으로 구성되는 환경조산단을 3.8. 경 사우디, UAE, 카타르등 3 국에 파견한다고 발표함. 이 조사단은 약 10 일간에 걸쳐서, 1) 유출원유 방제, 2)해수 담수화 시설보전, 3) 유탁오염 확산의 시뮬레이션, 4) 유정화재에 의한 대기오염의 영향조사, 5) 야생동물 보호, 6) 어패류에의 환경영향 등을 조사하며, 정부는 동 조사보고서에 의거, 전문가팀을 현지에 파견하여 본격조사 및 부흥대책에 임할 예정이라 함.

2. 한편, 나카야마 외상은 3.5. 참원 예산위에서 쿠웨이트등 페만지역의 재해복구와 관련, 콜레라등 전염병 발생과 같은 2 차, 3 차 재해를 위해 국제긴급원조대를 파견할 생각이라고 발언함. 끝.

(공사 남홍우-국장)

예고:91.6.30. 까지

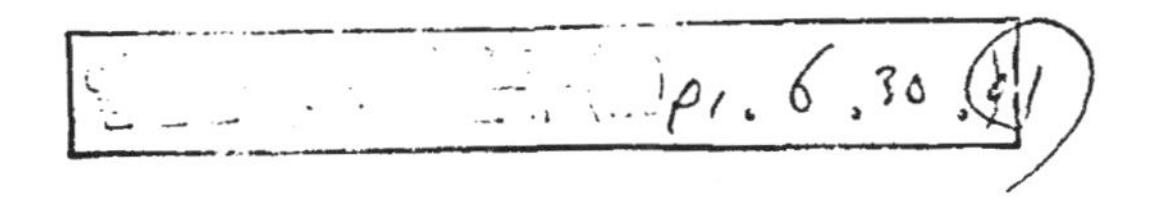

공람	국제경제국	년 월 일	담 당	과 장	국 장	차관보	차 관	장 관

중아국 장관 차관 1차보 2차보 아주국 미주국 경제국 정문국
청와대 총리실 안기부

PAGE 1

91.03.06 13:00
외신 2과 통제관 BW

0033

관리 번호	91-1382

원 본

외 무 부

종 별 :

번 호 : MAW-0356 일 시 : 91 0306 1530

수 신 : 장관(중동일,아동)

발 신 : 주 말련 대사

제 목 : 걸프사태 관련 주재국 동향

대:WMA-0211

연:MAW-0347

당관 최원선 참사관이 3.6 NAIMUN ASHAKLI 외무부 중동과장과 면담, 걸프사태 관련 주재국 동향에 관해 문의한바 아래 요지 보고함.

1. 대이락 경제제재

0 대이락 경제제재 해제문제는 이락이 휴전조건을 성실히 이행하는지 여부에 달려있으며 기본적으로 유엔에서의 결의를 존중하여 결정할것임.

2. 전후 복구사업 참여

0 이락, 쿠웨이트 복구를 위한 교역문제를 다루기 위해 수상실 경제기획단(EPU:ECONOMIC PLANNING UNIT)하에 외무부, 상공부, 업계대표로 구성된 위원회를설치, 민간업계의 요망사항을 이락및 쿠웨이트 당국에 전달하는 역할 수행

3. 공관 복귀시기

공관 복귀문제는 연호로 기보고한바와 같으며 다만 바그다드의 수도, 통신문제, 바스라지역 소요등 불안정한 정세를 감안할때 다소 시간이 걸릴것 같다는 견해 표명. 끝

(대사 홍순영-국장)

91.6.30 까지

중아국	장관	차관	1차보	아주국	청와대	총리실	안기부

PAGE 1

91.03.06 18:25

외신 2과 통제관 BA

0034

관리 번호	

	분류번호	보존기간

발 신 전 보

번 호 : WUS-0870 910306 2034 DN 종별 :

수 신 : 주 미 대사. ~~총영사~~ 사본:주쿠웨이트대사 WSB -0496 (주사우디대사 경유)

발 신 : 장 관 (중동일)

제 목 : 쿠웨이트 전후 복구 사업 참여 진전

1. 해외건설 협회는 쿠웨이트 전후 복구 사업 참여에 C.O.E.(미국 버지니아 웬체스터 소재 미공병단 본부)의 역할이 큼을 지적 하면서 아국 건설업체가 C.O.E와 한국 전쟁과 월남전 부터 깊은 유대가 있으며 사우디와 쿠웨이트에 많은 장비, 인력, 자재를 보유하고 경험과 시공 능력이 우수함을 설명하여 아국업체의 복구계획 참여를 위한 외교적인 지원을 요청하여 왔음.

2. 상기 사항을 참고로 하여 아국 업체의 쿠웨이트 전후 복구사업 참여를 위하여 C.O.E 본부 측과 적극 교섭하고 결과 보고 바람.

(중동아국장 이 해 순)

예 고 : 91.12.31. 까지

검 토 필 (1991 . 6 . 30.)

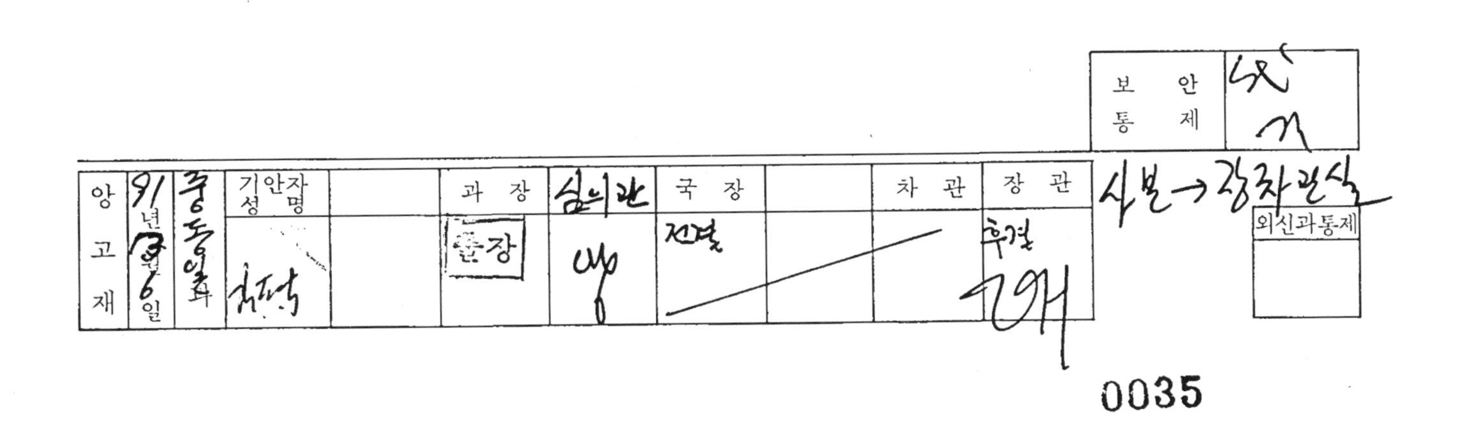

0035

관리번호	91/1393

원 본

외 무 부

종 별 : 긴 급

번 호 : SBW-0684 일 시 : 91 0306 1530

수 신 : 장관(중일,미북,경이,국방부,상공부,건설부)

발 신 : 주 사우디 대사대리

제 목 : 걸프지역(KU)전후 복구사업

1. 연:SBW-634

2. 추가정보 입수에 의하면, -1 단계사업(EMERGENCY RECOVERY PROGRAM)은 미 공병단 주관하에 이미 미국계 회사를 주축으로 거의 완료된 상태임

0 KU 시 청소 및 방역사업

0 UTILITY FACILITY 에 대한 긴급운전

0 시민들의 귀국을 위한 각종준비작업

0 각종 UTILITY FACILITY 에대한 기존 피해조사

0 계약금액은 건당 미화 6 백만불 상당임

-2 단계 사업은 UTILITY FACILITY 에대한 기초 조사후 다음사항의 보고서를 제출토록 되어있음

0 피해사정(DAMAGE ASSESSMENT)..0 실행복구 방법

0 복구사업 예산편성

0 복구사업에 필요한 건설회사, 자재공급사, 엔지니어링사추천

0 이보고서에서 COE 의 역할이 클것으로 보여 입찰방식 낙찰자 선정등에서 직접적인 영향을 줄것으로 예측됨

-2 단계사업(PERMEMANT RECOVERY PROGRAM)은 다음단계로 추진될것으로 보임

1)COE 주측으로한 KERO 에서 ASSESSMENT REPORT 제출(3 개월후)

2)ENGINEERING CONSULTANT 사 선정 또는 TURN KEY CONTRACTOR 선정(주로 OIL, GAS PETROCHEMICAL 분야)

3)PRINCE CONTRACTOR 선정(발전, 담수, 도로, 항만, 군사시설)

4)건설업자 선정및 건설자재, 장비, 인력공급, 식량등 필요필수품 공급자선정

. 참고정보

중아국	장관	차관	1차보	2차보	미주국	경제국	청와대	안기부
국방부	상공부	건설부						

PAGE 1

91.03.07 00:29

외신 2과 통제관 CF

0036

0 2 단계 사업은 미.영. 불이 95%정도(70.20.5)차지할것으로 보이며 기타국가가 5%정도 참여할것으로 예상

0 3)단계는 미.영. 불 및 서방국 회사들이 경쟁을 통해 수주할것으로 보임 일본의 참여는 의도적으로 제한할것으로 예측

0 4)단계는 ARAB 연합국(시리아, 이집트, 터키)및 사우디 회사들이 대부분 수주할 것으로 보이며 사우디는 30%지분을 요구 도로, 항만, 주택복구사업에 참여 추진중임

0 2 단계사업은

1)전력, 상하수도, 담수등 UTILITY 설비

2)OIL 및 GAS 생산 설비

3)정부시설물(건물, 병원, 복지시설)

4)군사시설 및 공항복구사업

5)도로, 항만, 공항등 INTRASTRUCTURE 등이 주요사업이 될것으로 보임

(대사대리 박명준-국장)

예고:91.12.31 일반

0037

원 본

외 무 부

종 별 :

번 호 : NRW-0172 일 시 : 91 0306 1620

수 신 : 장관(중동일,구이)

발 신 : 주노르웨이대사

제 목 : 주재국의 쿠웨이트 재건참여

1.주재국 언론보도에 의하면 일연의 주재국 민간사절단이 쿠웨이트 정부의 긴급초청으로 3.6.쿠웨이트로 향발하였다고함. 동사절단은 주쿠웨이트 주재국대사의 도움으로 구체적인 문제를 다룰것이며, 유전및 항구재건이 가장 관심있는 분야가될것이라고함. 그동안 쿠웨이트 망명정부는 주재국 원유관련 자문회사, 원유채굴장비 판매회사, 엔지니어링회사등 40-50여개의 회사를 접촉해왔다고함

2.표제관련 구체사항 확인되는데로 추보예정임.끝

(대사 김병연-국장)

중아국 2차보 구주국

PAGE 1 91.03.07 06:15 DN

외신 1과 통제관

0038

원 본

외 무 부

종 별 : 지 급

번 호 : MNW-0029 일 시 : 91 0306 1600

수 신 : 장관(경일)

발 신 : 주몬트리올총영사

제 목 : 아국근로자 송출

당지 TL LABOUR CONSULTANT사는 쿠웨이트내 투입할약 일천명 정도의 아국 근로자모 집 가능성을 당관에 문의하고, 동사가 직접 동건 절차를 협의할수 있는 아국 관계기관명과 동 FAX번호를 제공해 줄것을 요청해 왔으니 지급 회신바람.끝.

(총영사-국장)

공람	국제경제국	년 월 일	담 당	과 장	국 장	차관보	차 관	장 관

경제국

PAGE 1

91.03.07 06:25 DN

외신 1과 통제관

0039

관리번호	91-1384

원 본

외 무 부

종 별 : 지 급

번 호 : USW-1067   WSB-0515   910308 1918 A0   일 시 : 91 0306 1611

수 신 : 장관(중동일,미북,경이,기정,건설부,상공부)

발 신 : 주 미 대사

제 목 : 쿠웨이트 복구 사업

대:WUS-627

연:USW-0959

전후 쿠웨이트 복구 사업 관련 사항을 하기 종합 보고함.

1. 현황

0 당지 전문가들은 전후 복구 사업에 향후 5-10 년간 약 500 억-1000 억불 정도가 소요될것으로 보며, 현재 쿠웨이트의 외환보유고(증권포함)가 900 억불에달하고 있어 자금 소요를 무난히 충당하리라 예상하고 있음.

0 특히, 쿠웨이트 정부는 긴급 복구 사업의 계획, 입안 및 감독 업무에 관한 계약을 미육군공병대와 4,500 백만불에 체결하였고, 동 공병대는 도시기능 정상화를 위한 긴급 복구 사업 (전기, 수도, 전화, 도시청소, 긴급운송망, 기초 보건시설)을 위해 5-8 억불의 공사의 계약 체결을 시작하였음.

0 현재까지 체결된 관련 계약중 약 70%가 미국 업체에 돌아갔으며, 최근 미공병대는 긴급 복구 사업 입찰대상 기업을 우선 미국업체 12, 영국 10, 사우디 10, 프랑스 2, 쿠웨이트 1, 사이프러스 1 로 제한키로 하였다함.

0 한편, 전쟁중 200 여 유정이 파괴되었는바, 석유관련 산업 복구공사 (석유 생산시설 복구 총 100 억불, 정유시설 복구 총 100 억불 예상)의 주 계약자 (PROGRAM MANAGER)는 BECHTEL 사로 지정되었다 함.

0 또한, 쿠웨이트, 이락에 대한 복구 사업이외에도 주변 걸프국가의 안보필요성 인식에 따른 안보 유관 분야에 대한 개발 및 물자수입도 증대 되리라 예상됨.

0 대부분의 공사는 FIXED COST, TURNKEY BASE 로 계약 체결된다 함.

2. 미 상무성이 미업체를 위해 안내하고 있는 입찰 관련사항은 하기와같음.(관계자료 별첨)

중아국	장관	차관	1차보	2차보	미주국	경제국	청와대	안기부
상공부	건설부							

PAGE 1

91.03.07 07:33

외신 2과 통제관 BW

0040

0 자격심사

- 미공병대 주관사업에 참여 희망하는 미업체는 미공병단 본부 (버지니아 윈체스타)로 부터 사전 자격심사를 받아야하며, 대규모 사업인 경우 쿠웨이트 정부 회복후 동정부로부터 직접 자격심사를 받아야함.

0 분야별 수주처

- 컨설팅:쿠웨이트 기획성(CUNSULTANT DEPARTMENT)

-군수부문 건설공사: 쿠웨이트 국방성(ENGENEERING DEPARTMENT MILITARY PROJECT)

민간부문 건설공사: 쿠웨이트 공공사업성

석유부문 공사: 쿠웨이트 중앙입찰 위원회

0 공사관련 분규중재:쿠웨이트 상공회의소 및 상사법원

0 입찰시 참고 사항

- 종전 쿠웨이트내에서의 건설공사 수주시 우선 염가로 입찰하여 계약을 체결한후, CLAIM 등을 통해 가격을 인상(BID LOW, GET THE JOB, MAKE A CLAIM) 하는것이 관행이었으나, 쿠웨이트 정부는 고정가격 입찰과 국제중재가 아닌 자체 중재제도를 도입함으로써 이러한 폐습을 방지코자한다 함. 따라서 지나치게 염가입찰하는 업체는 위험 부담이 커지리라 예상됨.

- 공사 수주를 위해서는 현지에 지사설립 또는 믿을 만한 대리인을 선정, 관련 인사와 직접 접촉하는것이 필수적이라 함.

3. 무역 및 투자 관련 사항

0 관세

- 품목에 따라 상이하나 평균 4 %의 관세 부과

- 식료품, 사료, 서적, 필름, 금. 은괴, 동물등은 무세이며, 국내산업보호 대상품목은 품목에 따라 15-30% 의 관세 부과

0 비관세

- 유태계 업체 진출 방지, GCC 표준, 위조품 방지를 위해 각종 서류 제출을요구하고 있음.

0 투자

- 부동산 소유 및 증권매매는 내국인에 제한됨.

- 외국인 합작투자를 인정하나, 외국인은 49 % 이하의 지분만 소유 가능.

0 합작 부자

- 쿠웨이트 시장진출을 위해서는 현지인의 협조가 긴요하므로 합작 부자가 최선의 방법으로 사료됨.

- 특히, 쿠웨이트 정부는 수입대체 산업의 육성에 역점을 두어 정유, 석유화학 부문의 신개발을 계획하고 있는바, 동분야에서의 합작부자 기회가 많을 것으로 사료됨.

0 세제

- 개인 소득세는 없으나, 외국 기업의 경우 이익의 최고 55 % 까지 과세함.

4. 육군 공병단등 유관기관과 접촉, 관련사항 추보하겠음.

첨부:USW(F)-0776 (14 매)

(대사 박동진-국장)

예고:91.12.31 까지

PAGE 3

0042

번호 : USW(F)- 0776
수신 : 장관 (중동일, 미북, 경이, 기정, 건설부) 발신 : 주미대사
제목 : 쿠웨이트 사업 상황 (14매)

첨부.

KUWAIT RESTORED INITIATIVE

1991

MARKETING PLAN

GULF RECONSTRUCTION CENTER
Office of the Near East
Room H-2039
Department of Commerce
Washington, DC 20230

contacts: Karl Reiner, Director
Corey Wright, Kuwait Desk Officer
Paul Scogna, USFCS Kuwait
phone: (202) 377-2515, (202) 377-5767
fax: (202) 377-5330

February 28, 1991

0043

KUWAIT

FY91 COUNTRY MARKETING PLAN

TABLE OF CONTENTS

0044

COUNTRY MARKETING PLAN KUWAIT

I. COUNTRY OVERVIEW

A. PROFILE (pre-invasion)

POPULATION:

1,915,426 including 534,827 Kuwaiti nationals (27.9 percent) according to January 1989 government of Kuwait (GOK) statistics.

RELIGION:

96 percent Muslim (70% Sunni; 30% Shia), with one Roman Catholic, one Evangelical and one Anglican church serving the non-Muslim community.

GOVERNMENT:

Kuwait is an hereditary Amirate, with certain constitutional limitations and procedures introduced in 1963. Both the Amir and the Crown Prince are chosen by members of the ruling family, in power since 1750. A 50 member National Assembly, elected by adult male Kuwaiti nationals, has played an active but intermittent role in the preparation of laws and has served as a national sounding board for public opinion. It has twice been dissolved, in September 1976 by the previous Amir and again by the current Amir in July 1986. Elections were conducted in June 1990, but 25 additional members were to be appointed by the GOK. As a result many members of the powerful commercial families and other community leaders boycotted the elections. It is not clear how this political drama will play out in postwar Kuwait, but it is reasonable to assume that calls for participatory democracy will intensify.

LANGUAGE:

Arabic, with English widely spoken. There are also significant Persian, Urdu, and Malayalam speaking minorities.

WORK WEEK:

Six day week (Saturday - Thursday)

Kuwait - Key Economic and Trade Indicators
(All values in millions of US Dollars unless otherwise indicated)

B. DOMESTIC ECONOMY:	1987	1988	1989
GDP (current USDOLS)	22,092	20,055	23,049
GDP Growth Rate (percent)	19.7	-9.2	14.9
GDP Per Capita (current USDOLS)	11,795	10,243	11,254
Government Spending as % of GDP	38.3	44.7	40.9
Inflation (percent)	0.6	1.5	3.4
Unemployment (percent)	NIL	NIL	NIL
Foreign Exchange Reserves (USDOLS)	4,140	1,923	2,834
Average Exchange Rate 1 USDOL = X KD	.279	.279	.294
Foreign Debt (USDOLS)	-0-	-0-	-0-
Debt Service (% of goods and services)	N/A	N/A	N/A
U.S. Economic Assistance (USDOLS)	-0-	-0-	-0-
U.S. Military Assistance (USDOLS)	-0-	-0-	-0-

C. TRADE:	1987	1988	1989
Total Exports (USDOLS)	8,355	7,722	11,030E
Total Imports (CIF, USDOLS)	5,293	6,100	6,500E
U.S. Exports (USDOLS)	505	690	855
U.S. Imports (USDOLS)	568	506	975
U.S. Share of Host Country Imports (%)	10.7	8.2	15.0E

Trade with Leading Partners	1987	1988	1989
Japan Exports	857	730	N/A
Japan Imports	N/A	N/A	N/A
W. Germany Exports	402	410	N/A
W. Germany Imports	N/A	N/A	N/A
United Kingdom Exports	369	423	N/A
United Kingdom Imports	N/A	N/A	N/A

Principal U.S. Exports: Autos, Parts and Equipment; Tobacco Products; Aircraft; Trucks, Trailers and Buses; A/C and Refrigeration Equipment; Construction Machinery and Equipment; Consumer Goods.

Principal U.S. Imports: Crude oil

SOURCES:

Central Bank of Kuwait: Quarterly Statistical Bulletins
Ministry of Planning: Statistical Abstract
Official Gazette.

U.S. Trade Statistics - U.S. Department of Commerce
E - Embassy estimates from past year statistics
N/A - Not available

776 - 4 -

9

0046

II. COMMERCIAL ENVIRONMENT

Background. Iraq's invasion of Kuwait on August 2, 1990, and the subsequent looting of equipment and supplies and destruction of infrastructure by the Iraqi occupiers, presents the GOK with an enormous reconstruction task over the next five to ten years. The cost could approach $100 billion. With sizeable financial resources and proven oil reserves of more than 90 billion barrels, Kuwait may be able to bear the enormous costs of restoration, but it will not be easy.

Contractors and suppliers from allied nations will be favored when contracts are awarded. To date about 70 percent of these contract awards have gone to U.S. firms. Under plans drawn up by the U.S. Army Corps of Engineers (COE), hired by the GOK to run the first phase of the cleanup, construction crews will start clearing rubble and repairing roads, bridges, seaports and airports. They will presumably also be charged with clearing mines, unexploded ordnance and the like. Shortly thereafter the GOK is expected to spend another $500-800 million to restore basic health care, sanitation, communications, utilities including water and food supplies for the population still in Kuwait.

Because of Iraq's scorched earth policy in Kuwait, some 200 oil wells now burning must be snuffed out. Simultaneously, crude oil production and export facilities must be restored. We understand that Bechtel Corporation has been named program manager for oil sector restoration, but to date no contract has been signed. Some procurement is being handled by the:

Kuwait Coordination and Follow-up Center
1510 H Street NW
Washington DC 20005

They will accept any proposal submitted by mail for forwarding as appropriate.

U.S. suppliers of goods and services who meet international specifications and have prior experience in the region should find excellent market opportunities as a result of Kuwait's misfortune. U.S. firms who already have a Kuwaiti agent or representative will have an advantage because prospective agents may be difficult to locate for some time. Kuwaiti adherence to the Arab League boycott of Israel has prevented some U.S. firms from doing business in Kuwait in the past. It remains to be seen how vigorously the boycott will be inforced now. Before any U.S. firm sign a contract in postwar Kuwait, it should clarify whether or not Kuwaiti corporate tax law applies. If it does, the U.S. firm should seek professional advice to understand the cost implications.

Commercial Outlook: Measures adopted by the Kuwaiti government in recent years to stabilize oil prices and resolve the banking sector's bad debt crisis caused by the Souk Al-Manakh stock market crash had strengthened the economy in 1989. But growth began to slow in the months preceding the August 2, 1990 Iraqi invasion.

The massive destruction wreaked upon Kuwait now must be undone. Indeed an economic boom is likely to develop as Kuwait struggles to restore itself and other Gulf states reassess their security needs.

Development Spending: Spending will target restoration of essential services in the areas of housing, roads, bridges, harbors, piers, airports, public utilities, water desalination, petroleum facilities, waste collection and treatment, education, telecommunications and medical care. There should be sufficient project variety and volume to attract international contractors; design, engineering and project management firms; and suppliers.

Major Projects: The number of major projects to be undertaken to restore Kuwait are too numerous to enumerate here. Those wishing to receive regular information should contact the Commerce Department's Office of Major Projects on (202) 377-5225. Current indications are that most project awards will be on a fixed cost, turnkey basis. Another source of information for COE projects relating to restoration of Kuwait's municipal facilities is the:

U.S. Army Corps of Engineers
Middle East Division
Public Affairs Office
Phone: (703) 665-3936

o Prequalification - U.S. firms wishing to bid on COE-managed major projects must submit SF 255 and current SF 254 to:
Middle East/Africa Projects Office
ATTN: CESAI-ED-MC
P.O. Box 2250
Winchester VA 22601-1450

U.S. firms interested in bidding on major projects or government tenders in Kuwait **AFTER THE LEGITIMATE GOVERNMENT IS RESTORED**, must be pre-qualified with the appropriate GOK agency before it will be considered for short-listing. A summary of procedures follows:

9

0048

A. Consultancy, Project/Construction Management Services - for major projects undertaken by the development ministries (excluding the Kuwait National Petroleum Company, Kuwait Oil Company, Petrochemical Industries Company, Arab fund, Kuwait Fund), firms must be pre-qualified with the:

Consultants Department
Ministry of Planning
P O Box 15 Safat
13001 Kuwait
Fax: (965) 2430477
Tlx: 22468 KT
Attn: Mrs Wafa'a Al-Majed, Director

Firms should submit introductory letters along with company brochures, financial statements, information about experience particularly in the Middle East, etc. While it is not essential to be affiliated with a local firm prior to being awarded a contract, it is usually advantageous to have a local contact to assure your firm will be considered for pre-qualification. (This also applies for the entities described in (B.) and (C.) below.)

B. Contractors - Construction contractors interested in non-military projects should register with:

Ministry of Public Works
P O Box 8 Safat
13001 Kuwait
Fax: (965) 2424335
Tlx: 22753 ASHGHAL KT

Attn: Ali Al-Abdullah, Chief Engineer
Roads Administration (for highways & bridges)
or
Attn: Bader AlQabendi, Deputy Chief Engineer
Major Projects Department (for other projects)

Note: Terms of reference for recent major project tenders have specified that bids be for turnkey, fixed cost construction.

C. Contractors - Military Projects - The first step in pre-qualification for military construction projects is to write to:

Engineering Department Military Projects
Ministry of Defence
P O Box 1170 Safat
13012 Kuwait
Fax: (965) 5618397
Tlx: 22526 ENGDEPT KT
Attn: Asst. Under Secretary, EDMP

NOTE: THE ABOVE, VALID BEFORE THE INVASION, IS FOR INFORMATION ONLY.

D. Contractors/Suppliers - Oil Sector - To be included on the contractor's list for the oil sector (i.e., to be pre-qualified), please submit an introductory letter and informational brochures to the following:

Central Tenders Committee
P O Box 1070 Safat
13001 Kuwait
Tlx: 44048 CTC KT

Attn: Mr Nayef Al-Maosharji, Secretary General

The CTC will forward applications received to the appropriate Vendors Evaluation Committee. Only sole source suppliers of goods or services may be pre-qualified without having a local agent.

NOTE: THE ABOVE, VALID BEFORE THE INVASION, IS FOR INFORMATION ONLY.

o Arbitration - Prior to the invasion, commercial disputes were no longer submitted to international arbitration in Paris. Contracts specified that arbitration would be done in Kuwait. Both parties in the dispute could select their own arbiter, and the third would be nominated by the Kuwait Chamber of Commerce and Industry, subject to the approval of both parties. Disputes not resolved to the satisfaction of both parties would be escalated to the Kuwait commercial court.

Comment: Traditional practice in the Kuwaiti market had been to bid low - get the job - make a claim. The Kuwaiti government discouraged this practice by specifying fixed cost contracts, and local arbitration. Contractors who continue to "low ball", do so at their peril.

Comment: In the post-invasion commercial climate, it may be possible for contractors to again specify international arbitration of disputes.

U.S. Market Position: Prior to the invasion, U.S. market share showed dramatic improvement as the impact of the U.S. dollar's decline worked its way through the international economy and U.S. manufacturing productivity improved. In 1989 U.S. exports to Kuwait increased 24 percent to USD 855 million (U.S. Department of Commerce statistics). The United States was very close to overtaking Japan as the leading export country to Kuwait. U.S. exports during the first three months of 1990 increased, but then began to decline - almost as though traders were anticipating the August invasion. With the prominent U.S. role in the coalition aligned against Iraq, it is certain that U.S. firms will play a significant role in all aspects of Kuwait's restoratio.

Prospects for U.S. Business: U.S. firms with extensive experience in the region, and who were already represented in Kuwait before the invasion will be greatly advantaged as suppliers of goods and services to Kuwait's reconstruction. But U.S. firms must still compete with the firms from other coalition countries for market share. U.S. firms capable of meeting international standards should do well in areas where U.S. products and services have a technological edge and where U.S. expertise and brand names are respected. Prospects are good for almost every sector. Initial requirements will be for restoration of basic infrastructure, public utilities, health care, consumer goods, and crude oil production facilities.

Arab Boycott Complications: It is not clear how vigorous post war Kuwait's enforcement of the Arab League boycott of Israel will be. In our opinion we believe it likely that enforcement of the boycott will be abandoned, at least by the Arab countries who are members of the allied coalition. However, in the past it prevented some U.S. firms from doing business in Kuwait. Some companies are still black listed. At times U.S. firms are caught between conflicting requirements of Kuwaiti boycott and and U.S. anti-boycott regulations. Some of these conflicts were resolved, others not.

U.S. firms may encounter boycott procedures in certificates of origin, letters of credit, shipping documents, certain tender and contract provisions, and in requests from boycott offices to furnish information about the firm's business relationships. Generally, the receipt of a request to furnish information or otherwise participate in a restrictive trade practice or boycott must be reported to the U.S. Department of Commerce, although there are some exceptions. For more information on the exceptions and/or answers to questions about boycott regulations or problems, U.S. firms should contact the Office of Antiboycott Compliance, U.S. Department of Commerce, Washington, D.C, 20230-6200 (202-377-2381) or the Office of General Counsel, U.S. Department of Treasury (202-566-5569).

Getting Into the Market: To penetrate the Kuwaiti market, a local agent or representative is usually required under Kuwaiti law. In any case local representation is essential for timely notification of major projects and tenders, and to maintain contact with ministry officials and decision makers. Use of the Department of Commerce's Agent Distributor Service (ADS) is an excellent and inexpensive tool to establish initial contact with potential agents or distributors (more information on this service can be obtained from the nearest Department of Commerce US&FCS District Office). However, the U.S. businessman who makes periodic trips to Kuwait will be the most successful. The importance of direct contacts and personal relationships with Kuwaiti counterparts cannot be overemphasized.

Commercial Contacts:

o For General Market Information:

Corey Wright, Desk Officer (Kuwait)
Department of Commerce
Room 2039, HCHB
Washington, D.C. 20230-6200
Tel: (202) 377-2515

o For Upcoming Trade Promotion Events (trade missions, catalog shows, etc.):

John Flannagan
Regional Export Development Officer
Department of Commerce
Room 1510, HCHB
Washington, D.C. 20230-6200
Tel: (202) 377-1209
Fax: (202) 377-5179

o For General Market Information:

Commercial Attache
American Embassy Kuwait
Department of State
Washington, D.C. 20520-6200
Tel: Kuwait (965) 2424192
Fax: (965) 2407368

o For Current Status of Major Projects:

Office of Major Projects
Department of Commerce
Washington, D.C. 20230
Tel: (202) 377-5225

III TRADE & INVESTMENT CONCERNS

The Kuwaiti market is free and open for competition. There are no restrictions on currency exchange, nor on the transfer of profits and dividends. Tariffs are for the most part nominal, i.e. 4% ad valorem. There are a number of products whose duties are in the 15-30% range to protect local industry. The main ones are listed below, and present no particular threat to U.S. exports. However there are several primarily non-tariff barriers which can hamper U.S. commercial ties with Kuwait (also addressed below).

Customs Duties: Generally, goods, materials, and commodities imported into Kuwait are subject to duty at a rate of four percent ad valorem (CIF value).

Exempt from customs duties are most foodstuffs, books and periodicals, movie films, gold and silver bullion, most live animals, and animal feeds.

Items that are subject to duty higher than 4% as a protective measure for local industry include:

- Cast iron pipes 50-150 mm. dia., up to 3 meters long (15%)
- Plastic bottles, cups, etc. (15%)
- Polyethylene/polypropylene sacks and covers (30%)
- Car batteries (15%)
- Chemical cleaners, liquid shampoos, and deodorants (15%)
- Cigarettes and imported tobacco (50%)
- Automotive and industrial lubricants (30%)
- Paper products (25%)
- Portland cement (15%)
- Fiberglass insulation (25%)
- PVC pipes, all diameters (25%)
- Paint, except automotive (25%)
- Wooden furniture, doors, windows, prefab Houses (25%)
- Prefabricated iron buildings, Kirby system

Non-Tariff Barriers: The Kuwaiti government has and is imposing a number of documentation and standards requirements in order to:

- Implement Arab League boycott regulations;
- conform with Gulf Cooperation Council (GCC) countries standards and specifications;
- and, to combat the importation of counterfeit (knock-off) goods.

NOTE: The latter two types of requirements are only referred to as barriers because they seem to be so to many U.S. exporters, and potential exporters. If U.S. firms understand and comply with local (and international) standards and regulations, they will find a ready market here (and overseas). Those firms who see the international market as just another outlet for their standard U.S.- market product line are doomed to failure in the longer term.

The most significant documentation and standards requirements are summarized below:

1. Certification (or Authentication) of Origin (of goods) on documentation for export to Kuwait (e.g. bills of lading, invoices, letters of credit, etc.):

A. If U.S. goods originate in a state where there is a U.S.-Arab Chamber of Commerce (currently San Francisco, CA, Chicago, IL, or Washington, DC), or the Embassy or Consulate of any Arab country except Egypt, then one of these must certify origin of goods;

B. If U.S. goods originate in a state where there is no Arab diplomatic or commercial presence, then any U.S. Chamber of Commerce in that state may certify origin.

In either case (A. or B. above), documents must also be certified by the Kuwaiti Embassy in Washington, DC or Consulate in New York City.

NOTE: Certification of origin means origin of manufacture. If goods are shipped from the United States, but were manufactured wholly or in part in other countries, then each country of manufacture must be listed for certification. That is, if Kuwaiti customs officials inspect a shipment and find components or subcomponents on which the country of manufacture is clearly marked, each different country of manufacture should correspond with those certified on export documentation.

When discrepancies are noted by customs officials, customs clearance is usually delayed. Beginning January 1, 1989, entry of such goods may be denied.

2. Country of Origin Markings: Effective January 1, 1989, goods or commodities shall not be exhibited or sold in Kuwait unless the country of origin (i.e. country of manufacture) is shown thereon in a clear and indelible way. If a product is impossible to so mark, then a sticker may be used (e.g., apples or a bunch of grapes).

It shall be sufficient to show the country of origin on cans or packages containing products or commodities on which the country of origin can not be shown.

NOTE: A local supermarket has already stopped importing a well known U.S. brand of rubber household products because "Made in U.S.A." is not embossed on the products themselves. In this case, a sticker is apparently not acceptable to Kuwaiti customs.

3. Arabic Language Requirements: Effective January 1, 1989, the Importers of durable goods which include instruction manuals for usage and maintenance, shall add thereto a translation in the Arabic language.

NOTE: While the language requirement is imposed on the importer, it is reasonable to assume that importers will tend to favor exporters who already provide instructions in Arabic.

4. New Electrical Standards: Effective January 1, 1989, major household appliances (white goods) must operate unaided (i.e. without transformers) on Kuwait's power transmission grid (240 volts, 50 hertz (cycles).

NOTE: Similar electrical standards were also to be imposed for small household appliances (brown goods), but action has been deferred.

Investment: Participation in the Kuwaiti real estate and equity markets is limited to Kuwaiti nationals only. However, an Amiri decree issued July 23, 1989, has opened the door to permit foreigners to invest in in the local futures markets for foreign exchange and gold bullion. Local investment companies are now planning to launch mutual funds, but it is not yet clear whether foreigners will be permitted to invest in local shares.

Foreigners are permitted and encouraged to participate in joint ventures, but foreign ownership is limited to 49 percent.

Joint Ventures and Licensing: Joint ventures with Kuwaiti firms are the best means for competing successfully on major project work. In addition, numerous private sector Kuwaiti's have expressed interest in establishing joint ventures and/or licensing arrangements to produce goods locally to replace those which are now imported. Proposals range from the manufacture of breakfast cereals to chemicals and catalysts for the oil refining and petrochemical industries. With government plans to continue to upgrade its refinery operations, and to develop a major petrochemical industry in Kuwait, we believe there will be significant opportunities for U.S. licensees and joint venturers.

Advantages which can accrue to such ventures are management control, limited liability for the partners, and possible shelter from Kuwaiti corporate taxes. Joint-venture arrangements are generally flexible enough to assure a generous apportionment of profits, not necessarily confined to respective ownership shares.

Taxation: There is no personal income tax in Kuwait. However, income arising out of Kuwait to any foreign enterprise operating directly, or indirectly through representation, will be subject to tax on profits. Rates of tax range up to 55 percent.

A directive issued in January 1980 requests that all Kuwaiti Government entities withhold final payment (usually five percent of total contract value) due to foreign entities until such entities present a tax clearance certificate from the Income Tax Department. The five percent of total contract value withheld often became a sort of minimum tax. This is no longer the case, and the taxation authorities have become far more aggressive in making claims. While tax liabilities are computed more or less on the basis of profits disclosed, allowable deductions may vary significantly from U.S. practice.

We strongly urge representatives of U.S. firms contemplating commercial activity in Kuwait to seek competent advise on taxation before tendering for projects or entering joint venture arrangements.

Treaties and Bilateral Agreements: The Overseas Private Investment Corporation (OPIC) and the government of Kuwait have a bilateral agreement. OPIC has already issued political risk insurance for several U.S. firms bidding on major projects.

No other commercial treaties between Kuwait and the U.S. exist as at this time. However, the Kuwaiti government has requested consultations with the U.S. government to negotiate a double taxation treaty.

Visa Regulations: Foreigners entering Kuwait, other than nationals of other GCC countries, must be in possession of a valid Kuwaiti visa. Business visas are issued to business-sponsored applicants either in Kuwait or by Kuwaiti Embassies abroad. Business visitors are usually sponsored by their local agents, or prospective agents.

Those without any such contacts can request sponsorship by one of the major hotels operating in Kuwait (e.g., the Sheraton, the Kuwait International, the Holiday Inn, the Ramada Inn), while booking into the hotel for your stay.

Visa applications should be made at least 15 days prior to the desired travel date.

776 - 14 - 끝

9

0056

관리번호	91-1384

외 무 부

종 별 :

번 호 : FRW-0773 일 시 : 91 0306 1720

수 신 : 장관(경기,중동일)

발 신 : 주 불 대사

제 목 : 중동 부흥개발은행 구상

연:FRW-0745

대:WFR-0414

연호 추가, 당관 확인내용 아래 보고함.

1. 외무성

-동 구상은 미정부내에서도 재무부가 재정상의 이유로 반대하는등 확정된 입장이 아닌 것으로 알고있으며, 미국측으로 부터 동건 협의 요청받은바 없음.

- 불측은 동 은행 설립시 대상국 선정, 재정부담등 정치경제적 문제뿐 아니라 그실효성에도 회의적인바, 중동 복구는 현존 금융기구를 활용하는 것이 가장 실용적이라고 봄.

2. 주불 미대사관

-본국 정부로 부터 구체적 내용을 통보받은바 없으며, 동 안을 더이상 PUSH하지 않는다는 입장인 것으로 알고있음.

- 새로운 은행 창설 또는 특별 복구계획 수립시 GCC 국가가 중심이 되어, 자금을 출연코 집행관리하는 것이 바람직함. 끝.

(대사 노영찬-국장)

예고:91.12.31. 까지

검 토 필 (1991. 6. 30.)

경제국	장관	차관	1차보	2차보	중아국

PAGE 1

91.03.07 08:00

외신 2과 통제관 BW

0057

72수

관리 번호	91-220

원 본

외 무 부

종 별 : 지 급

번 호 : USW-1080 일 시 : 91 0306 1831

수 신 : 장관(미북,중동일,경이,미안,기정)

발 신 : 주 미 대사

제 목 : 쿠웨이트 복구 사업 참여 협조 요청

1. 당지 방문중인 이정빈 차관보는 금 3.6 NSC DOUGLAS PAAL 아시아 담당 선임 보좌관 내정자 및 SANDRA CHARLES 중동 담당 보좌관을 면담, 중동 각국에서건설 프로젝트 참여를 통해 많은 경험을 쌓은 아국 건설 업체들이 쿠웨이트 복구 사업에도 참여 함으로서 아국 나름의 협조를 제공할 준비가 되어 잇음을 설명하고, 동건 관련 미측의 적극적인 협조를 요청함(당관 유명환 참사관 배석)

2. 이에 대해 PAAL 보좌관은 한국도 전후 복구 사업에 적극 참여하기를 희망한다고 말하고, 자신이 알기로는 쿠웨이트 정부가 다국적군 참여국등 걸프전쟁관련 지원국의 은혜를 잊지 않겠다는 입장을 표명하면서 이에 따라 복구 사업 참여 가능국과 불가국을 구분하는 일종의 리스트를 작성하였는바, 한국은 당연히복구 참여 가능국에 포함된것으로 알고 있다고 언급함.

3. 한편, 동 보좌관은 아직도 유엔의 각종 대이락 경제 제재 조치등이 유효한 만큼 이락내 복구 사업 참여 문제는 추후 적적할 시점에 신중히 검토 하여야할것이라고 첨언함.

(대사 박동진-장관)

91.12.31 일반

검 토 필(1991. 6. 30.) 7L

예고문에 의거 재분류(1991.12.31.)
직위 사무관 성명 [illegible]

미주국 안기부	장관	차관	1차보	2차보	미주국	중아국	경제국	청와대

PAGE 1

91.03.07 09:15

외신 2과 통제관 BW

0058

관리 번호	

외 무 부

종 별 : 지 급

번 호 : USW-1086 일 시 : 91 03062200

수 신 : 장관(미북,중근동,미안,기정)

발 신 : 주 미 대사

제 목 : 제 1차관보 방미 결과

중동국(copy 미주국 참사관)

당지를 방문중인 이정빈 제 1 차관보는 금 3.6(수) DAVID MACK 국무부 근동부차관보를 면담하고 걸프 사태 전후 처리 문제에 관하여 의견을 교환하였는바, 주요 내용 다음 보고함(JOHN KELLY 차관보는 명일부터 시작되는 BAKER 장관은중동 순방 대책 회의등으로 인해 면담이 이뤄지지 못함)

1. 제 1 차관보는 우선 미측이 커다른 인명 피해 없이 걸프전을 승리로 종결짓고 동 지역에서 평화와 안정을 회복하기 위한 발판을 마련한데 대해 축하를 하고 걸프전 이후 중동 지역의 안정과 평화 유지를 위해 미국의 구상을 문의하였음.

2. 이에 대해 MACK 부차관보는 미국이 비록 대부분의 군을 파견하고 주도적인 역할을 했지만 어디까지나 연합군(COALITION FORCES)의 일원이었으며 여타 연합국들의 협조 없이는 금번 사태를 이처럼 성공적으로 마무리 지을수는 없었을것이라고 하고 한국이 재정및 수송 지원을 해준데 대해 감사를 표하엿음.(동부차관보는 특히 한국의 수송 지원은 걸프 사태 해결에 있어 결정적인 순간에 커다란 도움이 되었으며, 한국등 우방국인 이집트, 요르단, 터어키등에 대해 재정 지원을 함으로서 다국적군의 연합 전선에 균열이 가지 않도록 하는데 기여한것으로 평가한다고 언급)

3. 이어 동 부차관보는 전후 중동 지역의 안보및 경제 복구등을 위한 지역 안보 체제 수립, 이스라엘-아랍문제 특히 팔레스타인 문제, 레바논 문제, 경제 부흥 문제, 군비 통제등과 관련한 미측의 입장및 구상을 다음과같이 밝히면서 이러한 문제는 앞으로 역시 국제적인 협력하에서 추진해야할것이라고 말함.

가. 지역 안보 체제 수립

-미국이 현재 지역 안보 문제에 관한 확실한 청사진등을 갖고 있지는 않으나 중동의 현실이 유럽과는 다르므로 NATO 또는 CSCE 같은 유럽의 경험이 중동에그대로 적용될수 없으며 동 지역 국가들이 스스로 지역 안보에 대한 계획을 창안해내야

미주국 장관 차관 1차보 2차보 미주국 중아국 정문국 청와대
총리실 안기부

PAGE 1

91.03.07 13:13
외신 2과 통제관 BW

0059

는것이 미국의 기본 입장임.

이문제와 관련 GCC 국가 외무장관들이 3.3 리야드에서 회동한바 좋은 구상이 나올것을 미국은 기대하고 있음(금일 리야드에서재차 회동)

한편 미국은 부쉬 대통령이 누차 천명한바와같이 지상군을 주둔시키지는 않을것이며 동 지역에 오래전부터 배치된 미국의 해군력 및 공군력이 있기 때문에 온건 아랍국가가 군사적으로 지원하고 GCC 국가가 중심이된 지역 안보 체제와 긴밀한 협조를 하게되면 장래에 대비 하는데 충분하다고 봄.

-베이커 장관은 금번 중동 순방중에 리야등에서 GCC 국가대표들과 면담하고타이푸에서 쿠웨이트 정부 인사들과도 만날 예정이며 또한 시리아, 이집트, 이스라엘, 터어키도 방문, 지역 안보 문제에 대한 아랍국가들의 의향을 타진 하고 미국이 할수있는 역할에 대한 모색을 하게될것임.

나. 이스라엘-아랍 문제(팔레스타인 문제)

-미국으로서도 어떤 구체적 해결책을 갖고 있지는 않으나 아랍국가들이 금번 걸프 사태를 계기로 보다 현실적인 인식을 하게되었으므로 단계적으로 이문제를 풀어 나갈수 있을것으로 기대함.

다. 군비 통제

-미국으로서는 최근 무바락 이집트 대통령이 제안한바 있는 중동 지역에서의 장거리 미사일등 비재래식 무기 금지 제안등을 환영하며 중동 지역 정세 불안요인 제거 차원에서 군비 통제를 적극 추진 예정임.

라. 경제 복구 문제

-현재 GCC 국가와 이집트등이 중심이 되어 세계 은행(IBRD)과 유사한 아랍 개발 은행(ARAB DEVELOPMENT BANK)설립을 추진하고 있는바, 일본, 독일, 한국및 서구 국가들의 역할이 기대되고 있음.

-한국의 경우 과거 중동 지역 건설 시장 진출등의 경험이 축적되어 있는 만큼 걸프 지역 복구에 중요한 역할을 할수 있을것으로 봄.

4. 제 1 차관보는 상기 설명에 대해 사의를 표하고 우리나라가 걸프 지역의안정 회복과 경제 복구에 지원을 할 용의가 잇음을 표명하고 전후 쿠웨이트 복구 사업에 아국의 참여 문제에 관해 미측의 협조를 요청하였음.

이에 대해 동 부차관보는 쿠웨이트 정부가 전후 쿠웨이트 복구 사업을 위해임시로 워싱턴 D.C. 에 설치하여 운영해오고 있는 쿠웨이트 경제 복구 위원회(COUNCIL ON

-NOMIC RECONSTRUCTION OF KUWAIT)는 지금까지 담당하던 업무를 쿠웨이트 정부내 기관을 업무를 이관하고 있는 중이며, 쿠웨이트 복구와 관련, 전기, 상. 하수도 및 쓰레기 처리 시설등 긴급히 복구가 요청되는 분야에 있어서는 단기적으로 미국정부가 커다란 역할을 하게될것이나 도로, 항만, 정부 건물, 주택등 사회 간접 자본 복구는 전적으로 쿠웨이트 정부가 계획을 수립 시행하게될것이라고 언급함.

5. 한편 중동 질서 개편에 관한 소련의 역할에 관한 질문에 대해 동 부차관보는 걸프 사태 발생이래 미국은 소련과 긴밀한 협의를 통해 유엔을 중심으로 국제적 평화 회복 노력을 전개해 왔는바, 미국으로서는 앞으로도 중동 지역 문제 해결에 있어 소련의 건설적 참여(CONSTRUCTIVE PARTICIPATION)를 기대하고 있다고 언급함.

6. 관찰및 평가

-중동 지역 안보 문제와 관련 미국으로서는 아랍세계 및 소련등의 반발을 의식하여 지상군을 주둔시키지는 않되, 친미 온건 아랍국가들을 주축으로한 지역 안보 체제 수립을 유도하는 한편, 동 지역에 있어 미국의 해.공군력을 강화하여 동 지역 안보 체제에 대한 후견인 역할을 통해 중동 지역의 정세 안정을 도모하는 구상을 추진중인것으로 보임.

-쿠웨이트 복구 사업과 관련 단기적 긴급 복구 계획에 관해서는 미국정부가주도및 지원하고 있는것으로 보이며 그외 중.장기적인 복구 사업은 쿠웨이트 정부가 자체 판단에 따라 계약을 체결하여 시행하게될 전망임.

-중동 지역 질서 개편및 복구 관련 미국은 소련이 냉전적 사고에 입각, 중동 지역 정세에 개입하는것을 수용하지 않으나 중동 국가들과 상호 경제적 이익을 공유(MUTUALLY SHARED ECONOMIC INTERESTS)하는 건설적인 관계를 발전 시켜 나가기를 바라고 있는것으로 관찰됨.

(대사 박동진-장관)

91.12.31 일반

관리 번호	91-1388

원 본

외 무 부

종 별 : 지 급

번 호 : SBW-0705 일 시 : 91 0307 1620

수 신 : 장관(중일,건설부,기정)

발 신 : 주 쿠웨이트 대사(주사우디대사 경유)

제 목 : 복구계획참여 지원(30)

대:WSB-495

연:JDW-68,73

1. 관련 전문으로 보고드린대로 본직은 KU 의 최고당국자들에게 90.8.2 이전 KU 에서 공사를 진행하다가 철수한 우리건설업체 (현대건설)가 조속히 현지에 돌아가 공사를 재개할수 있도록 조치해줄것을 요청했고, 이는 그들도 원칙적으로 바라고 있는 일임

따라서 현재로서는 현대의 인원이 빨리 현장에 도착하여 피해를 조사하고 공사재개 계획을 수립, KU 측에 제시하는것이 급선무이나, KU 측이 출입국 절차를 완비하는데에는 경우에 따라서는 상당한 시일이 소요될 수도 있음을 염두에 두어야함

이러한 사정을 감안하여, 작년 8.2 이전에 KU 에 있던 인원중 최소인원들이 당시에 유효했던 KU 입국비자를 가지고 사우디로 와서 미국 COE 당국과 접촉하여 가능한 입국 수단을 강구하던가 또는 다른 대안이 없을 경우에는 우리 의료지원단의 도움을 받아 비공식으로 입국하는 방안이 아직은 가능하다는 점을 현대의 사우디 현지 책임자에게 알려주고, 이러한 방향으로 처리되도록 권고한 바 있음(다만 이러한 비공식입국시에는 우선 극소수의 필요인원만 파견해야 할것임)

2. 기타 대호에서 언급된 사항에 대해서는 본직이 KU 에 복귀하는대로 상황을 조사하여 보고하겠음

(대사소병용-국장)

예고:91.12.31 까지

중아국	장관	차관	1차보	2차보	안기부	건설부

PAGE 1

91.03.08 00:22

외신 2과 통제관 DO

0062

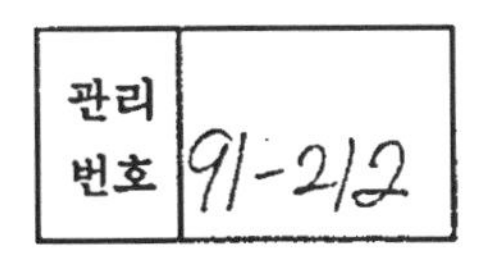
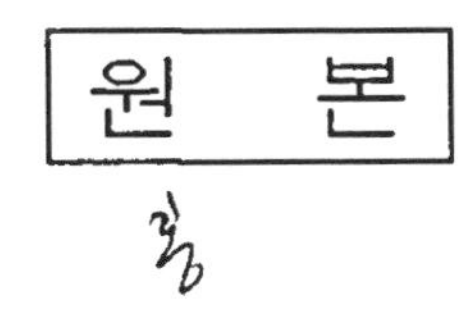

외 무 부

종 별 :

번 호 : UKW-0609 일 시 : 91 0307 1210

수 신 : 장관(기협,중동일,구일) 사본: 건설부,상공부

발 신 : 주 영 대사대리

제 목 : 쿠웨이트 복구계획

1. 주재국은 최근 쿠웨이트 전후 복구 계획에 관한 자국 기업들의 적극적인 참여를 촉구하기 위해 "RECONSTRUCTING KUWAIT" 제하 안내자료를 발간하였으며, 아래 쿠웨이트 복구에 필요한 주요 7 개 분야에 관한 영국 산업의 경험과 기술(관련업체 자료 포함)을 요약하고 있는바 동 자료는 금 3.7(목) 발 파편 송부함

- OIL, GAS AND PETROCHMICALS
- CONSULTANCY, CIVIL CONSTRUCTION AND HEALTHCARE
- POWER SECTOR AND WATER PRODUCTION
- WATER AND SEWERAGE
- TELECOMMUNICATIONS
- FOOD AND GENERAL SUPPLIES
- ENVIRONMENTAL PROTECTION

2. 한편, WESTMINSTER 경영 자문회사가 상공부및 쿠웨이트 재건특별위(BTFRK) 후원으로 오는 3.18(월) 당지 QUEEN ELIZABETH II 회의장에서 영국 기업인들을 위한 브리핑(REBUILDING KUWAIT: A BREIFING FOR BRITISH BUSINESS)을 가질 예정인바, 동 관련자료는 추후 파악 보고 예정임.끝

(대사대리 최근배-국장)

91.12.31. 까지

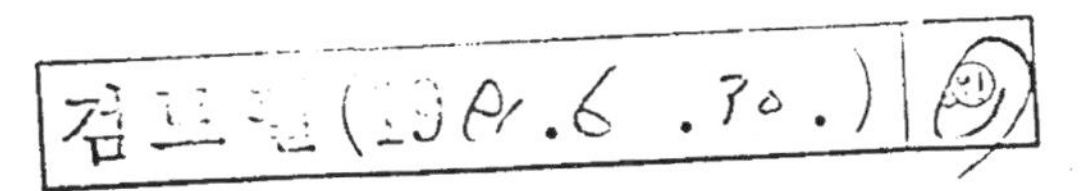

공람	국제경제국	년 월 일	담 당	과 장	국 장	차관보	차 관	장 관

경제국 장관 차관 1차보 2차보 구주국 중아국 청와대 안기부
상공부 건설부

PAGE 1

91.03.08 05:50
외신 2과 통제관 CW

0063

관리 번호	91-1391

외 무 부

종 별 :

번 호 : UKW-0609　　　　일 시 : 91 0307 1210

수 신 : 장관(기협,중동일,구일) 사본: 건설부,상공부

발 신 : 주 영 대사대리

제 목 : 쿠웨이트 복구계획

1. 주재국은 최근 쿠웨이트 전후 복구 계획에 관한 자국 기업들의 적극적인 참여를 촉구하기 위해 "RECONSTRUCTING KUWAIT" 제하 안내자료를 발간하였으며, 아래 쿠웨이트 복구에 필요한 주요 7 개 분야에 관한 영국 산업의 경험과 기술(관련업체 자료 포함)을 요약하고 있는바 동 자료는 금 3.7(목) 발 파편 송부함

- OIL, GAS AND PETROCHMICALS
- CONSULTANCY, CIVIL CONSTRUCTION AND HEALTHCARE
- POWER SECTOR AND WATER PRODUCTION
- WATER AND SEWERAGE
- TELECOMMUNICATIONS
- FOOD AND GENERAL SUPPLIES
- ENVIRONMENTAL PROTECTION

2. 한편, WESTMINSTER 경영 자문회사가 상공부및 쿠웨이트 재건특별위(BTFRK) 후원으로 오는 3.18(월) 당지 QUEEN ELIZABETH II 회의장에서 영국 기업인들을 위한 브리핑(REBUILDING KUWAIT: A BREIFING FOR BRITISH BUSINESS)을 가질 예정인바, 동 관련자료는 추후 파악 보고 예정임.끝

(대사대리 최근배-국장)

91.12.31. 까지

경제국 상공부　장관 건설부　차관　1차보　2차보　구주국　중아국　청와대　안기부

PAGE 1

91.03.08　05:50

외신 2과　통제관 CW

0064

관리번호 91-211

원 본

외 무 부

종 별 : 지 급

번 호 : FRW-0787 일 시 : 91 0307 1850

수 신 : 장관(경이,중동일,미북)

발 신 : 주 불 대사

제 목 : 쿠웨이트 복구사업 참여

대:WFR-0703

연:FRW-0765

미 국무성이 최근 주요 재외공관에 통보한 "미국과 쿠웨이트 재건" 제하 미국정부의 주요활동 내용을 당관이 입수, 아래 요약 보고함.

1. 긴급복구 수요

0 쿠 정부는 정부귀환후 60-90 일을 긴급기간으로 설정, 아래 분야의 국민 기본수요를 충족키 위해 최대 노력 예정임.

- 의료, 식품 및 식수공급, 공공안전, 기본 통신망 설치 및 기타 긴급수요

2. 쿠웨이트 정부 복구계획

0 90.12. 쿠 정부는 각부처 요원으로 구성된 "쿠웨이트 긴급복구처(KERO)를 워싱턴에 설치하였으며, 이후 이를 "KUWAIT TASK FORCE(KTF)"로 개편 사우디에 재배치함.

0 KTF 는 쿠웨이트로 옮겨져 상기 긴급기간중 쿠웨이트 정부 CIVIL BUREAUCRACY 의 핵심역할을 수행 예정임.

0 KERO/KTF 는 이동식 발전기, 식품및 식수등 긴급용품 구입을 위해 상금 5 억불 이상 계약하였으며 이중 70 프로 정도가 미국업체와 계약될 것으로 알려짐.

3. 미 정부와 긴급 복구계획

0 "US ARMY 352ND CIVIL AFFAIRS COMMAND" 소속 57 명(예비군)이 KERO/KTF 가 창설된 이후, 이들과 전후 쿠 정부가 직면할 치안회복등 긴급사항을 중심으로 긴밀히 협의하고 있으며, 최단 기일내 다국적군으로 부터 권한을 이양받을수 있도록 지원하고 있음.

0 동 COMMAND 는 60-90 일의 긴급 복구기간 활동후 본국 귀국 예정임.

경제국 장관 차관 1차보 2차보 미주국 중아국 청와대 안기부

PAGE 1

공람	국제경제국	년 월 일	담 당	과 장	국 장	차관보	차 관	장 관
				홍	N			

91.03.08 06:02

외신 2과 통제관 DO

0065

4. 미국기관의 긴급복구 참여

0 미 공병대는 쿠 정부와 긴급복구 기간중 기본 사회간접시설 복구를 위한 계약을 체결하였으며, 쿠웨이트 국방부, 건설부, 전력및 수도부, 경비대와 공동 작업 예정임.

0 공병대는 특히 위생시설등 각종 사회간접시설 피해를 산정하고, 항만, 도로등으로 임시수리 예정인 바, 동 수리계약은 쿠웨이트 정부가 직접 체결하거나 공병대가 쿠 정부 승인하에 체결할 수 있게 되어있음.

0 기타 미.쿠 정부간 체결된 양해각서를 근거로 미국 민간기관도 보상조건으로 쿠 정부에 자문역할을 제공하수 있게 되어있음.

5. 석유분야 복구

0 석유분야는 국영 쿠웨이트 석유회사의 런던지사에서 복구계획을 독자적으로 수립, KERO/KTF 의 최종승인을 받도록 되어있는 바, 미국 정부는 이에 자문역할을 제공한 바 없음.

6. 장기 복구계획

0 1 단계 복구작업이후 쿠 정부는 장기 재건계획에 착수할 것이나, 상세한 피해가 파악되기전 까지는 (약 3-5 개월 정도 소요) 다수의 계약을 체결치 않을 방침으로 알려짐.

0 장기 재건사업 계약 절차는 걸프만 사태 이전과 같이 쿠웨이트 관련 정부기관이 재무성 승인하에 체결될 것임. 미 공병대 및 여타 미국 정부기관도 쿠 정부 요청시 장기재건사업에 참여할 수 있을 것이나 상금 확정된 것은 없음.

7. 미국 정부의 일반정책

0 쿠 정부는 전후 복구.재건을 위한 관리 및 재정능력이 있으며, 미 정부는 쿠 정부의 요청에 따라 특히 긴급복구 기간중 자문역할을 계속 제공할 것이며, 쿠웨이트 재건을 관리할 여하한 책임도 없으며, 요청받은 바도 없음. 끝.

(대사 노영찬-국장)

예고:91.12.31. 까지

검토필(1991. 6. 30.)

관리번호 91-1380

외 무 부

종 별 : 지 급

번 호 : FRW-0787　　　　일 시 : 91 0307 1850

수 신 : 장관(경이,중동일,미북)

발 신 : 주 불 대사

제 목 : 쿠웨이트 복구사업 참여

대:WFR-0703

연:FRW-0765

미 국무성이 최근 주요 재외공관에 통보한 "미국과 쿠웨이트 재건" 제하 미국정부의 주요활동 내용을 당관이 입수, 아래 요약 보고함.

1. 긴급복구 수요

0 쿠 정부는 정부귀환후 60-90 일을 긴급기간으로 설정, 아래 분야의 국민 기본수요를 충족키 위해 최대 노력 예정임.

- 의료, 식품 및 식수공급, 공공안전, 기본 통신망 설치 및 기타 긴급수요

2. 쿠웨이트 정부 복구계획

0 90.12. 쿠 정부는 각부처 요원으로 구성된 "쿠웨이트 긴급복구처(KERO)를 워싱턴에 설치하였으며, 이후 이를 "KUWAIT TASK FORCE(KTF)"로 개편 사우디에 재배치함.

0 KTF 는 쿠웨이트로 옮겨져 상기 긴급기간중 쿠웨이트 정부 CIVIL BUREAUCRACY 의 핵심역할을 수행 예정임.

0 KERO/KTF 는 이동식 발전기, 식품및 식수등 긴급용품 구입을 위해 상금 5 억불 이상 계약하였으며 이중 70 프로 정도가 미국업체와 계약될 것으로 알려짐.

3. 미 정부와 긴급 복구계획

0 "US ARMY 352ND CIVIL AFFAIRS COMMAND" 소속 57 명(예비군)이 KERO/KTF 가 창설된 이후, 이들과 전후 쿠 정부가 직면할 치안회복등 긴급사항을 중심으로 긴밀히 협의하고 있으며, 최단 기일내 다국적군으로 부터 권한을 이양받을수 있도록 지원하고 있음.

0 동 COMMAND 는 60-90 일의 긴급 복구기간 활동후 본국 귀국 예정임.

경제국	장관	차관	1차보	2차보	미주국	중아국	청와대	안기부

PAGE 1

91.03.08 06:02

외신 2과 통제관 DO

0067

4. 미국기관의 긴급복구 참여

0 미 공병대는 쿠 정부와 긴급복구 기간중 기본 사회간접시설 복구를 위한 계약을 체결하였으며, 쿠웨이트 국방부, 건설부, 전력및 수도부, 경비대와 공동 작업 예정임.

0 공병대는 특히 위생시설등 각종 사회간접시설 피해를 산정하고, 항만, 도로등으로 임시수리 예정인 바, 동 수리계약은 쿠웨이트 정부가 직접 체결하거나 공병대가 쿠 정부 승인하에 체결할 수 있게 되어있음.

0 기타 미.쿠 정부간 체결된 양해각서를 근거로 미국 민간기관도 보상조건으로 쿠 정부에 자문역할을 제공하수 있게 되어있음.

5. 석유분야 복구

0 석유분야는 국영 쿠웨이트 석유회사의 런던지사에서 복구계획을 독자적으로 수립, KERO/KTF 의 최종승인을 받도록 되어있는 바, 미국 정부는 이에 자문역할을 제공한 바 없음.

6. 장기 복구계획

0 1 단계 복구작업이후 쿠 정부는 장기 재건계획에 착수할 것이나, 상세한 피해가 파악되기전 까지는 (약 3-5 개월 정도 소요) 다수의 계약을 체결치 않을 방침으로 알려짐.

0 장기 재건사업 계약 절차는 걸프만 사태 이전과 같이 쿠웨이트 관련 정부기관이 재무성 승인하에 체결될 것임. 미 공병대 및 여타 미국 정부기관도 쿠 정부 요청시 장기재건사업에 참여할 수 있을 것이나 상금 확정된 것은 없음.

7. 미국 정부의 일반정책

0 쿠 정부는 전후 복구.재건을 위한 관리 및 재정능력이 있으며, 미 정부는 쿠 정부의 요청에 따라 특히 긴급복구 기간중 자문역할을 계속 제공할 것이며, 쿠웨이트 재건을 관리할 여하한 책임도 없으며, 요청받은 바도 없음. 끝.

(대사 노영찬-국장)

예고:91.12.31. 까지

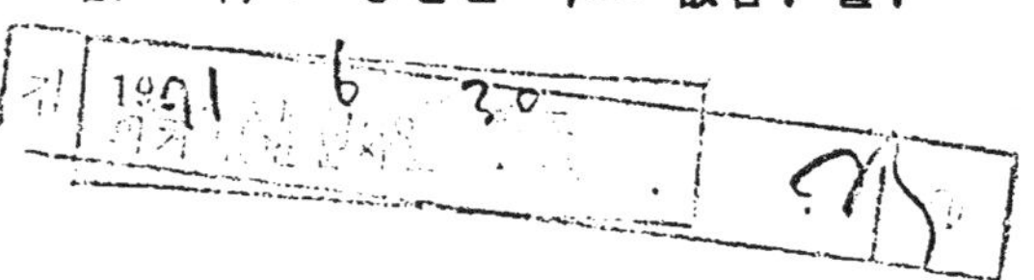

PAGE 2

9

0068

관리 번호	91/1246

원 본

외 무 부

종 별 :

번 호 : USW-1092 일 시 : 91 0307 1637

수 신 : 장관(중동일, 미북,경이)

발 신 : 주 미 대사

제 목 : 전후 복구 사업

대 WUS-0870

1. 대호 관련, 당관 손명현 공사는 3.7. 미 육군 공병단 부사령관 C.EARNEST EDGAR III 소장앞 서신을 통해, 아국 업체의 쿠웨이트 복구 사업 참여 의사를밝히고, 이를 위한 공변단측의 협조를 요청하였음(관련 서신 별첨)

2. 동 공병단측 관계자와 면담이 주선되는대로 , 진전사항 추보하겠음.

첨부:USW(F)-0790

(1 매)

(대사 박동진- 국장)

예고:91.12.31. 까지

91.6.30. 검토필

중아국 차관 2차보 미주국 경제국

PAGE 1

91.03.08 07:15

외신 2과 통제관 CH

0069

03/07/91 17:01 ☎202 797 EMBASSY OF KOREA → 001/001

번호 : USW(F) - #790
수신 : 장관 (중동일과, 미북, 경이)
발신 : 주미대사
제목 : 청부 (1매)

EMBASSY OF THE REPUBLIC OF KOREA
WASHINGTON, D. C.

March 7, 1991

Major General C. Earnest Edgar III
Deputy Commanding General
U.S. Army Corps of Engineers
20 Massachusetts Ave., NW
Washington, D.C. 20314

Dear Major General Edgar:

I am writing to you to offer the services of Korean construction companies in the programs for the reconstruction/rehabilitation of Kuwait, in which your U.S. Army Corps of Engineers is playing a major role. It is our belief that with the support and cooperation of the Corps of Engineers, our construction companies can make very significant contributions to the rebuilding of Kuwait.

Korean construction companies have previously worked with the Corps of Engineers, during both the Korean and Vietnam Wars. In addition, our companies have extensive experience working on projects in the Middle East and their construction facilities, as well as personnel and heavy machinery are already in place in the region.

If possible, I would like you to arrange a meeting between members of your staff and representatives from the Embassy to discuss this matter. A member of my staff will be contacting your office next week to arrange a mutually convenient time for the meeting. If I can provide you with any further information, please contact me at the Embassy. Thank you for your assistance in this matter.

Sincerely,

Myong Hyun Sohn
Minister for
Economic Affairs

0070

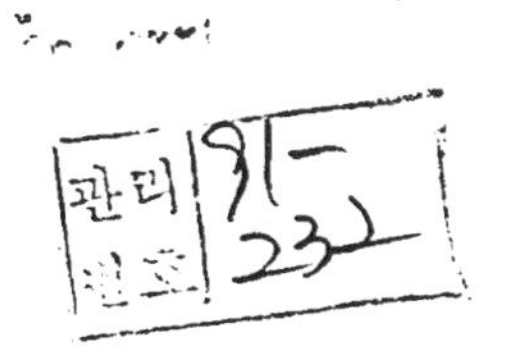

주 영 대 사 관

영국(경) 764- 22 1991. 3. 7

수신 : 외무부장관

사본 : 건설부장관 , 상공부장관

참조 : 국제경제국장

제목 : 쿠웨이트 전후 복구 계획

대 : 해외 30600-13-354 (91.2.9)

연 : UKW - 0609

1. 대호 관련, 주재국은 상공부 (DTI) 및 쿠웨이트 재건 특별위원회 (British Task Force for the Reconstruction of Kuwait) 주관으로 현지 피해 상황 파악 및 영국 관련 기업의 참여를 주선하고 있으며 특히 91.3.18(월) 당지 Queen elizabeth II 회의장에서 일반기업인들을 위한 브리핑을 계획하고 있읍니다.

2. 주재국이 중점을 두는 쿠웨이트 복구 사업은 아래 7개 부문이며, 복구 비용은 1,000억 미불 (Private Sector 포함 경우 5,000억 미불)으로 추산중입니다.

- Oil, gas and petrochemicals
- Consultancy, civil construction and healthcare
- Power sector and water production
- Water and sewerage
- Telecommunications
- Food and general supplies
- Environmental protection

검토필(1991. 6 . 30.)

첨부 : 1. Reconstructing Kuwait

2. Rebuilding Kuwait 브리핑 안내

3. 걸프전 종전 복구 사업 계획 개요. 끝.

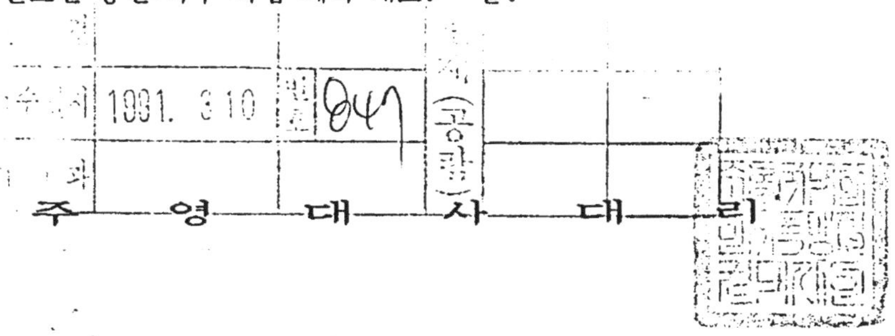

주 영 대 사

0071

걸프전 종전 복구 사업 계획 개요

1. 쿠웨이트 피해 현황

○ 구체적인 피해 내용이 조사중에 있어 종합적인 피해 내역 파악이 어려우나 유전 및 정유 시설 피해가 가장 큰 것으로 보임.

○ 이라크 점령전 일산 1.6백만 바렐 규모의 쿠웨이트내 950개 유전중 650개가 이라크군의 방화로 타고 있으며 26개 정유 시설중 18개가 이라크군 또는 연합군의 폭격으로 파괴되었음.

○ 일산 25만 바렐의 Al-Ahmadi 정유 공장을 비롯하여 최소한 정유 능력의 20%는 파괴됨.

○ 유전 및 정유 시설이외 발전 설비, 통신망, 해수 담수화 설비, 도로망의 파괴가 큰 것으로 밝혀지고 있음.

2. 쿠웨이트 피해 복구 계획

○ 쿠웨이트는 KERO (Kuwait Emergency Recovery Office), Ministry of Public Works, Ministry of Electricity and Water and the National Guard를 중심으로 각 분야별 복구 계획을 수립, 시행 예정

○ 피해 복구에 소요되는 기간을 유전, 정유 관련 시설 복구에 최소 9개월에서 5년, 기타는 시설 복구 및 신설에 5 - 10년이 걸리고 소요자금은 6백억 - 1000억 달러에 이를 것으로 추정하고 있음. 산유 시설은 최초1일 13만 바렐에서 6개월내 50만 바렐 생산 수준까지 가능하도록 복구 계획 수립중.

0072

o KERO 사업 계획과 병행하여 300건에 5억 달러 상당의 음식물 유통, 배수시설 및 통신설비 복구 사업 계획을 추진중임.

3. 각국의 복구 사업 참여 현황

가. 기존의 시설, 설비가 미국, 영국등에 의해 설계 시공되었으며 전쟁에 공헌도로 보아 복구 사업의 70%가 미국 회사에 의해 이루어지고 발전 설비, 수처리 분야에서 영국이 일부 참여할 것이며 그밖에 이집트, 프랑스등의 참여가 예상됨.

나. 미 국

o 약 100억 달러 규모의 유전, 천연개스, 석유화학 분야 복구 사업중 정유공장 복구 계획에 Bechtel사가 이미 L/I 를 받았다하며 동사는 하청기업 인력을 포함 4,300명을 고용 계획이라함.

o 3.4 워싱턴에 Gulf Recontruction Centre를 개설하여 미국기업의 대 쿠웨이트 복구사업 진출을 지원하고 있음.

o Fluor사가 정유 관계 사업, Parsons사가 도로 및 수처리 설비 사업, AT&T 사가 통신설비 복구, IBM등이 전산망 복구 사업에 각각 참여예정

다. 영 국

o Hurd 외상과 Prior GEC 회장이 이끄는 관민 합동 경제 사절단이 2월 중순에 망명 쿠웨이트 정부와 사우디에서 접촉코 전후 복구 사업 참여 협의

o 영국 상공성이 최근 담만에 쿠웨이트 진출을 위한 특별 위원회를 설치하였음.

0073

o 기존의 쿠웨이트 발전 설비의 85%가 GEC, NEI등 영국 회사에서 제작되었으며 설계사양이 British Standard로 되어있어 이분야 참여가 유리한 것으로 보임.

o 쿠웨이트내 56개 수처리 시스템도 상당부분 영국 회사에서 설계 시공한 것으로 Biwater등 이분야 전문 회사들이 수주 활동 전개중

o GEC, Alsthom (영.불합작회사) : 6백만 파운드 규모의 이동발전소 (병원, 통신소용) 수주

o Morrison : 긴급 복구 사업중 3백만 파운드 규모의 상하수도 설비 및 건물 보수공사 수주

o Wimpey, Costain Group : 긴급 복구 사업 참여에서 제외되었으나 도로, 건물 복구사업 참여 추진중

o John Laing International : 의료 시설 복구 사업 참여 추진

o BICC : 전쟁전에 2억 파운드 규모의 지하 케이블 공사 시공실적이 있으므로 이분야 계속 참여 추진중

라. 일 본

o 전쟁전에 미스비시 중공업이 2400MW 의 Subiya 발전소 (공사금액 6억 파운드)건설공사를 수주하였으나 전쟁으로 착공을 못하였는바 동사업의 계속 추진을 교섭중

0074

○ 의료시설의 기증, 원유의 폐만 방류 처리를 위한 기술자 파견, 경단련의 난민구호기금 모금등 인도적 견지에서 복구에 참여한다는 소극적 입장을 표명하였으나 각 상사들이 해수담수화 설비공사등에 관심을 갖고 쿠웨이트 관계관 접촉중임.

4. 기 타

○ 쿠웨이트가 복구 계획을 추진하는데 대금 지불에는 큰 위험이 없을 것으로 보고있으나, 미국, 영국등이 아직 쿠웨이트 자산 동결 조치를 해제하고 있지 아니하며, 영국의 경우 수출 보험 지원 문제가 해결되지 아니하였음.

○ 3.5자 The Times지는 EC 가 바그다드의 수처리 설비를 위하여 392천 파운드를 제공키로 발표하였으며 미국측이 놀라움을 금치못하고 있다고 보도함.

0075

외 무 부

종 별 :

번 호 : BBW-0169 일 시 : 91 0307 1500

수 신 : 장 관(구일,중동이,기정동문)

발 신 : 주 벨기에 대사

제 목 : 주재국 걸프전쟁 후속조치

URBAIN 주재국 대외무역장관은 3.5(화)걸프전쟁 복구사업 참여를 위한 단체를 조직하였음을 발표하였는 바, 관련 사항 하기보고함.

1. 단체명 : 걸프 국가들과의 경제.무역관계활성을 위한 조직 (CELLULE POUR LARELANCE DES RELATIONS ECONOMIQUES ETCOMMERCIALES AVEC LES PAYS DU GOLFE)

2. 설립목적 : 벨기에 기업의 쿠웨이트 및 걸프국가의 전후 복구사업 참여를 조직적으로 관리하고, 벨기에 기업의 공급 및 걸프국가의 수요에 효과적으로 대응

3. 활동계획

0 복구사업 참여 희망 기업 리스트 작업

0 참여 희망 기업의 재정문제 및 벨기에 기업의공급가능 범위 평가

0 걸프지역 국가 주재 벨기에 공관에서 조사한 쿠웨이트등 걸프국가의 전후 복구에 따른 수요 및 기타 관련 수집 정보교환

0 당분간은 쿠웨이트에 제한적으로 실시, 점차다른 국가로 확산

4. 사무국 : 벨기에 대외교역청 (OBCE) 에서담당

5. 반응 : 많은 벨기에 기업이 관심을 표명하고있으며, 3.5.(화) 현재 50개 기업이 이미 참여

6. 기타 : URBAIN 장관은 식량, 의약품등 긴급복구사업은 이미 미.영의 기업이 계약 체결을 완료하였으나, 장기복구사업 (병원, 호텔, 항만, 공항, 통신등)은 벨기에 기업의 참여가 가능할 것으로 전망하면서, 자신이 무역.산업 사절단을 이끌고 라마단이후 (즉 4월중, 하순경) 쿠웨이트를 비롯한 사우디.이란.UAE 등 중동 국가를 방문하 예정임을 밝힘.

한편, 동 장관은 미.영의 대기업이 이미 계약한 사업의 하청을 받기위한 접촉도 계속하고 있으나, 지금까지 계약된 것은 없다고 밝힘. 또한 AHMAD AL-EBRAHIM 당지

구주국 1차보 중아국 정문국 안기부

PAGE 1

91.03.08 09:23 WG

외신 1과 통제관

0076

주재 쿠웨이트 대사는, 전후복구사업을 2차로 나눌 수 있으며, 1차는 특별한 기준에 의해 참여기업이 선정되었으나, 2차시에는 가격과 공급의 질에 따라 기업이 선정될 것이라 밝힘.끝.

(대사 정우영-국장)

0

0077

관리 번호	

원 본

외 무 부

종 별 :

번 호 : JAW-1372 일 시 : 91 0308 1826

수 신 : 장관(중동일,아일)

발 신 : 주 일 대사(일정)

제 목 : 자민당 중동 방문단

연: JAW-1201,1289

1. 자민당 오자와 간사장을 단장 으로하는 중동방문단이 3.9-14. 간 이집트,시리아, 사우디아라비아, 쿠웨이트를 방문, 이들 국가수뇌 및 요인과 일본의 전후 부흥협력 방안, 유엔평화유지 활동에의 참가방법, 중동의 안전보장 체제에 관해 논의할 예정임.

2. 이번 방문은 상기 국가의 초청으로 이루어지는 것으로서, 야마구치 경제조정 특별조사회장등 7-8 명의 의원이 동행함. 끝

(공사남홍우-국장)

예고:원본접수처-91.6.30. 일반

사본접수처-91.6.30. 파기

중아국 차관 1차보 2차보 아주국 청와대 안기부

PAGE 1

91.03.08 19:58

외신 2과 통제관 FE

0078

관리번호	

외 무 부

종 별 :

번 호 : ITW-0350 일 시 : 91 0308 0945

수 신 : 장관(경일,구일,중근동,기정,국방부,건설부)

발 신 : 주 이태리 대사

제 목 : 걸프지역 복구사업 이태리 참여(자응 91-36)

대:해외 30600-13-354

쿠웨이트 전후 복구사업에 이태리의 참여 추진동향, 언론보도를 종합 아래 보고함.

0 걸프전이 종료된 이후 쿠웨이트 복구사업은 현재까지 약 170 건 총 8 억규모가 계약된 것으로 보도되고 있으며 우방국으로서 걸프전에의 참여도에 따라 사업 계약 혜택이 주어지고 있어 복구사업 계약에는 미국(70 프로), 영국(22 프로), 불란서 사우디가 중심적으로 참여중이며 이태리의 참여는 미비한 실정이라 함.

0 그러나 이태리 정부, 국영기업인 ENI, IRI 그룹과 유수 민간기업은 이태리기업이 전문 분야에서 그동안 걸프지역 공사에 참여한 경험이 많은점과 조속 복구를 위해선 미 엔지니어링사가 여타 전문회사의 하청을 필요로 할것 이라는 점을 감안 하청 방식에 의한 이태리의 쿠웨이트 복구사업 참여가 많을 것으로 기대하고 각종사업의 지불 조건등을 면밀히 분석하면서 사업참여에 적극 노력중임.(이태리 참여 기대 분야: SNAM 및 SNAMPROGETTI 사의 석유산업, BELLELI 사의 에너지, SIRTI 사의 광섬유선 설치, 기타 담수생산공장, 도로동 토목공사)

0 한편, 사업 참여 확대의 일환으로 이태리 DEMICHELIS 외상이 3.10(일) 현지를 방문할 예정이며 RUGGIERO 무역성 장관은 수상 전용기편으로 IRI, ENI 국영그룹및 이태리 전경련 대표도 구성된 사절달을 이끌고, 3.11.(월) 현지를 방문, 3일간 쿠웨이트 고위인사등을 접촉, 복구사업 참여 교섭활동을 적극 펼 예정임.쿠웨이트 복구사업 참여에는 많은 이태리 민간업체도 지대한 관심을 보이고 있어 업계단체도 사절단을 구성 3 월말 현지를 방문 상담 활동을 벌일 예정임.끝

(대사 김석규-국장)

예고:91.06.30. 까지

경제국	장관	차관	1차보	2차보	구주국	중아국	청와대	안기부
국방부	건설부							

PAGE 1

91.03.08 20:17

외신 2과 통제관 FE

0079

원 본

외 무 부

종 별 :

번 호 : HKW-0970 　　　　일 시 : 91 0308 1800

수 신 : 장관(중동일,아이,상공부)

발 신 : 주홍콩총영사

제 목 : 걸프전 종료후 홍콩업계 동향

1. 개황

0 걸프전 개전으로 가장 직접적인 영향을 받은 분야는 관광,운송분야이며, 수출은 이란,이라크,쿠웨이트에 대한 수출규모가 전체규모의 0.1프로 수준으로 직접적인 영향은 미미하여 전쟁중이던 91.1중에도 전년동기대비 30.5프로 높은 성장 시현

0 전쟁종료후 전후특수 참여문제 관련,홍콩업계의 뚜렷한 움직임은 없음

0 다만 전후 2,000억불이상 추정되는 복구사업추진으로 인한 미국,구주 의 경기회복에 따라 대미,대구주 수출이 활성화되는것에 큰 기대를 걸고 있음

2. 분야별 동향

가. 상품수출

0 홍콩무역발전국은 이번 종전에 따른 대중동특수품으로 건설기재,가구,전자.전기제품,생활용품이 각광을 받을것으로 예상하고 있으며 홍콩에서참여할수있는 품목은완구를 비롯한 생활용품으로 생각하고 있음

0 이를 위해 무역국에서는 5월중순 완구와 생활용품 업체를 중심으로 시장개척단을 구성,젯다,리야드,두바이등지에 순회 상담회를 개획하고있고, 9월중 동일규모의시장개척단으로 쿠웨이트에도 파견계획임

0 대이라크 수출은 정정불안, 수입대금 결제등의 문제로 특별한 계획은 없음

나. 금융

0 90년 하반기 국제금리의 하락으로 2회에 걸쳐 금리인하를 단행한 호옹금융기관은 종전후전후복구사업에 따른 금융경색화 예상으로금리인하 논의가 중단되었고, 향후 금융시장의 자금부족현상이 전망되고있음

다. 건설

0 홍콩내 건설,장비회사의 경우 해외건설참여 경험이 없고 홍콩의 신공항 건설등

중아국 장관 차관 1차보 2차보 아주국 정문국 청와대 총리실
안기부 상공부

PAGE 1 　　　　91.03.08 20:47 BX

외신 1과 통제관

0080

지역내대해 프로젝트 추진에따라 전후복구사업에 대한 관심은 없음

0 다만 영국계 자본회사인 SWIRE 그룹이 영국과의 관계를 활용 쿠웨이트내 해상유전복구사업에 하청으로 참여할 움직임을 보이고 있은 구체내용은 밝히지 않고 있음

라. 해운

0 걸프전쟁 발발후 구주항로,동남아 항로에 부가하여온 SURCHARGE(구주 20푸터당 300미불, 동남아20푸터당 30불)을 현구주 150불로 조정하였으나 추가인하 내지 폐지문제는 유가변동관련 3월말경 조정전망

0 홍콩주재 정기선사중 CMA LINE (프랑스계)에서 3.19. 쿠웨이트 취항을 계획중이나 부두전압,하역문제등으로 실운항 여부 불확실,기타 선사는 관망중

마. 유가

0 자동차용 휘발유의 경우 종전 리터당 미불70센트에서 현재 87센트로, 산업용 디젤의 경우 리터당 미불 16센트에서 44세트로 인상되었으며,주요 석유공급회사에서는 원유가 변동추이를 보아가면서 4월경 조정계획을 발표

바. 기타

홍콩정청에서는 민간주도의 경제정책 기조에연유, 전후복구사업관련 특별히 추진하는 계획은없으며, 다만 정부출연 EXPORT CREDIT INSURANCE CORP.의경우 1.3부터 부보대상을 제한해오던 대중동수출에 대해 3.1자로 이라크,쿠웨이트 제외 부보를개재하고 50프로의 할증도 해제했음.끝

(총영사정민길-국장)

0081

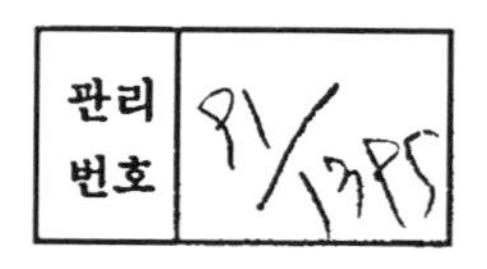

외 무 부

종 별 :

번 호 : GEW-0592 일 시 : 91 0308 1800

수 신 : 장관(경기,경이,통이,중동일,구일)

발 신 : 주 독 대사

제 목 : 중동 부흥개발은행 구상

대:WGE-034

대호 당관 이상완 참사관은 연방경제부 DOMASCH 에너지 부국장, DOEPFER 중동경제 부국장을 면담, 동인들의 견해를 종합 아래 보고함

1. 베이커 장관의 중동 부흥개발은행 창설제의는 전후 중동복구에 소요되는자금조달을 사우디, UAE, 쿠웨이트등 중동부국이 부담하여야 하나 이들 전쟁 참여 중동국은 전비지출과 재 산유가능시점의 불명료성에 따른 어려움 또한 무시할수 없으므로, 전후 중동질서 안정을 위하여, 미국으로서는 동 자원조달을 세계각국에 분산 부담케할 의향으로 동 은행 창설을 제의한 것으로 본다고 함.

2. 베이커 장관의 동 구상발표시에는 겐셔 외무장관이 방미중에 있으므로 겐셔장관도 동구상이 좋은 생각이라고 일단을 평가하였음.

3. 동제안은 아직 구체화되어있지 않는바, 재무부, 경제부등 실무진은 세계은행등 이미 세계적인 개발은행이 설립, 기능을 발휘하고 있음을 감안, 새로운 은행 창설에 RELUCTANT 한 견해이라고 함.

4. 향후 미국의 적극적인 주도로 동은행 창설의 구체성이 나타날때 세계적 재정부국인 독일은 독.미간의 외교정치적 측면도 고려하여 은행창설에 호의적인 검토를 할 것으로는 전망됨. 그러나 은행창설 준비에는 각국의 동의, 동은행에 대한 주도권, 부담금등 콘센서드 실현에는 상당기간이 소요될 것이므로 동은행 창설 실현에는 많은 어려움이 뒤따를 것으로 전망된다 함

5. 동건 외무부측과도 계속 접촉 새로운 사항 파악시 추보 위계임

(대사-국장)

예고:91.12.31. 까지

검 토 필(1991. 6. 30.)

경제국	장관	차관	1차보	2차보	구주국	중아국	경제국	통상국
청와대	안기부							

PAGE 1

91.03.09 05:28

외신 2과 통제관 FE

0082

원 본

외 무 부

암호수신

종 별 :

번 호 : POW-0145　　　　　일 시 : 91 0308 1900

수 신 : 장관(중동일,구이,정일,통이,조광제 주폴부갈대사)

발 신 : 주 폴부갈대사대리

제 목 : 걸프전 후속조치(자료응신 37호)

1. 주재국은 걸프전후 동 지역에의 외교, 경제적 진출문제를 협의키 위해 PINHEIRO 외상의 주재로 3.6 공업장관, 대외무역담당 국무상과 주요 기업인들이 참석리 오찬 세미나를 가진바, 그 결과 주요사항을 하기 보고함

가. 주재국 정부는 걸프지역 공관 보강계획의 일환으로 최근까지 주 이락대사가 겸임해온 쿠웨이트에 금명간 공관을 신설, 신임대사를 파견키로함. 또 걸프현지 영사관 인원들을 보강키로함

나. 주재국 대외교역청(ICEP)의 현지 사무소 증설검토

다. 걸프이사회(GCC) 사무총장의 주재국 방문초청

라. 이란에 경제인 사절단 파견

마. 쿠웨이트 복구에의 건설, 엔지니어링 사업참여 추진(건설계약 또는 하청계약참여 추진)

바. 걸프 현지 진출 희망기업에 대한 정부차원 지원제공

2. 상기 회의에서 외무성측은 EC 의 쿠에이트 복구계획참여 전략 및 방안 문서를 자료로서 배부하였다함

3. 외무성 대변인인은 이락주재 대사복귀등 대이락 관계는 고려치 않고 동국제세를 관망중이라고 밝힘

4. 주재국은 최근 이스라엘 주재 초대대사임명(JOAO QUINTELA PAIXAO), 사우디주재 대사교체 임명(JOAO FERREIRA)등 조치를 취한바 있었는바, 걸프 발발전, 동 지역에 어느정도의 진출기반이 있었으므로, 이를 보완, 다시 진출코자 시도하고 있는것으로 판단됨. 끝

(대사대리 주철기-국장)

중아국	장관	차관	1차보	2차보	구주국	통상국	정문국	청와대
안기부								

PAGE 1　　　　91.03.09 06:24

외신 2과 통제관 FE

0083

관리번호 91/99

외 무 부

종 별 :

번 호 : GEW-0587 일 시 : 91 0308 1700

수 신 : 장관(경이,통이,중동일,구일) 사본:건설부장관

발 신 : 주 독 대사

제 목 : 쿠웨이트 전후복구참여

대:WGE-0210

연:GEW-0509

대호 당관 이상완 참사관은 3.7. 연방경제부 중동경제 부국장 DR.DOEPFER 를 면담 아래 보고함

1. 현재 쿠웨이트는 망명정부가 아직 완전히 쿠웨이트에 복귀하지 않고 현지의 안전 관계상 외국인의 입국을 극히 제한하고 있는바 연방환경장관 DR.TOEPFER 을 단장으로한 사절단은 3.8. 부터 카탈, 바레인, 사우디를 방문할 계획이고쿠웨이트 방문을 현지에서 시도하려고 한다함. 동 사절단은 과학자들과 일부경제단체 인사로 구성되어 있으며 사우디, 쿠웨이트 등의 환경재해 복구를 도우고 현지에서 양국간 협력관계를 토의할 예정임.

2. 연방 경제부는 VON WUERZEN 차관을 단장으로하는 사절단을 조만간 사우디, 쿠웨이트에 파견할 계획에 있음

3.EC 집행위는 대 쿠웨이트 금수조치를 3.8. 부터 해제할 예정에 있음. 그러나 대 이락 금수는 수개월간 더지속될 것으로 예상된다함

4. 독일정부는 대 쿠웨이트, 이락 복구사업참여를 위한 구체적 계획을 아직세우지 않고 있으며 상기 사절단의 귀국후 동보고를 기초로 업계와 더불어 중동복구사업 진출에 관한 구체사항이 검토될 것이라 함.

독일은 전시 대이락 무기불법수출, 화학가스 제조기술의 유출문제등을 위요한 세계언론의 비난을 인식, 중동지역의 대독일 감정유화에 노력하고 금번 TOEPFER 환경장관을 단장으로한 과학자로 구성된 사절단을 파견하는 것은 쿠웨이트 환경재앙을 극복키 위한 독일의 협력방안을 피력, 친독분위기 조성을 선행하려 하는것으로 사료됨. 독일 연방경제부는 단기적으로 볼때 미.영. 불이 대부분 중동복구사업을

경제국	장관	차관	1차보	2차보	구주국	중아국	통상국	청와대
안기부	건설부							

PAGE 1

91.03.09 09:32

외신 2과 통제관 BW

0084

주도할 것이나 중기적으로 볼때 독일기업의 참여가 적극 실현될 것으로 전망하고 있음

5. 독일기업체들은 수주탐색을 시도하고 있으며 현재 WIESBANER CONTRAC GMBH 는 4 대의 쿠웨이트 공항용 특별버스 약 2 백만 마르크를 KUWAIT AIRWAY 로부터 수주받았고 ABB(전자회사)도 통신설비 공급을 모색하고 있는 것으로 알려지고 있고 HOCHIEF 등 과거 중동지역 진출회사및 BASF 등 유수화학회사등도 현재 관망속에서 수주노력을 시도할 것으로 전망됨. 그러나 대체로 현재까지는 큰진전이 없 것으로 알려지고 있음. 경제부의 DOMASCH 에너지 부국장은 미.영의 SUB CONTRACHER 형식의 주문이 뒤따를 것으로 예상하고 있음

6. 이참사관은 양국간에는 중동에서 사업을 공동으로 추진한 실적이 있음을지적, 양국의 수주관련 정보의 교환과 양국기업이 협력하여 사업에 참여할수 있도록 권장하는 것이 좋을것이라고 말한바, DOEPFER 부국장은 향후 가능한 사업이 구체화 될수 있도록 긴밀히 협조하자고 하였음.

(대사-국장)

예고:91.12.31. 까지

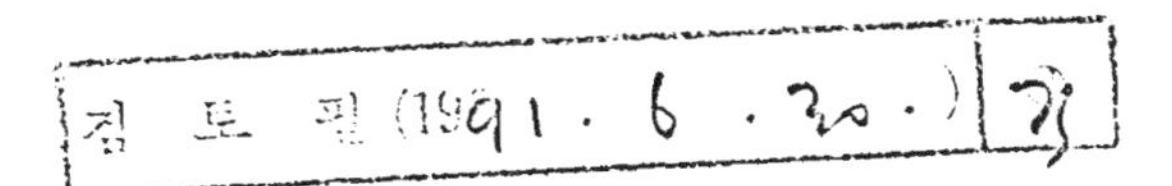

분류번호	보존기간

발 신 전 보

번 호 : WEC-0137 910309 1240 DQ 종별 :

수 신 : 주 EC 대표부 대사 대사!!총영사!!

발 신 : 장 관 (중동일)

제 목 : EC의 걸프지역 복구계획 참여 방안

주 폴투갈 대사관의 보고에 의하면 포르투갈 외무부는 EC 발간 쿠웨이트 복구 계획 참여 전략 및 방안문서를 동국 관계부처 및 업계에 배포하였다는바 동 자료회를 입수 송부하고 주요 내용은 우선 전문 보고 바람. 끝.

(중동아국장 이 해 순)

보 안 통 제	

앙 고 재	91년 3월 9일	중동1과	기안자 성명		과 장	심의관	국 장		차 관	장 관
					홍강중		신정			

외신과통제

0086

원 본

외 무 부

종 별 : 지 급

번 호 : KUW-0004 일 시 : 91 0311 1800

수 신 : 장관(중동일)

발 신 : 주쿠웨이트 대사

제 목 : 건설회사등 쿠웨이트 입국

외국 민간인의 쿠웨이트 입국허가 사무는 아직 개시되지 않았으나, 구체적 자료를 가지고 곧 교섭코자 하니 건설회사와 종합상사에서 복귀시키기를 희망하는 최소 필요인원에 대하여 다음사항을 통보바람. 특히 중단공사가 있는 업체의 경우는 기 보고한대로 속히 복귀,수습케하는 것이 좋을듯함.

-여권번호

-성명

-생년월일

-쿠웨이트 사증

-체류허가번호

-스폰서 이름.끝.

(대사-국장)

중아국 1차보 2차보 정문국 안기부 차관 장관 청와대 건설부 상공부

PAGE 1

91.03.12 00:48 DP

외신 1과 통제관

0087

발 신 전 보

분류번호	보존기간

번 호 : WMN-0037 910312 1126 DQ 종별 : 지급

수 신 : 주 몬트리올 대사. 총영사

발 신 : 장 관(중동일)

제 목 : 아국 근로자 송출

대 : MNW 0029

아국 근로자 송출 절차를 관장하는 아국 관계기관은 해외개발공사(KODCO)로서 그 주소등은 다음과 같음. KODCO측은 귀지 TL LABOUR CONSULTANT사와 직접접촉 협의코자 동사의 주소, FAX 및 전화번호, 대표등 상세를 알려줄 것을 희망하여온바, 이를 파악 보고 바람.

KOREA OVERSEAS DEVELOPMENT CORP.(KODCO)
C.P.O BOX 2545 SEOUL, KOREA
CABLE : MANPOWER SEOUL,
TLX : KODCO K 28505
TEL : 764-0161-6
FAX : 744-1092
(참 조) 카나다 토론토 주재 KODCO 지사
지사장 : CHOONG SIK, HAN
TEL : (416) 250-5164
FAX : (416) 250-5085 끝.

(중동아국장 이 해 순)

보안통제	74

앙고재	91년 3월 12일	중동1과	기안자 성명		과 장	심의관	국 장		차 관	장 관
			박종순		74	96	전결			

외신과통제

0088

外務部 걸프戰 事後對策班

제 목 : 각국의 대이라크 및 쿠웨이트 긴급원조 현황

91. 3. 12.

1. 각국의 원조현황

가. EC (3.6 EC 집행위 결정)

o 쿠웨이트 : 쿠웨이트 적십자사의 요청으로 유아용 식품 수송경비로 34만 ECU (약44만불) 지원

o 이라크 : 국제적십자사의 주선으로 유엔 대이라크 제재위원회의 허락을 얻어 식수처리를 위한 의약품 및 전문가 파견 경비로 300만 ECU (약 390만불) 지원

나. 일본

o 쿠웨이트에 39만불 상당의 긴급원조 제공 예정 (3.8 외무부)

o 유엔재해구호기구(UNDRO)의 요청에 의거 이란 유입 난민구호를 위해 자동차 5대, 모포 6천매, 발전기 16대, 석유곤로 12대등 긴급 원조 결정(2.28. 가이후 수상, 주일 쿠웨이트대사 면담시)

다. 화란

o WHO/UNICEF의 요청에 의거 이라크내 난민구호 원조공여 예정, 액수는 추후 결정 (3.6 개발협력장관)

- 주로 바그다드내 정수시설 복구를 위한 부품 및 화학제품 제공

라. 예멘

o 이라크에 우유 및 의약품 29톤, 혈액 1톤 공수 (3.1)

2. 국제 기구의 동향

o WHO/UNICEF 공동 조사단 이라크 파견 (2.16-21)

- 의약품 54톤(60만불 상당)전달
- 귀환후 이라크내 의료, 공중보건분야 지원계획 건의(1천만불 규모)
- 조만간 유엔 사무총장이 각국 정부에 대해 특별기여금 제공 요청 예정

0089

o 유엔 조사단 (단장:Ahtissari 사무차장) 3.9.이라크, 쿠웨이트 파견

- 이라크 및 쿠웨이트의 인도적 원조 수요 파악 목적
- UNDP, UNICEF, UNDRO, UNHCR, FAO, WFP, WHO 등 관련 국제기구 대표 20명으로 구성

o 유엔 대표단 (Farah 사무차장등 26명) 쿠웨이트 파견(3.11-28)

- 쿠웨이트의 인명 및 재산피해 조사 목적 끝.

0090

主 管

분류기호 문서번호	중동일 720- 12084	기안용지 (720-2327)	시 행 상 특별취급	
보존기간	영구.준영구 10. 5. 3. 1	장 관		
수 신 처 보존기간				
시행일자	1991. 3. 13.			
보조기관 국 장		협조기관		문서통제 1991. 3. 15
심의관				
과 장				
기안책임자	김 동 억			발 송 인 1991. 3. 15 외무부
경 유 수 신 참 조	수신처 참조	발신명의		
제 목	건설회사, 종합상사 쿠웨이트 복귀			

1. 주 쿠웨이트 대사는 아국 건설회사 및 종합상사 복귀 문제를 쿠웨이트 정부와 교섭코자 우선 복귀 희망하는 업체별 최소 필요 인원에 대한 인적사항을 통보하여 줄것을 요청하여 왔습니다.

2. 또한, 중단 공사가 있는 업체의 경우 속히 복귀 수습하는 것이 좋겠다는것이 현지 대사의 의견이며 외국 민간인의 쿠웨이트 입국 허가 사무는 아직은 개시되지 않았다함을 참고 바라며 복귀 희망하는 업체의 필요인원에 대한 아래 사항을 당부에 조속 회보 하여 주시기 바랍니다.

/ 계속 . . .

0091

o 여권번호

o 성 명

o 생년월일

o 쿠웨이트 사증

o 체류 허가 번호

o 스폰서 성명

수신처 : 건설부, 상공부 장관

0092

대 한 민 국
외 무 부

중동일 720- (720-2327) 1991. 3. 14.

수 신 : 수신처 참조

제 목 : 건설회사, 종합상사 쿠웨이트 복귀

1. 주 쿠웨이트 대사는 아국 건설회사 및 종합상사 복귀 문제를 쿠웨이트 정부와 교섭코자 우선 복귀 희망하는 업체별 최소 필요 인원에 대한 인적사항을 통보하여 줄것을 요청하여 왔습니다.

2. 또한, 중단 공사가 있는 업체의 경우 속히 복귀 수습하는 것이 좋겠다는것이 현지 대사의 의견이며 외국 민간인의 쿠웨이트 입국 허가 사무는 아직은 개시되지 않았다함을 참고 바라며 복귀 희망하는 업체의 필요인원에 대한 아래 사항을 당부에 조속 회보하여 주시기 바랍니다.

o 여권번호
o 성 명
o 생년월일
o 쿠웨이트 사증
o 체류 허가 번호
o 스폰서 성명

수신처 : 건설부, 상공부 장관

외 무 부 장 관

중동아프리카국장 전결

0093

걸프전후 복구사업 및 건설공사 참여 안내

1. 사업개요
   가. 복구사업 예상규모 및 재원
   나. 사업 내용
2. 쿠웨이트 정부의 복구사업 추진 시책
   가. 기본 시책
   나. 발주 전망
3. 각국의 수주 동향
4. 우리나라의 참여 방안
   가. 기본 방침
   나. 대 쿠웨이트 복구사업 참여 방안
   다. 대 이라크 복구사업 참여 방안
      ※ 참고사항 첨부

1991. 3. 14.

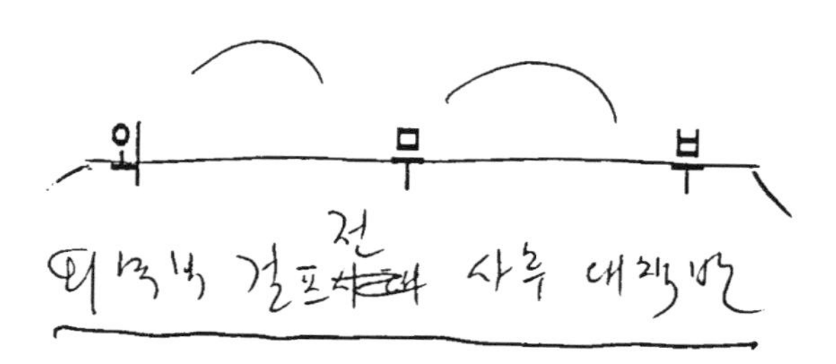

0094

1. 사업 개요

가. 복구사업 예상 규모 및 재원

1) 예상규모

o 쿠웨이트 : 600-1,000억불 (향후 5년간)

o 이 라 크 : 1,000-2,000억불 (향후 10년간)

2) 재원충당

가) 쿠웨이트

o 약 1,000억불의 해외투자 유동자산(보유 외환 및 증권)을 보유하고 있어, 복구사업 자금소요는 무난히 충당될 것으로 예상

o 원유 수출이 회복되면 복구사업 추진이 더욱 원활화 될 것임.

나) 이라크

o 금번 걸프전 및 8년간의 대 이란전으로 복구사업 자금조달에 어려움이 있을 것으로 전망

o 서방국가들은 이라크의 지도부가 개편된후 이라크의 전후 복구를 위하여 투자예상.

나. 사업내용

1) 쿠웨이트

o 제 1단계 사업 (EMERGENCY RECOVERY PROGRAM) : 90일간 초기단계 긴급 복구사업으로서 약 500억불 소요 예상

- 쿠웨이트시 청소. 지뢰제거 및 방역 사업
- UTILITY FACILITY에 대한 긴급 운전
- 시민들의 귀국을 위한 각종 준비 작업
- 도로, 항만, 공항등 긴급 시설 복구
- 각종 UTILITY FACILITY 에 대한 피해조사
- 생필품 및 의약품 조달 및 시설 충당

o 제 2단계 사업 (PERMANENT RECOVERY PROGRAM) : 3-5년간 국가 기간 산업 및 군사시설등 영구복구 사업으로서 약 500억불 소요 예상

- UTILITY FACILITY에 대한 기초조사후 이의 보고서를 근거로 하여 피해사정, 실행복구방법, 예산편성, 복구사업에 필요한 건설회사, 자재공급사, 엔지니어링사 추천 과정등을 거쳐 다음 4단계로 추진될 것으로 보임.
  . COE를 주축으로한 KUWAIT EMERGENCY RESPONSE PROJECT 팀이 피해 사정 보고서 제출 (3개월후)
  . ENGINEERING CONSULTANT 사 선정 또는 TURN-KEY CONTRACTOR 선정(주로 OIL, GAS, PETROCHEMICAL 분야)
  . CONTRACTOR 선정(발전, 담수, 도로, 항만, 군사시설)
  . 건설업자 선정 및 건설자재, 장비, 인력공급, 식량 등 필요 필수품 공급자 선정, 참고정보 제공
- 주요 사업내용
  . 전력, 상하수도, 담수 등 Utility 설비
  . Oil 및 Gas 생산설비
  . 정부시설물 (건물, 병원, 복지시설)
  . 군사시설 및 공항 복구 사업
  . 도로, 항만, 공항 등 Infrastructure 등

2) 이라크

o 재원 조달을 위해 최우선적으로 산유 및 정유시설 복구전망

o 민생 안정 목적의 사회기반 시설 복구도 병행착수 예상 (주택, 도로, 발전 시설 등)

o 전반적인 복구 사업은 장기간 소요 전망

- 2 -

0096

2. 쿠웨이트 정부의 복구사업 추진시책

가. 기본 시책

o 복구사업 총괄부서로서 부수상겸 외무장관을 위원장으로한 재건 위원회를 설치

o 복구사업 참여지분은 다국적군 참전 기여도에 따라 참여 시킨다는 명분을 기조로 하고있음(향후 미국, 영국등이 대부분 차지 예상)

o 장기 복구사업은 각 소관 부서별로 재건 위원회 협의하 발주

o 단기 복구사업은 미국 COE와 쿠웨이트 정부 합동 TASK FORCE TEAM (KERP)에 의해 조사, 설계, 발주

나. 발주 전망

o 쿠웨이트 정부는 단기 긴급 복구 사업에 있어서는 미국 정부가 주도, 지원하고 있으나, 중.장기 복구 사업은 쿠웨이트 정부가 자체 판단에 따라 계약 체결, 시행하게 될 것이라는 입장을 표명한바 있으나, 미국COE가 긴급 복구사업 기간 이후에도 일부가 잔류하여 사업추진, 감독기능 수행 예상.

o 제 2단계 복구 사업중 피해사정 조사 사업과 CONSULTANT 및 원청업자 선정은 미, 영, 불등 서방국가들이 95% 정도 차지하고, 기타 국가가 5% 정도 참여 할 수 있을 것으로 전망되며, 이들 국가가 지명 경쟁 수주형태로 참여함으로서 일본의 참여는 의도적으로 제한될 것으로 예측됨.

o 건설 자재, 장비, 인력 공급, 식량등 필요 필수품 공급자 선정은 사우디아라비아, 기타 아랍제국(이집트, 시리아, 터키) 회사들이 대부분 수주할 전망임.

3. 각국의 수주동향

가. 미국

o 쿠웨이트 정부의 긴급 복구 사업의 계획, 입안 및 감독 업무에 관한 용역 계약을 미국 COE가 4,500만불에 기수주 하였고, 도시 기능 정상화를 위한 긴급 복구사업(전기, 수도, 전화, 도시청소, 긴급운송망, 기초보건시설)을 위한 물자 조달, 인력 및 장비공급등 약 8억불 200여건의 발주 공사중 약 70%인 174건 수주함

o 상기 기수주 공사중 최근 미국COE는 긴급 복구사업 입찰 대상 기업을 우선 미국업체 12, 영국 10, 사우디 10, 프랑스 2, 쿠웨이트 1, 사이프러스 1개사로 제한 결정한바 있음.

o 전쟁중 파괴된 200여개소의 유정 진화 및 복구 공사(석유 생산시설 복구 약 100억불, 정유시설 복구 약 100억불 예상)의 주 계약자 (Program manager) 및 4,000명 기술자 파견 담당회사로서 Bechtel사가 지정됨.

o 미 공병대는 3개월 기간 만료후 일부가 남아 쿠웨이트 장기 복구 사업에 대한 감독기능 계속 수행 예정

나. 영국

o 쿠웨이트 측으로부터 다소 입찰참여 호혜는 받고있으나, 미국의 독점에 우려하는 입장

o 자국 기업들의 전후 복구 계획 적극 참여를 유도키 위해 최근 "RECONSTRUCTION KUWAIT"제하 안내자료 발간하여 쿠웨이트 복구 주요 7개분야에 동국의 산업 경험과 기술자료 배포

- 석유, 개스 및 석유 화학
- CONSULTANT 및 CIVIL CONSTRUCTION

- 상.하 수도 설비
- 전신 전화등 통신 관련 분야
- 식료품 및 일용품 공급
- 환경 보호

o WESTMINSTER 경영 자문회사는 동국 상공부 및 쿠웨이트 재건 특별위 (BTFRK) 후원으로, 3.18. 영국 기업인들을 위해"쿠웨이트 재건" 제하 브리핑 추진

o HURD 외상은 2월말 업체 대표단을 인솔, 쿠웨이트 망명 정부 소재 TAIF를 방문, 자국 업체의 보다 많은 참여를 요청함.

다. 불란서

o 불란서 기업들은 쿠웨이트 제 1단계 복구사업 참여 가능성은 적은 것으로 보고, 본격적인 제 2단계 사업 참여를 위해 단독 또는 미국기업과 공동 진출을 적극 모색 중이며, 국영 수출 보험 공사 보증등 정부차원의 지원 확대를 요구하고 있음.

o 쿠웨이트 제 1단계 복구 사업중 불란서 기업으로는 최초로 GEC ALSTHOM사가 이동식 발전용 가스터빈 4개조의 공급계약 (약 6천만 프랑)을 체결한데 이어, THOMSON-CSF 사도 쿠웨이트 공보성이 긴급 사용할 이동식 TV시스템(보도용 차량, TV스튜디오, 5㎾ 송신기로 구성)의 공급 계약 기체결

o 불란서 예산 담당 장관과 대외무역 장관이 쿠웨이트, UAE, 이집트 등을 방문, 불란서 기업의 복구 사업 참여 협의 진행

o 2월말 불란서 전경련 대표단 쿠웨이트 망명 정부 소재지인 사우디 TAIF를 방문

o 불정부 및 기업은 전후 현재의 시기를 중동 진출의 호기로 보고 쿠웨이트 복구사업 참여는 물론, 각종 사회 간접 시설을 하고 있는 이란에 대한 진출도 적극도모, 이란TABRIZ에 대규모 석유 화학단지 (약 45억불 규모) 건설 계약 체결.

라. 이태리

ㅇ 쿠웨이트 복구사업 참여는 걸프전 참여도에 따라 사업계약 혜택이 주어지고 있어, 이태리의 참여는 미비할 것으로 예상

ㅇ 그러나 정부, 국영기업과 민간 유수기업은 걸프지역 전문 분야별 공사 참여 경험이 풍부하고 조기 복구를 위해서는 미엔지니어링사가 여타 전문회사의 하청을 필요로 할 것임을 감안, 하청 방식에 의한 참여를 기대하고, 각종사업의 지불조건등을 면밀히 분석중, (참여기대 분야; 석유산업, 에너지, 광섬유선 설치, 담수 생산 공장 및 기타 도로등 토목 공사)

ㅇ 사업 참여 확대의 일환으로 3.10. 외상이, 3.11. 무역상이 국영기업체장 및 전경련 대표를 인솔 쿠웨이트 현지 방문, 쿠웨이트 고위인사를 접촉하여 복구사업 참여 교섭 활동을 전개 예정

ㅇ 이태리 민간 업체 및 업계 단체도 3월말 사절단을 구성, 현지 방문상담 활동전개 예정

마. 화란

ㅇ 화란정부는 화란 기업의 쿠웨이트 복구사업 참여 문제협의를 위해 공식사절단의 쿠웨이트 망명 정부 방문추진

ㅇ 화란 업계에서도 정부와는 별도로 쿠웨이트 복구사업 참여를 위해 쿠웨이트 정부와 접촉중

바. 독일

ㅇ 걸프전후 복구 사업에 대한 독일 정부 및 업계의 계획이나 입장표명은 상금없으나, 브랏셀 EC집행위 회의결과에 따라 참여계획 구체적 토의 예상.

ㅇ 업계에서는 대부분의 쿠웨이트 전후 복구사업에 미, 영, 불이 차지하고 독일 참여 기회가 미미할 것으로 예상예상, 이라크 전후 복구사업 참여가 유리할 것으로 전망

- 6 -

0100

사. 포르투갈

o 쿠웨이트 복구에 건설, 엔지니어링 사업참여 추진(건설 계약 또는 하청 계약 참여 추진)

o 걸프 현지 진출 희망기업에 대한 정부 차원 지원 제공 검토중

o 3.6 외무부 측은 EC의 쿠웨이트 복구 계획 참여전략 및 방안 자료를 업계에 배부

아. 벨기에

o 벨기에 기업의 걸프국가 전후 복구 사업 참여를 조직적으로 관리하기 위해 3.5. "걸프전쟁 복구사업 참여 단체"를 조직
  - 참여 희망기업 리스트 작업
  - 희망 업체 재정문제 및 기업참여 범위평가
  - 걸프지역 주재 공관 조사를 근거로 하여 걸프지역 전후 복구 수요 조사 및 관련 정보 교환

o 동국의 많은 기업이 관심을 표명하고 3.5. 현재 50개 기업이 상기 단체에 참여함.

o 장기 복구 사업(쿠웨이트 제 2단계 복구 공사)에 동국 기업참여가 가능할 것으로 전망, 대외 무역 장관이 무역 산업 사절단을 인솔하여 라마단이후 쿠웨이트등 중동국가 방문 예정.

자. 노르웨이

o 쿠웨이트 정부의 긴급 초청으로 3.6. 동국 민간 사절단이 쿠웨이트 향발, 쿠웨이트 측과 구체적 협의 진행중.

o 유전 및 항구 재건이 가장 관심있는 분야이며, 기히 쿠웨이트 망명정부는 동국 원유 관련 자문회사, 원유 채굴장비 판매회사, 엔지니어링 사등 4-50여개사와 접촉

차. 사우디

- 쿠웨이트 복구사업 소요 자재, 장비, 인력 공급 , 식량등 필요 필수품 공급권의 30% 지분을 요구하고 있으며, 도로, 항만, 주택 복구사업에 참여 추진중

카. 일본

- 페만 각국 부흥에 대한 일본의 협력에 대하여는 역내 국가의 이니셔티브를 존중하는 것이 중요하다는 견지에서 관계각국 및 유엔과 협력해 나간다는 기조를 유지하고 있으며, 페만 원유유출, 유정 소실에 의한 환경 파괴 대책과 관련, 일정부는 전문가를 포함한 현지 조사단 파견 검토중임.
- 일본은 3.18. 부로 쿠웨이트 7개 은행의 일본내 자산 동결해제 실시 결정
- 통산성을 위시한 일본 정부는 민간기업의 적극적인 걸프 전후 복구 사업 참여 활동을 자제토록 업계에 지도중
- 일본 민간업계는 당분간 표면적 수주활동을 자제하면서 수면하에서 참여 방안을 모색할 것으로 예상됨.
- 쿠웨이트에 콜레라 발생위험이 있어, 국제 긴급원조대의 파견을 검토 중이며, 물, 의약품 등 긴급 인도적 원조 제공을 제의함.
- 자민당 오자와 간사장을 단장으로하는 중동 방문단이 3.9-14간 이집트, 시리아, 사우디, 쿠웨이트를 방문 일본의 전후부흥 협력방안 협의추진

타. 말레이지아

- 쿠웨이트, 이라크 복구 및 교역 문제를 전담키 위해 수상실 경제 기획단 산하에 외무부, 상공부, 업계 대표로 구성된 위원회를 설치, 민간업계의 요망사항 수렴 및 쿠웨이트, 이라크 당국에 전달 역할 수행중

파. 홍콩

o 홍콩 건설회사는 해외건설 경험이 없고 홍콩 신공항 건설등 국내 사정으로 걸프전후 복구사업에는 관심이 미미하나, 영국계 회사인 SWIRE 그룹이 영국과의 관계를 활용, 쿠웨이트 해상 유전복구 사업에 하청으로 참여할 움직임을 보이고 있음.

4. 우리나라의 참여 방안

가. 기본방침

o 중동국가의 건설공사 적극참여

o 상품수출등 교역증대

o 원유의 안정적 공급선 확보

o 전후 경제부흥 개발 기금 출연으로 각종 프로젝트 참여

o 전쟁 피해국에 대한 긴급 원조 제공(긴급물자 및 의료지원등)

나. 대 쿠웨이트 복구사업 참여방안

가 일반적 수주방안

o 쿠웨이트 정부는 복구 사업 참여 대상국 선정 명분을 군사적 지원 보상에 두고, 특히 미, 영, 불, 사우디를 우선하는 방향으로 추진하고 있으나, 한국에 대해서는 과거의 경험과 실적을 높이 평가하고 있고, 금번 전쟁에서의 기여에 비추어 응분의 참여를 하게 될 것이라는 쿠웨이트 각료들의 언급이 있었는바, 현재 쿠웨이트로 복귀한 KERP 당국과 접촉, 경험과 실적을 위주로한 활발한 수주 활동이 긴요.

o 업체별 협력 가능분야 쿠웨이트 측과 직접 협의 추진

- 과거 쿠웨이트에서의 공사 실적, 경험 및 기존 장비 활용
- 전기, 통신, 상하수도등 기술자로 구성된 긴급 복구 지원단 쿠웨이트 파견, 지원 제공

o 아국 업체 단독 수주 또는 미, 영, 사우디, 이집트 회사등과 공동수주 또는 합작 및 하청진출 적극 추진

o 아국의 공사 가능분야 계획서 작성, 쿠웨이트측에 제공 필요

o 쿠웨이트 긴급 재건 프로젝트 팀(KERP)과의 접촉강화

나. 발주 형태에 상응하는 수주 활동

o 1단계 사업인 긴급 복구 및 군사시설은 미국 COE 에서 담당하고 있는바, 그간의 연고 관계 등을 내세워 COE 측과 접촉을 강화하여 적극 수주 활동전개

o 2단계 사업에 대하여는 다국적군에 참여한 미, 영, 불 업체에 대량 발주 전망인바, 이들 국가 업체 수주공사에 시공부문 하청 참여를 적극화하며, 아국 경쟁 우위 분야(도로, 항만, 공항등)에 선진 업체와 합작 추진, 아국이 시공한바 있는 분야에는 단독참여 노력 경주

o 미국 COE는 쿠웨이트 전후 긴급 복구공사에 대한 민간 기업체에 시공의뢰시 공사 참여의사가 있는 기업에 대해 사전 등록 토록 공고하고, 그 자격 및 미국 정부공사 실적등 여러가지 요건을 구비한 업체에 참여를 개방하고 있는바, 이는 사실상 외국 업체 참여를 봉쇄하는 조치로 볼수있으나, 아국 미국지역 진출업체들의 참여는 가능할 것으로 보임.(주미 대사관에서 미국 진출 아국 건설업체에 상기 자료 배부, 참여 독려 조치 중임)

※ 미국 상무성 발행 미국 업체 입찰 안내용 관련 서류 별첨 참조

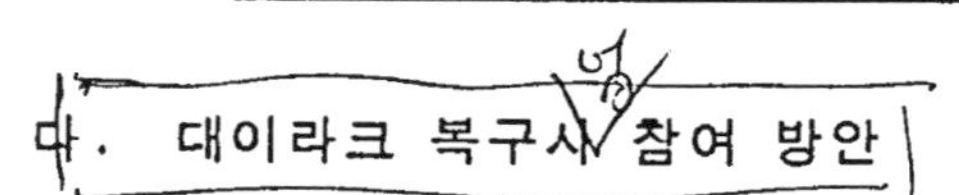

다. 대이라크 복구사업 참여 방안

o 이라크의 어려운 재정 사정으로인해 금후 상당 기간 국제적 지원에의한 복구공사 추진전망이며, 추후 제 3의 건설시장 으로서의 큰 잠재력을 가지고 있으므로 예의 주시 필요.

o 전후 민생 안정을 위한 기본 시설 공사는 조기 착수될 전망이므로 적절시기에 아측의 참여 계획안 제시 필요

o 원유를 건설 대금으로 수령하는 형태의 복구 사업검토 (원유를 담보로 국제금융 기구의 차관 공여, 전후 복구, 배상 실현 가능성)

o 전후 생필품, 의약품등 인도적 물자 지원 전개

o 대금 지불 능력의 한계가 있는 점을 감안, 현 단계에서는 시공중인 공사의 완공으로 손실 최소화 주력

o 향후 중동개발부흥은행 자금에 의한 공사에 선진 업체와 공동 참여 또는 일본의 자금 지원 공사에 일본 업체의 하청 참여 방안 모색

※ 참고사항(별첨)

1. 세계 주요 업체별 수주 활동분야
2. 미국 상무성 발행 미국업체 입찰안내용 관련서류

0105

※ 별첨 1

세계 주요업체별 수주활동 분야

(미 국)	BECHTEL	: 정유시설, 담수화시설, 발전설비, 건설
	RAYTHEON (PATRIOT 미사일 생산사)	: 공항복구 및 항공통제 시설
	MOTOROLA	: 통신망, 제네레이터
	CATERPILLAR	: 디젤 발전기
	RED ADAIR	: 유전 HOLE 복구
	O'VRIEN GOINS SHIPSON	: 유전시설
	I. B. M	: 콤퓨터 연관시설
	FLUOR CORP	: 건설, 원유생산, 정유 프로젝트
	PARSONS CORP	: 건설
	DRESS	: 건설, 기타
	HALLIBURTON	: 건설, 기타
	SINTEX	: 건설, 기타
	PARKER DRILLING	: 석유채굴, 원유생산
(불란서)	BOUYGUES	: 토목, 건축분야
	SOGEA	: 상수도
	GEC-ALSTHOM	: 이동식 발전용 가스터빈 공급수주
	THOMSON-CSF	: 이동식 TV 시스템 공급
	TECHNIP	: 석유화학단지 건설
	EDF (국영전력공사)	: 송전시설 공급
	ALCATEL	: 전력 및 통신공사
	ELF	: 원유 및 정유
	FRANCE TELECOM	: 전력 및 통신공사
	USINOR - SACILOR	: 철강
	BATIGNOLLES	: 건축 및 산업기술

0106

(독 일) WIESBANER CONTRAC GMBH : 공항용 특별버스

ABB 전자 : 통신설비 공급

HOCHIEF : 화학설비

BASF : 화학설비

PHLILPP HOLZMAN : 건설

(영 국) BECHTEL U.K : 90일 긴급복구 작업

(이태리) SNAM 및 SNAMPROGETTI : 석유산업

BELLELI : 에너지

SIRTI : 광섬유

(홍 콩) SWIRE 그룹 : 해상유전 복구

0107

별 첨 2

현재 쿠웨이트 정부 및 COE 발주공사 계약체결 외국업체 명단

Contracts Awarded or Likely to be Awarded For the Reconstruction of Kuwait

A. Contracts Awarded by Kuwaiti Government

Area	Companies
Electricity	Caterpillar Inc., diesel generators
Heavy Equipment	FMC Corp.; Caterpillar Co.
Int'l Airport, Kuwait City	Raytheon Co., $5.7 million contract for lights, navigation and air traffic control equipment
Motor Vehicles	General Motors; Ford Motor and Chrysler Corp., three $10 million orders for cars and trucks
Oil Well Fire Fighting	The Red Adair Co.; Wild Well Control, Inc.; Boots & Coots Inc.; O'Brien Goins Simpson, Inc.
Petroleum Industry	Bechtel, oil; Santa Fe Int'l, gas
Public Health Supplies	Kemet
Telecommunications	Motorola Co., multimillion dollar contract; Mitel Corp.
Transportation Equipment & Management	CSX Corp.; LaFrance Equipment, fire trucks
Waste Removal	Waste Management Inc.

B. Contracts Awarded by the Corps

1. American Dredging Co. -- $400,000 for marine surveys of the harbor at Ak Shu'aibah.
2. Blount Inc., Montgomery, AL -- two $3 million contracts for electrical repairs and repairs to public buildings.

6/7

0108

-2-

3. Brown and Root Inc., Houston -- $3 million to repair public buildings.

4. Al Harbi Trading and Contracting Co., Riyadh, Saudi Arabia -- $4.5 million to repave roads and airport runways.

C. Companies Likely to be Awarded Contracts
(As mentioned in newspaper accounts)

Aircraft and Parts	McDonnell Douglas; Boeing
Construction	Bechtel; Fluor; Parsons; VTN Int'l; Morrison-Knudsen; Jacobs Engineering; Foster Wheeler; Perini Corp.; H.B. Zachry Co.; Mivan Overseas & F.G. Wilson (N. Ireland); Lavalin Group (Quebec, Canada); Lilley PLC (UK); GEC Marconi (UK); Nuttall PLC (UK); Weir Group PLC (UK); Laing, Higgs and Hill PLC (UK); Biwater PLC (UK); Shand PLC (UK); Wimpey PLC (UK); Bebi Bros. PLC (UK)
Medical Supplies	Baxter Int'l; Johnson & Johnson
Oil Drilling Equip.	Schlumberger; Halliburton; Dresser Industries; McDermott Int'l; Ingersoll-Rand
Environmental Cleanup	ACF Kaiser's Twickenham subsidiary (U.K.)
Border Security Systems	McDonnel Douglas; E Systems; AT&T; General Dynamics
Transportation, Port & Industrial Facilities	Brown & Root (see Corps projects (above)
Other Companies Mentioned	General Electric; IBM

March 6, 1991

7/7 0864-2

0109

'91-03-15 05:30

AWARDS BY THE U.S. ARMY CORPS OF ENGINEERS
FOR THE RESTORATION OF INFRASTRUCTURE
STATE OF KUWAIT

E-7980

DATE OF AWARD	DESCRIPTION	CONTRACTOR	AMOUNT
31JAN91	Acquisition of Airport Equipment	Raytheon Service Company P.O. Box 503 2 Wayside Road Burlington, MA 01803	$5,700,000.00
3MAR91	Emergency Electrical Repairs in Kuwait	Blount International 4520 Executive Park Drive Montgomery, AL 36116	$3,000,000.00
3MAR91	Temporary Repairs to Public Buildings	Blount International 4520 Executive Park Drive Montgomery, AL 36116	$3,000,000.00
3MAR91	Expedient Survey of Shu'Aibh Port, State of Kuwait	American Dredging Company Beach & Erie Streets P.O. Box 190 Camden, NJ 08101	$ 400,000.00
3MAR91	Repair of Roads and Airport Runways	Al Harbi Trading & Contracting Company, Ltd. P.O. Box 5750 Riyadh, Saudi Arabia 11432	$4,500,000.00
3MAR91	Temporary Repairs to Public Buildings	Brown & Root International P.O. Box 3 Houston, TX 77001-0003	$3,000,000.00
4MAR91	Temporary Repairs to Public Buildings	Mohamed A. Kharafi P.O. Box 650 Abu Dhabi, UAE	$5,000,000.00
4MAR91	Repairs to Sanitary and Water Systems	Shand Construction, Limited Shand House - Matlock Derbyshire, England DB4 3AF	$2,600,000.00

0110

별첨 3

미국 상무성 발행 미국업체 입찰 안내용 관련 서류

KUWAIT RESTORED INITIATIVE

1991

MARKETING PLAN

GULF RECONSTRUCTION CENTER
Office of the Near East
Room H-2039
Department of Commerce
Washington, DC 20230

contacts: Karl Reiner, Director
Corey Wright, Kuwait Desk Officer
Paul Scogna, USFCS Kuwait
phone: (202) 377-2515, (202) 377-5767
fax: (202) 377-5330

February 28, 1991

0111

KUWAIT

FY91 COUNTRY MARKETING PLAN

TABLE OF CONTENTS

0112

COUNTRY MARKETING PLAN KUWAIT

I. COUNTRY OVERVIEW

A. PROFILE (pre-invasion)

POPULATION:

1,915,426 including 534,827 Kuwaiti nationals (27.9 percent) according to January 1989 government of Kuwait (GOK) statistics.

RELIGION:

96 percent Muslim (70% Sunni; 30% Shia), with one Roman Catholic, one Evangelical and one Anglican church serving the non-Muslim community.

GOVERNMENT:

Kuwait is an hereditary Amirate, with certain constitutional limitations and procedures introduced in 1963. Both the Amir and the Crown Prince are chosen by members of the ruling family, in power since 1750. A 50 member National Assembly, elected by adult male Kuwaiti nationals, has played an active but intermittent role in the preparation of laws and has served as a national sounding board for public opinion. It has twice been dissolved, in September 1976 by the previous Amir and again by the current Amir in July 1986. Elections were conducted in June 1990, but 25 additional members were to be appointed by the GOK. As a result many members of the powerful commercial families and other community leaders boycotted the elections. It is not clear how this political drama will play out in postwar Kuwait, but it is reasonable to assume that calls for participatory democracy will intensify.

LANGUAGE:

Arabic, with English widely spoken. There are also significant Persian, Urdu, and Malayalam speaking minorities.

WORK WEEK:

Six day week (Saturday - Thursday)

Kuwait - Key Economic and Trade Indicators
(All values in millions of US Dollars unless otherwise indicated)

B. DOMESTIC ECONOMY:	1987	1988	1989
GDP (current USDOLS)	22,092	20,055	23,049
GDP Growth Rate (percent)	19.7	-9.2	14.9
GDP Per Capita (current USDOLS)	11,795	10,243	11,254
Government Spending as % of GDP	38.3	44.7	40.9
Inflation (percent)	0.6	1.5	3.4
Unemployment (percent)	NIL	NIL	NIL
Foreign Exchange Reserves (USDOLS)	4,140	1,923	2,834
Average Exchange Rate 1 USDOL = X KD	.279	.279	.294
Foreign Debt (USDOLS)	-0-	-0-	-0-
Debt Service (% of goods and services)	N/A	N/A	N/A
U.S. Economic Assistance (USDOLS)	-0-	-0-	-0-
U.S. Military Assistance (USDOLS)	-0-	-0-	-0-

C. TRADE:	1987	1988	1989
Total Exports (USDOLS)	8,355	7,722	11,030E
Total Imports (CIF, USDOLS)	5,293	6,100	6,500E
U.S. Exports (USDOLS)	505	690	855
U.S. Imports (USDOLS)	568	506	975
U.S. Share of Host Country Imports (%)	10.7	8.2	15.0E

Trade with Leading Partners	1987	1988	1989
Japan Exports	857	730	N/A
Japan Imports	N/A	N/A	N/A
W. Germany Exports	402	410	N/A
W. Germany Imports	N/A	N/A	N/A
United Kingdom Exports	369	423	N/A
United Kingdom Imports	N/A	N/A	N/A

Principal U.S. Exports: Autos, Parts and Equipment; Tobacco Products; Aircraft; Trucks, Trailers and Buses; A/C and Refrigeration Equipment; Construction Machinery and Equipment; Consumer Goods.

Principal U.S. Imports: Crude oil

SOURCES:

Central Bank of Kuwait: Quarterly Statistical Bulletins
Ministry of Planning: Statistical Abstract
Official Gazette.

U.S. Trade Statistics - U.S. Department of Commerce
E - Embassy estimates from past year statistics
N/A - Not available

776 - 4 -

0114

II. COMMERCIAL ENVIRONMENT

Background. Iraq's invasion of Kuwait on August 2, 1990, and the subsequent looting of equipment and supplies and destruction of infrastructure by the Iraqi occupiers, presents the GOK with an enormous reconstruction task over the next five to ten years. The cost could approach $100 billion. With sizeable financial resources and proven oil reserves of more than 90 billion barrels, Kuwait may be able to bear the enormous costs of restoration, but it will not be easy.

Contractors and suppliers from allied nations will be favored when contracts are awarded. To date about 70 percent of these contract awards have gone to U.S. firms. Under plans drawn up by the U.S. Army Corps of Engineers (COE), hired by the GOK to run the first phase of the cleanup, construction crews will start clearing rubble and repairing roads, bridges, seaports and airports. They will presumably also be charged with clearing mines, unexploded ordnance and the like. Shortly thereafter the GOK is expected to spend another $500-800 million to restore basic health care, sanitation, communications, utilities including water and food supplies for the population still in Kuwait.

Because of Iraq's scorched earth policy in Kuwait, some 200 oil wells now burning must be snuffed out. Simultaneously, crude oil production and export facilities must be restored. We understand that Bechtel Corporation has been named program manager for oil sector restoration, but to date no contract has been signed. Some procurement is being handled by the:

Kuwait Coordination and Follow-up Center
1510 H Street NW
Washington DC 20005

They will accept any proposal submitted by mail for forwarding as appropriate.

U.S. suppliers of goods and services who meet international specifications and have prior experience in the region should find excellent market opportunities as a result of Kuwait's misfortune. U.S. firms who already have a Kuwaiti agent or representative will have an advantage because prospective agents may be difficult to locate for some time. Kuwaiti adherence to the Arab League boycott of Israel has prevented some U.S. firms from doing business in Kuwait in the past. It remains to be seen how vigorously the boycott will be inforced now. Before any U.S. firm sign a contract in postwar Kuwait, it should clarify whether or not Kuwaiti corporate tax law applies. If it does, the U.S. firm should seek professional advice to understand the cost implications.

Commercial Outlook: Measures adopted by the Kuwaiti government in recent years to stabilize oil prices and resolve the banking sector's bad debt crisis caused by the Souk Al-Manakh stock market crash had strengthened the economy in 1989. But growth began to slow in the months preceding the August 2, 1990 Iraqi invasion.

The massive destruction wreaked upon Kuwait now must be undone. Indeed an economic boom is likely to develop as Kuwait struggles to restore itself and other Gulf states reassess their security needs.

Development Spending: Spending will target restoration of essential services in the areas of housing, roads, bridges, harbors, piers, airports, public utilities, water desalination, petroleum facilities, waste collection and treatment, education, telecommunications and medical care. There should be sufficient project variety and volume to attract international contractors; design, engineering and project management firms; and suppliers.

Major Projects: The number of major projects to be undertaken to restore Kuwait are too numerous to enumerate here. Those wishing to receive regular information should contact the Commerce Department's Office of Major Projects on (202) 377-5225. Current indications are that most project awards will be on a fixed cost, turnkey basis. Another source of information for COE projects relating to restoration of Kuwait's municipal facilities is the:

U.S. Army Corps of Engineers
Middle East Division
Public Affairs Office
Phone: (703) 665-3936

o Prequalification - U.S. firms wishing to bid on COE-managed major projects must submit SF 255 and current SF 254 to:

Middle East/Africa Projects Office
ATTN: CESAI-ED-MC
P.O. Box 2250
Winchester VA 22601-1450

U.S. firms interested in bidding on major projects or government tenders in Kuwait AFTER THE LEGITIMATE GOVERNMENT IS RESTORED, must be pre-qualified with the appropriate GOK agency before it will be considered for short-listing. A summary of procedures follows:

A. Consultancy, Project/Construction Management Services - for major projects undertaken by the development ministries (excluding the Kuwait National Petroleum Company, Kuwait Oil Company, Petrochemical Industries Company, Arab fund, Kuwait Fund), firms must be pre-qualified with the:

Consultants Department
Ministry of Planning
P O Box 15 Safat
13001 Kuwait
Fax: (965) 2430477
Tlx: 22468 KT
Attn: Mrs Wafa'a Al-Majed, Director

Firms should submit introductory letters along with company brochures, financial statements, information about experience particularly in the Middle East, etc. While it is not essential to be affiliated with a local firm prior to being awarded a contract, it is usually advantageous to have a local contact to assure your firm will be considered for pre-qualification. (This also applies for the entities described in (B.) and (C.) below.)

B. Contractors - Construction contractors interested in non-military projects should register with:

Ministry of Public Works
P O Box 8 Safat
13001 Kuwait
Fax: (965) 2424335
Tlx: 22753 ASHGHAL KT

Attn: Ali Al-Abdullah, Chief Engineer
Roads Administration (for highways & bridges)
or
Attn: Bader AlQabendi, Deputy Chief Engineer
Major Projects Department (for other projects)

Note: Terms of reference for recent major project tenders have specified that bids be for turnkey, fixed cost construction.

C. Contractors - Military Projects - The first step in pre-qualification for military construction projects is to write to:

Engineering Department Military Projects
Ministry of Defence
P O Box 1170 Safat
13012 Kuwait
Fax: (965) 5618397
Tlx: 22526 ENGDEPT KT
Attn: Asst. Under Secretary, EDMP

NOTE: THE ABOVE, VALID BEFORE THE INVASION, IS FOR INFORMATION ONLY.

776-7

D. Contractors/Suppliers - Oil Sector - To be included on the contractor's list for the oil sector (i.e., to be pre-qualified), please submit an introductory letter and informational brochures to the following:

Central Tenders Committee
P O Box 1070 Safat
13001 Kuwait
Tlx: 44048 CTC KT

Attn: Mr Nayef Al-Maosharji, Secretary General

The CTC will forward applications received to the appropriate Vendors Evaluation Committee. Only sole source suppliers of goods or services may be pre-qualified without having a local agent.

NOTE: THE ABOVE, VALID BEFORE THE INVASION, IS FOR INFORMATION ONLY.

o Arbitration - Prior to the invasion, commercial disputes were no longer submitted to international arbitration in Paris. Contracts specified that arbitration would be done in Kuwait. Both parties in the dispute could select their own arbiter, and the third would be nominated by the Kuwait Chamber of Commerce and Industry, subject to the approval of both parties. Disputes not resolved to the satisfaction of both parties would be escalated to the Kuwait commercial court.

Comment: Traditional practice in the Kuwaiti market had been to bid low - get the job - make a claim. The Kuwaiti government discouraged this practice by specifying fixed cost contracts, and local arbitration. Contractors who continue to "low ball", do so at their peril.

Comment: In the post-invasion commercial climate, it may be possible for contractors to again specify international arbitration of disputes.

U.S. Market Position: Prior to the invasion, U.S. market share showed dramatic improvement as the impact of the U.S. dollar's decline worked its way through the international economy and U.S. manufacturing productivity improved. In 1989 U.S. exports to Kuwait increased 24 percent to USD 855 million (U.S. Department of Commerce statistics). The United States was very close to overtaking Japan as the leading export country to Kuwait. U.S. exports during the first three months of 1990 increased, but then began to decline - almost as though traders were anticipating the August invasion. With the prominent U.S. role in the coalition aligned against Iraq, it is certain that U.S. firms will play a significant role in all aspects of Kuwait's restoratio.

Prospects for U.S. Business: U.S. firms with extensive experience in the region, and who were already represented in Kuwait before the invasion will be greatly advantaged as suppliers of goods and services to Kuwait's reconstruction. But U.S. firms must still compete with the firms from other coalition countries for market share. U.S. firms capable of meeting international standards should do well in areas where U.S. products and services have a technological edge and where U.S. expertise and brand names are respected. Prospects are good for almost every sector. Initial requirements will be for restoration of basic infrastructure, public utilities, health care, consumer goods, and crude oil production facilities.

Arab Boycott Complications: It is not clear how vigorous post war Kuwait's enforcement of the Arab League boycott of Israel will be. In our opinion we believe it likely that enforcement of the boycott will be abandoned, at least by the Arab countries who are members of the allied coalition. However, in the past it prevented some U.S. firms from doing business in Kuwait. Some companies are still black listed. At times U.S. firms are caught between conflicting requirements of Kuwaiti boycott and and U.S. anti-boycott regulations. Some of these conflicts were resolved, others not.

U.S. firms may encounter boycott procedures in certificates of origin, letters of credit, shipping documents, certain tender and contract provisions, and in requests from boycott offices to furnish information about the firm's business relationships. Generally, the receipt of a request to furnish information or otherwise participate in a restrictive trade practice or boycott must be reported to the U.S. Department of Commerce, although there are some exceptions. For more information on the exceptions and/or answers to questions about boycott regulations or problems, U.S. firms should contact the Office of Antiboycott Compliance, U.S. Department of Commerce, Washington, D.C, 20230-6200 (202-377-2381) or the Office of General Counsel, U.S. Department of Treasury (202-566-5569).

Getting Into the Market: To penetrate the Kuwaiti market, a local agent or representative is usually required under Kuwaiti law. In any case local representation is essential for timely notification of major projects and tenders, and to maintain contact with ministry officials and decision makers. Use of the Department of Commerce's Agent Distributor Service (ADS) is an excellent and inexpensive tool to establish initial contact with potential agents or distributors (more information on this service can be obtained from the nearest Department of Commerce US&FCS District Office). However, the U.S. businessman who makes periodic trips to Kuwait will be the most successful. The importance of direct contacts and personal relationships with Kuwaiti counterparts cannot be overemphasized.

Commercial Contacts:

o For General Market Information:

Corey Wright, Desk Officer (Kuwait)
Department of Commerce
Room 2039, HCHB
Washington, D.C. 20230-6200
Tel: (202) 377-2515

o For Upcoming Trade Promotion Events (trade missions, catalog shows, etc.):

John Flannagan
Regional Export Development Officer
Department of Commerce
Room 1510, HCHB
Washington, D.C. 20230-6200
Tel: (202) 377-1209
Fax: (202) 377-5179

o For General Market Information:

Commercial Attache
American Embassy Kuwait
Department of State
Washington, D.C. 20520-6200
Tel: Kuwait (965) 2424192
Fax: (965) 2407368

o For Current Status of Major Projects:

Office of Major Projects
Department of Commerce
Washington, D.C. 20230
Tel: (202) 377-5225

III TRADE & INVESTMENT CONCERNS

The Kuwaiti market is free and open for competition. There are no restrictions on currency exchange, nor on the transfer of profits and dividends. Tariffs are for the most part nominal, i.e. 4% ad valorem. There are a number of products whose duties are in the 15-30% range to protect local industry. The main ones are listed below, and present no particular threat to U.S. exports. However there are several primarily non-tariff barriers which can hamper U.S. commercial ties with Kuwait (also addressed below).

Customs Duties: Generally, goods, materials, and commodities imported into Kuwait are subject to duty at a rate of four percent ad valorem (CIF value).

Exempt from customs duties are most foodstuffs, books and periodicals, movie films, gold and silver bullion, most live animals, and animal feeds.

Items that are subject to duty higher than 4% as a protective measure for local industry include:

- o Cast iron pipes 50-150 mm. dia., up to 3 meters long (15%)
- o Plastic bottles, cups, etc. (15%)
- o Polyethylene/polypropylene sacks and covers (30%)
- o Car batteries (15%)
- o Chemical cleaners, liquid shampoos, and deodorants (15%)
- o Cigarettes and imported tobacco (50%)
- o Automotive and industrial lubricants (30%)
- o Paper products (25%)
- o Portland cement (15%)
- o Fiberglass insulation (25%)
- o PVC pipes, all diameters (25%)
- o Paint, except automotive (25%)
- o Wooden furniture, doors, windows, prefab Houses (25%)
- o Prefabricated iron buildings, Kirby system

Non-Tariff Barriers: The Kuwaiti government has and is imposing a number of documentation and standards requirements in order to:

- o Implement Arab League boycott regulations;
- o conform with Gulf Cooperation Council (GCC) countries standards and specifications;
- o and, to combat the importation of counterfeit (knock-off) goods.

NOTE: The latter two types of requirements are only referred to as barriers because they seem to be so to many U.S. exporters, and potential exporters. If U.S. firms understand and comply with local (and international) standards and regulations, they will find a ready market here (and overseas). Those firms who see the international market as just another outlet for their standard U.S.- market product line are doomed to failure in the longer term.

The most significant documentation and standards requirements are summarized below:

1. Certification (or Authentication) of Origin (of goods) on documentation for export to Kuwait (e.g. bills of lading, invoices, letters of credit, etc.):

A. If U.S. goods originate in a state where there is a U.S.-Arab Chamber of Commerce (currently San Francisco, CA, Chicago, IL, or Washington, DC), or the Embassy or Consulate of any Arab country except Egypt, then one of these must certify origin of goods;

B. If U.S. goods originate in a state where there is no Arab diplomatic or commercial presence, then any U.S. Chamber of Commerce in that state may certify origin.

In either case (A. or B. above), documents must also be certified by the Kuwaiti Embassy in Washington, DC or Consulate in New York City.

NOTE: Certification of origin means origin of manufacture. If goods are shipped from the United States, but were manufactured wholly or in part in other countries, then each country of manufacture must be listed for certification. That is, if Kuwaiti customs officials inspect a shipment and find components or subcomponents on which the country of manufacture is clearly marked, each different country of manufacture should correspond with those certified on export documentation.

When discrepancies are noted by customs officials, customs clearance is usually delayed. Beginning January 1, 1989, entry of such goods may be denied.

2. Country of Origin Markings: Effective January 1, 1989, goods or commodities shall not be exhibited or sold in Kuwait unless the country of origin (i.e. country of manufacture) is shown thereon in a clear and indelible way. If a product is impossible to so mark, then a sticker may be used (e.g., apples or a bunch of grapes).

It shall be sufficient to show the country of origin on cans or packages containing products or commodities on which the country of origin can not be shown.

NOTE: A local supermarket has already stopped importing a well known U.S. brand of rubber household products because "Made in U.S.A." is not embossed on the products themselves. In this case, a sticker is apparently not acceptable to Kuwaiti customs.

776 - 12 -

0122

3. Arabic Language Requirements: Effective January 1, 1989, the Importers of durable goods which include instruction manuals for usage and maintenance, shall add thereto a translation in the Arabic language.

NOTE: While the language requirement is imposed on the importer, it is reasonable to assume that importers will tend to favor exporters who already provide instructions in Arabic.

4. New Electrical Standards: Effective January 1, 1989, major household appliances (white goods) must operate unaided (i.e. without transformers) on Kuwait's power transmission grid (240 volts, 50 hertz (cycles).

NOTE: Similar electrical standards were also to be imposed for small household appliances (brown goods), but action has been deferred.

Investment: Participation in the Kuwaiti real estate and equity markets is limited to Kuwaiti nationals only. However, an Amiri decree issued July 23, 1989, has opened the door to permit foreigners to invest in in the local futures markets for foreign exchange and gold bullion. Local investment companies are now planning to launch mutual funds, but it is not yet clear whether foreigners will be permitted to invest in local shares.

Foreigners are permitted and encouraged to participate in joint ventures, but foreign ownership is limited to 49 percent.

Joint Ventures and Licensing: Joint ventures with Kuwaiti firms are the best means for competing successfully on major project work. In addition, numerous private sector Kuwaiti's have expressed interest in establishing joint ventures and/or licensing arrangements to produce goods locally to replace those which are now imported. Proposals range from the manufacture of breakfast cereals to chemicals and catalysts for the oil refining and petrochemical industries. With government plans to continue to upgrade its refinery operations, and to develop a major petrochemical industry in Kuwait, we believe there will be significant opportunities for U.S. licensees and joint venturers.

Advantages which can accrue to such ventures are management control, limited liability for the partners, and possible shelter from Kuwaiti corporate taxes. Joint-venture arrangements are generally flexible enough to assure a generous apportionment of profits, not necessarily confined to respective ownership shares.

Taxation: There is no personal income tax in Kuwait. However, income arising out of Kuwait to any foreign enterprise operating directly, or indirectly through representation, will be subject to tax on profits. Rates of tax range up to 55 percent.

A directive issued in January 1980 requests that all Kuwaiti Government entities withhold final payment (usually five percent of total contract value) due to foreign entities until such entities present a tax clearance certificate from the Income Tax Department. The five percent of total contract value withheld often became a sort of minimum tax. This is no longer the case, and the taxation authorities have become far more aggressive in making claims. While tax liabilities are computed more or less on the basis of profits disclosed, allowable deductions may vary significantly from U.S. practice.

We strongly urge representatives of U.S. firms contemplating commercial activity in Kuwait to seek competent advise on taxation before tendering for projects or entering joint venture arrangements.

Treaties and Bilateral Agreements: The Overseas Private Investment Corporation (OPIC) and the government of Kuwait have a bilateral agreement. OPIC has already issued political risk insurance for several U.S. firms bidding on major projects.

No other commercial treaties between Kuwait and the U.S. exist as at this time. However, the Kuwaiti government has requested consultations with the U.S. government to negotiate a double taxation treaty.

Visa Regulations: Foreigners entering Kuwait, other than nationals of other GCC countries, must be in possession of a valid Kuwaiti visa. Business visas are issued to business-sponsored applicants either in Kuwait or by Kuwaiti Embassies abroad. Business visitors are usually sponsored by their local agents, or prospective agents.

Those without any such contacts can request sponsorship by one of the major hotels operating in Kuwait (e.g., the Sheraton, the Kuwait International, the Holiday Inn, the Ramada Inn), while booking into the hotel for your stay.

Visa applications should be made at least 15 days prior to the desired travel date.

776 - 14 - 끝

0124

관리번호	91/722

원 본

외 무 부

종 별 :

번 호 : KUW-0013 일 시 : 91 0314 1100

수 신 : 장관(중동일,영재,기정)

발 신 : 주 쿠웨이트 대사

제 목 : 교민귀환, 현대건설, 인도적 원조

연:KUW-4,12

KU 재건 본부장 이브라힘 알 사힘 박사를 3.13. 오후 만나 관심사항 협의, 동인 답변요지 다음과 같음.

1. 교민귀환:

최소 필요한 생활 기본 여건이 준비되는 대로 KU 국민을 입국 시키고 제 2단계로 외국인을 귀환시킬 계획임. 따라서 우리교민 귀환에는 다소 시간이 걸릴 것으로 예상 (동 내용 KU 교민회장에게도 설명요망)

2. 현대건설:전쟁으로 파괴된 기존시설을 우선순위에 따라 먼저 복구하게 될것임. 건설중 중단된 공사의 작업 재개 시기는 필수 기본시설 복구 연후에 고려될 것이며 그때가 되면 KU 정부가 현대건설에 직접 통보할 것임.

공사가 재개될때까지 현장을 KU 정부재산 보호의 일환으로 보호, 관리해 주겠음. 따라서 지금 현대 인원이 온다면 작업 현장관리, 피해조사등은 할수 있겠지만, 공사 재개를 위한 KU 측과의 접촉은 어려울것임.

3. 인도적 원조:

우리측이 대응하는데 신축성을 갖기 위하여 본직의 INITIATIVE 로서 정부에건의코자 한다고 말하고 품목을 제시해 달라고 부탁했음.

이브라힘 박사는 정부 각 부처 대표가 모이는 한 위원회에서 이 제의를 의논해서 우리측의 형편에 따라 선택할 수 있도록 물품목록을 만들어 보내 주겠다고 말했음.

물품목록 접수후 보고하겠음. 끝.

(대사-국장)

예고문: 91.12.31 일반

91.6.30.

중아국 장관 차관 1차보 2차보 영교국 청와대 안기부

PAGE 1

91.03.14 21:00

외신 2과 통제관 CF

0125

원 본

외 무 부

종 별 :

번 호 : KUW-0014 일 시 : 91 0314 1800

수 신 : 장 관(중동일,기정)

발 신 : 주 ~~바레인~~ 대사 (주쿠웨이트?)

제 목 : 공관상황 보고

1.금 3.14. 이브라힘 알 사힘 쿠웨이트 재건 본부장과 당지 대사들간에 긴급 복구현황및 대사관 운영에 관한 협의가 있었음.

가.이브라힘 설명요지.

재건본부는 의료, 식품, 전기, 물등 시민의 긴본생존문제 해결에 주력중. 복구공사등은 3개월후의 문제.

현재 공공재산에 대한 피해조사를 진행중.개인재산의 피해조사는 2단계로 추후 진행예정.

재건본부 담맘사무실은 계속 유지할 방침. 복구에 관심있는 업체는 쿠웨이트의 자기 사무실에 오기가 불편하면 담맘 사무실을 접촉하는 것이 좋을것임.

민간항공기의 쿠웨이트 공항 취항은 약 2주후부터 부분적으로 개시될 것으로 기대.

전력의 정상 공급에는 상당한 시일소요. 단수일내 극히 제한적인 전력공급이 있을 것으로 기대.

닷새정도 후면 일부 수퍼마켓의 개점 기대.

유정화재로 인한 쿠웨이트시의 심각한 대기오염문제는 아직 속수무책.

의료시설은 평상시의 약 25프로가 가동중이나 지금까지 별 문제없음.

나.외교단 요청 요지.

외교단의 이용이 사실상 불가능함. 현 식품배급제도를 개선, 외교단 전용 식품배급소 운영, 전용 유류배급 주유소 설치. (현재 쿠웨이트에서는 통용화폐가 정하여 지지 않아 일체의 상거래가 이루어 지지 않고 있음)

기본식품등 구입시에 사우디, 쿠웨이트 국경출입패스 발급등 절차마련.

2.현재 쿠웨이트 정부기관간에도 설명 또는 예측내용이 상이한 것들이 있는 것으로 보아 피해상황 조사가 아직도 진행중이며 확실한 상황이 파악되기까지는 다소 시일이 걸릴것 같음. 끝.

중아국 1차보 정문국 안기부 2차보 차관 장관

PAGE 1

91.03.15 09:40 WG

외신 1과 통제관

0126

분류번호	보존기간

발 신 전 보

번 호 : WKU-0015 910315 1812 FD 종별 : 지급

수 신 : 주쿠웨이트 대사. /총영사 (주바레인대사경유)

발 신 : 장 관 (중동일)

제 목 : 현대건설 관련문제

1. 현대건설 관련, 이명박 현대건설 회장에게 귀관 전문 내용을 통보하였는바, 이회장은 귀하의 관심에 사의를 표명하고 자사의 ~~현장~~ 피해조사 등을 위해 우선 별첨인원을 귀지에 파견시킬 ~~것을~~ ~~바라고 있으니 동인들의 귀지 입국이 가능토록 사전 제반필요 조치 강구하고~~ 것을 희망하고 있으니 사증을 받을수 있도록 가능한 노력하고 결과 보고바람. (비자발급 대사관 지원요망)

~~2. 이회장은 동인들의 귀지 입국 비자를 받을수 있는 장소를 지정해주면 동 장소로 동인들을 보내도록 조치하겠다 함~~

2. 10명 전원에 대한 사증발급이 어려우면 적절한 선에서 차례대로 줘어도 좋다고 함. 끝

(중동아프리카국장 이 해 순)

보안통제	가

앙고재	91년 3월 15일	중동1과	기안자 성명		과 장	심의관	국 장		차 관	장 관
			[서명]		가	[서명]	전결			[서명]

외신과통제

0127

	NAME	DOB	PASSPORT NO.	PROFESSION	V NO.	REMARKS
①	O MOON HA			EXECUTIVE		
②	KYU JOONG LEE			"		
③	CHI JOONG KIM			"		
④	JOO SEOP NOH			PROJECT MANAGER		ELECTRICAL ENGINEER
⑤	KI MAN JOO			"		CIVIL ENGINEER
⑥	JIN YUB KIM			"		"
⑦	JONG TAE KIM			ACCOUNTANT		
⑧	KYUNG SOO KIM			ADMINISTRATOR		
⑨	JAE SUN YOO			"		PROCUREMENT
⑩	YUNG KEY KOH			MANAGER		"

0128

종 별 :

번 호 : USW-1198 일 시 : 91 0314 1519

수 신 : 장관(경이,중동일,미북,건설부)

발 신 : 주 미 대사

제 목 : 쿠웨이트 전후 복구 사업

대:WUS-0870

연:USW-1067

1. 당관 민태정 건설관은 3.14. 쿠웨이트 전후 복구사업에 아국업체 참여 방안을 협의하기 위해 당지 주재 아국 관련 업체 대표(현대, 대우, 삼성) 와의 간담회를 가졌는바, 주요 협의 내용을 하기 보고함.

가. 미 육군 공병단(COE)은 긴급 복구사업을 위해 쿠웨이트 정부와 1 억불 상당의 공사 감리 계약을 체결하고, 일부 소규모 공사를 8 개업체에게 하청주었는바 (내역 별첨) , 동공사는 5 백만불 이하의 소규모 사업이므로 아국 업체가 긴급 복구 사업에 참여하기에는 그 규모가 작음.

나. 그러나,90 일간으로 예정하고 있는 긴급 복구사업이 장기화될 조짐을 나타내고 있어 COE 의 복구사업 참여 또한 장기화가 예상되며, 쿠웨이트 정부가 직접 발주하게될 장기 복구사업에 있어 COE 의 간접적 영향력을 무시할수 없으므로 일단 아국 업체가 COE 에 등록하는것이 유리하다고 사료됨.

다. 현재 쿠웨이트 정부는 전후 복구사업의 일환으로 2 개의 신도시 건설계획과 방위시설 확충 계획을 검토중인것으로 알려졌으며, 중장기 복구 계획 집행 업무는 사우디 담망에서 이루어 지고 있으므로, 관신업체는 담맘에서 쿠웨이트 관계자와 직접 접촉하는것이 가장 바람직한 방법으로 사료됨.

라. 현재까지 쿠웨이트 정부 및 COE 와 공사 계약을 체결한 외국 업체 명단을 별첨 송부함.

2. 한편, 민건설관은 전 COE 부참모장 GARY STEMLEY 소장의 예편 기념 만찬에 참석하였음.

첨부:USW(F)-0864 (3)매

경제국 건설부	장관	차관	1차보	2차보	미주국	중아국	청와대	안기부

PAGE 1

공람	국제경제국	년 월 일	담 당	과 장	국 장	차관보	차 관	장 관

91.03.15 06:53

외신 2과 통제관 CF

0129

(공사 손명현- 국장)

91.12.31. 까지

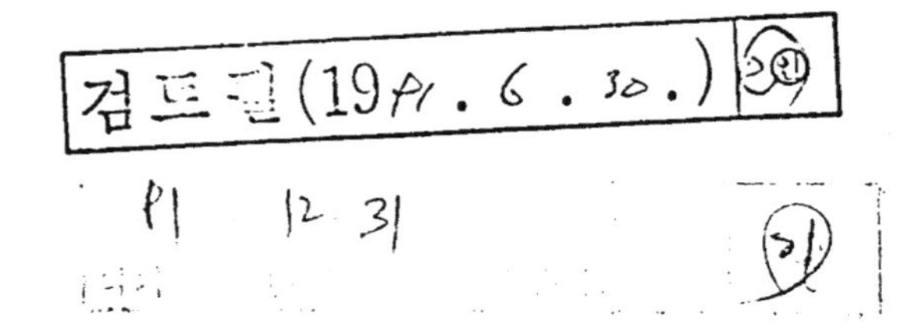

PAGE 2

0130

번호 : USW(F)- 0864
수신 : 장관 (경이, 중동일, 건설부) 발신 : 주미대사
제목 : 쿠웨이트 복구사업

ATTACHMENT A

"첨부"

Contracts Awarded or Likely to be Awarded For the Reconstruction of Kuwait

A. Contracts Awarded by Kuwaiti Government

Area	Companies
Electricity	Caterpillar Inc., diesel generators
Heavy Equipment	FMC Corp.; Caterpillar Co.
Int'l Airport, Kuwait City	Raytheon Co., $5.7 million contract for lights, navigation and air traffic control equipment
Motor Vehicles	General Motors; Ford Motor and Chrysler Corp., three $10 million orders for cars and trucks
Oil Well Fire Fighting	The Red Adair Co.; Wild Well Control, Inc.; Boots & Coots Inc.; O'Brien Goins Simpson, Inc.
Petroleum Industry	Bechtel, oil; Santa Fe Int'l, gas
Public Health Supplies	Kemet
Telecommunications	Motorola Co., multimillion dollar contract; Mitel Corp.
Transportation Equipment & Management	CSX Corp.; LaFrance Equipment, fire trucks
Waste Removal	Waste Management Inc.

B. Contracts Awarded by the Corps

1. American Dredging Co.-- $400,000 for marine surveys of the harbor at Ak Shu'aibah.

2. Blount Inc., Montgomery, AL -- two $3 million contracts for electrical repairs and repairs to public buildings.

0131

6/7

-2-

3. Brown and Root Inc., Houston -- $3 million to repair public buildings.

4. Al Harbi Trading and Contracting Co., Riyadh, Saudi Arabia -- $4.5 million to repave roads and airport runways.

C. Companies Likely to be Awarded Contracts
(As mentioned in newspaper accounts)

Aircraft and Parts	McDonnell Douglas; Boeing
Construction	Bechtel; Fluor; Parsons; VTN Int'l; Morrison-Knudsen; Jacobs Engineering; Foster Wheeler; Perini Corp.; H.B. Zachry Co.; Mivan Overseas & F.G. Wilson (N. Ireland); Lavalin Group (Quebec, Canada); Lilley PLC (UK); GEC Marconi (UK); Nuttall PLC (UK); Weir Group PLC (UK): Laing, Higgs and Hill PLC (UK); Biwater PLC (UK); Shand PLC (UK); Wimpey PLC (UK); Bebi Bros. PLC (UK)
Medical Supplies	Baxter Int'l; Johnson & Johnson
Oil Drilling Equip.	Schlumberger; Halliburton; Dresser Industries; McDermott Int'l; Ingersoll-Rand
Environmental Cleanup	ACF Kaiser's Twickenham subsidiary (U.K.)
Border Security Systems	McDonnel Douglas; E Systems; AT&T; General Dynamics
Transportation, Port & Industrial Facilities	Brown & Root (see Corps projects (above)
Other Companies Mentioned	General Electric; IBM

March 6, 1991

7/7 0864-2

0132

0864-3

AWARDS BY THE U.S. ARMY CORPS OF ENGINEERS
FOR THE RESTORATION OF INFRASTRUCTURE
STATE OF KUWAIT

DATE OF AWARD	DESCRIPTION	CONTRACTOR	AMOUNT
31JAN91	Acquisition of Airport Equipment	Raytheon Service Company P.O. Box 503 2 Wayside Road Burlington, MA 01803	$5,700,000.00
3MAR91	Emergency Electrical Repairs in Kuwait	Blount International 4520 Executive Park Drive Montgomery, AL 36116	$3,000,000.00
3MAR91	Temporary Repairs to Public Buildings	Blount International 4520 Executive Park Drive Montgomery, AL 36116	$3,000,000.00
3MAR91	Expedient Survey of Shu'Aibh Port, State of Kuwait	American Dredging Company Beach & Erie Streets P.O. Box 190 Camden, NJ 08101	$ 400,000.00
3MAR91	Repair of Roads and Airport Runways	Al Harbi Trading & Contracting Company, Ltd. P.O. Box 5750 Riyadh, Saudi Arabia 11432	$4,500,000.00
3MAR91	Temporary Repairs to Public Buildings	Brown & Root International P.O. Box 3 Houston, TX 77001-0003	$3,000,000.00
4MAR91	Temporary Repairs to Public Buildings	Mohamed A. Kharafi P.O. Box 650 Abu Dhabi, UAE	$5,000,000.00
4MAR91	Repairs to Sanitary and Water Systems	Shand Construction, Limited Shand House - Matlock Derbyshire, England DE4 3AF	$2,600,000.00

0133

원 본

외 무 부

종 별 :

번 호 : HOW-0123 일 시 : 91 0314 1700

수 신 : 장 관(중동일,구일)

발 신 : 주 화란 대사

제 목 : 주재국 대외동향 (자료응신 제 91-37호)

1. 걸프전후 중동평화 추진문제, 쌍무 관계증진등 협의를 위해 3.11 부터 중동 각국을 방문중인 주재국 반덴브룩 외무장관은 그간 사우디 외무장관, 쿠웨이트국왕, 에집트대통령을 비롯한 주요 지도자들과 접촉한 결과, 아랍과 이스라엘 양측 모두 걸프전후 중동평화 문제에 대해 상호 입장에 융통성을 시사해 주었다고 언급하고 중동평화추진 전망에 대해 낙관적인 견해를 표명함.

2. 한편 쌍무관계증진과 관련, 화란의 대사우디 FOKKER 항공기 판매 희망에 대해 사우디측은 미,영에 대한 우선적 고려로 미온적인 반응을 보였으며, 쿠웨이트측과는 구체적 상담은 없었으나 화란 경제사절단 파견시 구체문제를 협의키로 한것으로 알려짐. 화란은 또한 에집트에 대해 채무 3800만 길다를 에집트의재정, 경제증진 계획에 관한 IMF 측과의합의를 조건으로 면제할 예정임.

(대사 최상섭-국장)

중아국 구주국 1차보 2차보 경제국

PAGE 1

91.03.15 08:06 CT

외신 1과 통제관

0134

원 본

외 무 부

종 별 :

번 호 : ECW-0250　　　　일 시 : 91 0314 1730

수 신 : 장 관 (중동일)

발 신 : 주 EC 대사

제 목 : EC 의 걸프지역 복구계획 참여방안

대: WEC-0137

대호 EC 집행위 관계관에 문의한바, 표제관련 문서 (NON PAPER 포함) 나 지침을 발간한 일이 없다 함. 끝

(대사 권동만-국장)

중아국　1차보　정문국　안기부

PAGE 1

91.03.15　09:23 WG

외신 1과 통제관

0135

원 본

외 무 부

종 별 :

번 호 : NRW-0190 일 시 : 91 0314 1600

수 신 : 장관(중동일,구이)

발 신 : 주노르웨이대사

제 목 : 주재국의 쿠웨이트 재건참여

연:NRW-172

당관 전서기관이 3.14.주재국 수출공사 B.SVENSEN 정보담당 부사장을 면담,연호 주재국 사절단의 쿠웨이트 방문건을 탐문한바, 아래와같이 보고함.

1.주재국 사절단 5명(외무부 1명,수출공사 2명,엔지니어링회사및 건설회사대표 각 1명)은 쿠웨이트 복구공사 관련 정보수집차 3.6.쿠웨이트를 방문하였으며 내주말경귀국 예정이라함.

2.주재국은 쿠웨이트 복구공사중 유전복구, 항구운영(주로 CLEANING문제), 해상원유 유출제거등 3개분야에 관심을 가지고 있다함. 주재국은 아직까지 공사를 수주받지는 못하였으며 주재국이 공사를 단독으로 수주하기보다는 미국 또는 여타국 수주공사의 하청공사수주를 위하여 노력하고 있다함.

3.전서기관은 한국 건설업체및 통신업체는 걸프전쟁전에 쿠웨이트및 여타 중동지역에서 많은 공사를 해왔기때문에 풍부한인력. 장비.경험을 가지고있다고 설명하고주재국이 공사입찰시 또는 공사수주후 한국업체의 협력이 필요할경우 연락해줄것을요청한 바,동인은 그렇게하겠다고 말함

4.동인에 의하면 주재국의 2개회사가 사우디 정부의요청으로 사우디 해역의 원유유출제거 작업을하고 있다함. 상기 2개회사는 걸프전쟁전부터 사우디에서 활동해왔다고 함.끝

(대사 김병연-국장)

중아국 2차보 구주국 1차보 차관 장관 정문국

PAGE 1

91.03.15 02:00 DN

외신 1과 통제관

0136

관리 번호 91-246

원 본

외 무 부

종 별 :

번 호 : ITW-0406 일 시 : 91 0315 1900

수 신 : 장관(경일,구일,중근동,기정,국방부,건설부)

발 신 : 주 이태리 대사

제 목 : 걸프지역 복구사업 이태리 참여(자응 91-40)

연:ITW-0350

대:해외 30600-13-354

연호, 경제사절단을 이끌고 쿠웨이트를 방문한 RUGGIERO 무역성 장관은 3.13. SAAD AL SABAH 수상등을 면담하는등 이태리의 쿠웨이트 복구사업 참여를 교섭한바 동방문 성과등 언론 종합 아래 보고함.

가. 구체 사업 협력성과

0 3.11. 이텔 SAIPEM 사(ENI 그룹), KUWAIT PETROLEUM CORP 사와 유전 화재소화 용수 공급시설 건설사업 참여 합의서 교환(사업기간:12 개월)

0 3.13. 이태리 SAE SADELMI 사 (ABB 그룹)

전기 공급시설 복구 계약 체결

0 3.13. 이태리 REGGIANE 사 쿠웨이트 담수시설, SHUAIK 항 복구사업 참여 합의

0 기타: 이텔 PIRELLI (전기망, 광섬유선 공급), ANCE 건설협회(피해 건물및 교량수리), FIAT(엔지니어링), ENI 그룹(석규시설복구)등은 계속 상담중임.

나. SAAD AL SABAH 수상은 RUGGIERO 장관과 면담에서 쿠웨이트는 현재 음식, 물, 전기등 생활필수품 모두가 필요한 실정이며 필수품을 먼전 돕는 기업에 특혜를 주겠다고 말한 것으로 전해짐.

다. 한편 RUGGIERO 장관은 쿠웨이트는 전화시설, 공항, 항만, 도로, 건물, 하수시설 수송복구는 물론 생활재개에 필요한 모든 물건을 필요로 하고 있다고 말하고 중요한 것은 먼저 참여하는 기업이 많은 사업 계약에 참여할수 있음을 강조하고 이태리 업계의 신속하고 즉각적인 참여를 촉구함.

라. 쿠웨이트측은 지불 문제에 있어서 차관 도입은 언급치 않고 이태리 주재 쿠웨이트 은행 자금 활용 방안도 제시하고 있으나 이태리 업계측에겐 상품 제고 유지

경제국 장관 차관 1차보 2차보 구주국 중아국 정문국 청와대
안기부 국방부 건설부

PAGE 1	공람	국제경제국	년 월 일	담 당	과 장	국 장	차관보	차 관	장 관

91.03.16 06:19
외신 2과 통제관 BW

0137

문제도 뒤따른다고 알려지고 있음.

마. 이태리 전경련은 50 명 규모 사절단을 4 월초 쿠웨이트에 파견 예정이며 쿠웨이트사업 협력 확대를 위해 전경련 사무소 현지개설도 고려중임.끝

(대사 김석규-국장)

예고:91.6.30. 까지

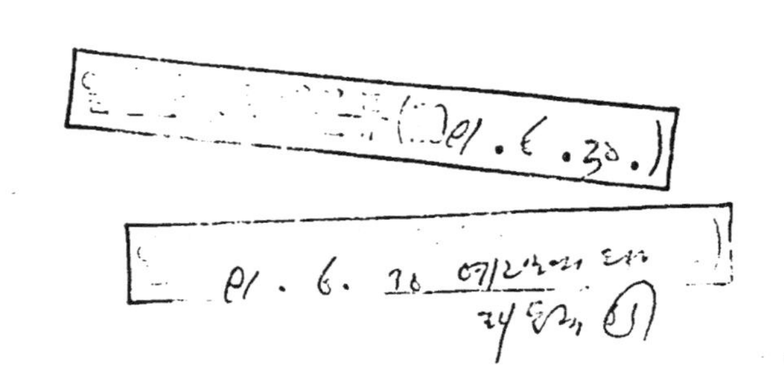

PAGE 2

0138

원 본

외 무 부

암 호 수 신

종 별 :

번 호 : POW-0169 일 시 : 91 0315 1900

수 신 : 장관(중동일,경일,통이)

발 신 : 주 폴투갈 대사대리

제 목 : 폴투갈의 겜프 복구참여 추진(자료응신40호)

연 : POW-0145

1. 주재국은 연호 조치에 이어, OLIVEIRA 상역장관을 수석으로하는 경제사절단을 4 월초 이란과 쿠웨이트에 파견할 예정인것으로 주재국 언론이 보도함. 또 주재국 대외무역청(ICEP)은 테헤란에 새로이 지사를 설치예정이며, 리야드주재 사무소도 재개하여, 쿠웨이트 및 UAE 도 겸임 관장시킬것이라함. 한편 중동지역과 기존관계가 있으며, 재진출을 희망하고있는 주재국 회사는 총 168 개로 보도됨

2. 연호 2 항 주재국 외무성이 배포했다는 EC 관계문서의 성격에대해 아국 주 EC 대표부의 문의가있어, 3.14 추가 조사한바, 주재국 정부는 주재국 및 EC 권의 쿠웨이트 복구 참여관련, 별도 작성한 문서는 없었다고 함. 끝

(대사대리주철기-국장)

중아국 차관 2차보 경제국 통상국 정문국 안기부

91.03.16 06:22

외신 2과 통제관 BW

0139

외 무 부

종 별 :

번 호 : YGW-0213 일 시 : 91 0315 1600

수 신 : 장 관(동구이,중동)

발 신 : 주 유고대사

제 목 : 유고의 대중동 건설 진출

1. 론차르외무장관은 3.14 주재국 상공인들과 가진 간담회에서 유고정부는 가능한 모든 외교력을 동원 유고 건설회사들의 대중동 건설시장 진출을 지원할 것이라고 말함(동장관은 3.16부터시리아, 쿠웨이트, 에집트 3개국 순방예정임).동장관은 또한 최단시일 HAQPLE비아와 외교관계를 수립할수 있도록 특별한 노력을 경주할 것이라고 언급함. 2 .동간담회에서는 유고의 대중동 시장진출을 위해 유고관련업계와 시중은행간의 콘소르시움구성, 중동시장에서의 유고산 상품의 경쟁력제고, 중동진출업계에 대한 재정지원방안등이 논의됨. 3. 론차르 외무장관은 3.15 시리아, 쿠웨이트, 에집트 방문차 출국하였으며, 금번방문은 전후 중동문제에 관하여 비동맹국가간의 정치 및 경제면에서의 협력을 가일층 강화하기 위한것임.끝(대사 신두병-국장)

구주국 1차관 중아국 정문국 정와대 안기부 2차보

PAGE 1

91.03.16 07:58 WG

외신 1과 통제관 .

0140

원 본

외 무 부

종 별 :

번 호 : KUW-0027 일 시 : 91 0317 1100

수 신 : 장관(중동일)

발 신 : 주 쿠웨이트대사

제 목 : 현대건설 직원 입국

대:WKU-15

연:KUW-4,13

대호 당지 복귀희망 인원이 갖고 있던 쿠웨이트 RP 번호및 비자번호를 알려 주시기 바람.

끝.

(대사-국장)

현대 金大滃 상무에게
문의하십시요.
(전) 741-3112

중아국

PAGE 1

91.03.18 05:55 DA

외신 1과 통제관

0141

	분류번호	보존기간

발 신 전 보

번 호 : WKU-0024 910319 2038 FH 종별 :

수 신 : 주 쿠웨이트 대사. 총영사

발 신 : 장 관 (중동일)

제 목 : 현대건설 직원

대 : KUW - 0027
연 : WKU - 0015

대호 관련, 귀지 입국 희망 현대 인원 (10명)의 쿠웨이트 RP 및 비자 번호는 다음과 같음.

보 안 통 제	7h

앙 고 재	91년 3월 19일	중동1과	기안자 성명		과 장	심의관	국 장		차 관	장 관
					7h		전결			7h

외신과통제

0142

	N A M E	VISA NO.	R/P NO. (ISSUE - EXPIRY DATE)
①	O MOON HA	신 규	신 규
②	KYU JOONG LEE	확인불가	18422311 (88.11.15-90.11.05)
③	CHI JOONG KIM	40716473	24248232 (89.02.14-92.01.16)
④	JOO SEOP NOH	89/80/2710	2200480114 (89.02.22-91.01.14)
⑤	KI MAN JOO	확인불가	21150681 (90.01.17-91.01.15)
⑥	JIN YUB KIM	확인불가	18424363 (90.06.25-91.06.17)
⑦	JONG TAE KIM	21924	2200225984 (89.09.19-90.08.23)
⑧	KYUNG SOO KIM	40706391	24106331 (89.11.27-90.10.28)
⑨	JAE SUN YOO	96729	2200475376 (89.01.26-90.12.14)
⑩	YUNG KEY KOH	신 규	신 규

끝.

(중동아국장 이해순)

0143

관리번호	91/137

외 무 부

종 별 :

번 호 : USW-1243 일 시 : 91 0318 0726

수 신 : 장관(미북,중동일)(사본:청와대 김종휘 외교안보 보좌관)

발 신 : 주미대사

제 목 : 전직 미 정부 관리등 쿠웨이트 방문

1. 팩스편 본부로 기송부한 3.15 자 WSJ 지의 'ALEXANDER HAIG, OTHERS, FLY TO KUWAIT IN SEARCH OF RECONSTRUCTION BENEFITS" 제하의 기사에 따르면 , 쿠웨이트 정부가 쿠웨이트 해방을 기념하기 위해 ROBERT MOSBACHER 상무장관, ROBERT DORNAN 하원의원, CHALMERS WYLIE 하원 의원, MICHAEL OXLEY 하원의원등 현직 정치인 외에 ALEXDANDER HAIG 전 국무장관, FRANK CARLUCCI 전 국방장관 및RICHARD ALLEN 전 안보보좌관등 전직 미 정부관리도 다수를 3.13. 부터 4 일간의 일정으로 초청하였다함(동기사는 USW(F)-0902 로 팩스편 재송부)

2. 원칙적으로 동 쿠웨이트 방문 관련 경비는 쿠웨이트 정부에서 부담하며,주미 쿠웨이트 대사관 및 미 상무부에서 전기 대상자를 선정했다함.

(대사 현홍주-차관)

91.6.30. 일반

1991.6.30.에 예고문에 의거 일반문서로 재분류됨

미주국	장관	차관	1차보	2차보	중아국	정문국	청와대	안기부

PAGE 1

91.03.19 08:04

외신 2과 통제관 BW

0144

번호 : USW(F) - 0902 0318 0920

수신 : 장 관 (미북, 중동일) 발신 : 주미대사
(사본: 청와대 김종휘 보좌관)

제목 : 전직 미 정부 관리등 쿠웨이트 방문 (첨부) (1 매)

보안 통제

Alexander Haig, Others, Fly to Kuwait In Search of Reconstruction Benefits

By JILL ABRAMSON
Staff Reporter of THE WALL STREET JOURNAL

When the emir of Kuwait at last reclaimed his throne yesterday, a bevy of U.S. dignitaries were on hand to celebrate. But this wasn't merely a social occasion.

Among those who were flying in for the fete— on an all-expenses-paid flight that the Bush administration helped to arrange—were some of the very consultants and lobbyists now lining up to cash in on the reconstruction of the emir's war-ravaged country.

Take Alexander Haig, the former Secretary of State. He has been busily touting himself as a matchmaker between corporations eager to get a piece of the multibillion dollar reconstruction and Kuwaiti government officials, including the emir. Since leaving the government, Mr. Haig has earned millions of dollars in consulting fees from such clients as United Technologies Corp., which he once headed, and Boeing Co.

Also departing from Andrews Air Force Base Wednesday night aboard a chartered Kuwaiti Airlines 747 aircraft were former Secretary of Defense Frank Carlucci, another highly paid international business consultant; former Democratic Rep. Tony Coelho, now an investment banker in New York; and top executives from AT&T Corp., Fluor Corp. and Dresser Industries Inc. Richard Allen, an international business consultant who was Ronald Reagan's national security adviser, also was on board.

Not everyone on the plane is going gratis. Mort Zuckerman, the developer and publisher, is paying his own way, says a spokeswoman.

The Kuwaitis dubbed it the Freedom Flight. Coveted invitations for the four-day trip went out last week from Shaikh Saud Nasir al-Sabah, the Kuwaiti ambassador in Washington and a member of the ruling family. But the Bush administration had a hand in picking who would go along.

Secretary of Commerce Robert Mosbacher, who joined in the trip, spoke for the administration on which companies should receive invitations. As word of the invitation-only trip spread, both the Commerce Department and the Embassy of Kuwait were deluged by those begging for a seat on the plane.

Administration officials and some business executives wanted to play down the business aspect of the trip. "It is not a trade mission," insisted one Bush administration official knowledgeable about the trip. The group may, however, meet with Kuwait's interior minister, who will play a role in handing out contracts for the rebuilding of the country—a public works project that may approach $100 billion in value. A meeting with the emir was also tentative, according to someone familiar with the planning for the trip.

Several members of the delegation—including Mr. Carlucci, Mr. Coelho and Sam Zakhem, the former Ambassador to Bahrain—were active in the Committee for Peace and Security in the Gulf, an adhoc lobby group that supported President Bush's Gulf war policies. "Most of the people on the trip already have established strong relations with the Kuwaitis," explained Ron Cathell of the National Council of Arab-American Relations, whose president, John Duke Anthony, is on the trip.

But many of those on the excursion are hoping to exploit those ties for business. "They are all over there feeding at the trough," says Edward von Kloberg, a Washington lobbyist who once represented the government of Iraq. "They are promising the world, but I don't know what any of these consultants can really deliver."

With Kuwaitis still unable to receive incoming telephone calls, consultants such as Mr. Haig are selling themselves as emissaries to the emir and his aides. According to one person in Washington familiar with some of Mr. Haig's client contacts, the former secretary is aggressively marketing himself as someone "who can help open the right doors in Kuwait." Mr. Haig couldn't be reached in Kuwait and an associate didn't return a message left for him, although Mr. Haig's secretary confirmed that he was on the trip.

Some companies are already doing business in Kuwait without the help of Mr. Haig or other consultants. AT&T, for example, has three satellite stations and a fourth on the way that have restored some outgoing telephone service.

Not every international business consultant who made the cut was able to go along. Declining invitations for the flight were former Secretary of State Henry Kissinger and former Pentagon official Richard Perle.

The Kuwaiti government's offer to pay for the trip created an ethical minefield for some U.S. officials. While Commerce Department ethics guidelines permitted Secretary Mosbacher, for one, to accept some transportation and other gifts from a foreign government, members of Congress could not. Several alternatives were explored. Among them: a plan to join the caravan in Montreal, because a loophole in the ethics laws allows for some foreign trips to be paid for, as long as the lawmakers don't depart from the U.S.

In the end, Fluor, based in Irvine, Calif., saved the day, resolving the ethical complication by footing the bill for the 12 House members who are on the trip. Such donations from U.S. corporations are lawful for "fact finding" missions. Deborah Land, a Fluor spokesperson, said that her company received the request from the Commerce Department to pay the lawmakers' passage.

Republican congressmen outnumbered Democrats by 10 to two. They included such hawks as Robert Dornan of California and such influential committee leaders as Chalmers P. Wylie and Michael Oxley, both of Ohio. House Speaker Thomas Foley discouraged Democrats from going along. Maryland Gov. W. Donald Schaefer was also there.

For its part, Fluor also hopes to massage its relationship with the Kuwaitis. The construction giant has extensive business interests in the Middle East and has done business in Kuwait since the 1960s. "We certainly are looking for opportunities there," says Ms. Land.

—*Peter Truell contributed to this article.*

Mar. 15, 1991
WSJ

END

0145

관리번호 91-753

외 무 부

종 별 : 지 급

번 호 : USW-1279 일 시 : 91 0319 1850

수 신 : 장관(통일,미북,중동일)

발 신 : 주 미 대사

제 목 : 대 쿠웨이트 지역 경제 제재 해제

대 WUS-1024

3.19 당관 김중근 서기관은 국무부 한국과 BRUCE CARTER 담당관과 면담, 대호 대 쿠웨이트 지역 경제제재 해제 조치 내용을 설명하고 별첨 구상서를 전달함.동 담당관은 관계 부서에 동 구상서를 전달하고 특이 반응 있으면 당관에 통보하겠다 함.

첨부 USW(F)-0931

(대사 현홍주-국장)

91.6.30 까지

예 고 : 91.6.30 일반

통상국 미주국 중아국

PAGE 1

91.03.20 11:12

외신 2과 통제관 BN

0146

번호 : USW(F) - 0831
수신 : 장관 (통기, 미북)
발신 : 주미대사
제목 : 첨부. (FAX 2매)

EMBASSY OF THE REPUBLIC OF KOREA
WASHINGTON, D. C.

KAM 91/042

The Embassy of the Republic of Korea presents its compliments to the Department of State of the United States and has the honor to inform the latter that the Government of the Republic of Korea has removed all economic sanctions against Kuwait, effective March 18, 1991.

The Government of the Republic of Korea sees no rationale for the sanctions to continue due to the positive outcome of the war. In addition, it is the desire of the Government of the Republic of Korea to comply with United Nations Security Council Resolution Number 686, Paragrah 6, which requests that all United Nations member states take all appropriate action to cooperate with the Government and people of Kuwait in the reconstruction of Kuwait.

The removal of the economic sanctions includes:

o lifting the embargo on oil imports from Kuwait;
o lifting the embargo on commodity trade with Kuwait;
o lifting the embargo on contracts with Kuwait.

MAR.19 '91 19:24 KOREAN EMBASSY WASHINGTON DC P.001

0147

The Embassy of the Republic of Korea avails itself of this opportunity to renew to the Department of State the assurances of its highest consideration.

Washington, D.C.
March 19, 1991

MAR.19 '91 19:24 KOREAN EMBASSY WASHINGTON DC P.002

0148

관리번호	91-752

외 무 부

종 별 : 지 급

번 호 : USW-1283　　　　일 시 : 91 0319 1926

수 신 : 장관(중동일,미북)

발 신 : 주 미 대사

제 목 : 미군의 주 쿠웨이트 대사관 협조

대 WUS-0995

금 3.19 당관 유명환 참사관은 국무부 RICHARDSON 한국과장을 면담하는 기회에 대해 미측 지원에 대한 사의를 표명한바 이에 대해 동과장은 한미간의 기존우호 협력관계및 한국의 걸프전 관련 대미 지원등을 감안할때 쿠웨이트 현지에서원 여사한 협조는 당연한 것으로 본다는 반응을 보이면서, 이러한 실무적 차원의 양국간 상호 지원 협력 관계가 계속 긴밀히 유지되기를 희망한다고 언급함.

(대사 현홍주-국장)

91.12.31 일반

검 토 필 (1991.6.30.)

일반문서로 재분류(1991.12.31.)

중아국　차관　1차보　2차보　미주국　청와대　안기부

PAGE 1

91.03.20　10:58

외신 2과　통제관 BN

0149

03/20/91 18:13 0595 EMBASSY OF K WDI 004/004

번호 : USW(F) - 0943

수신 : 장 관 (미북, 중근, 경제)

발신 : 주미대사

제목 : 쿠웨이트 재건관련 (1매)

Contractors jostle for pole positio[n] in Kuwait

The big reconstruction contracts have yet to be awarded, writes Michael Fi[eld] in Kuwait City

KUWAIT'S much heralded "reconstruction boom" is unlikely to begin in earnest for several months, according to US officials and foreign contractors.

There is no question that the damage done to Kuwait by the Iraqis has been enormous and that the cost of reconstruction will run into billions of dollars, but the 200-odd contracts awarded so far by the Kuwait government's Reconstruction Office have been almost entirely for emergency supplies and services, such as water, food, trucks, generators, police cars (which have already arrived), medicines and garbage disposal.

"The big award of contracts here is going to happen after the emergency repairs have been finished," said an official of the US Army Corps of Engineers (USACE) in Kuwait. "Nominally that will be in 90 days, but my guess is that it will take longer than that."

The USACE is making an inventory of the rebuilding that has to be done and preparing some estimate of its cost. If this is completed on schedule, the government will be able to choose its rebuilding priorities in early June, prepare its invitations for tenders and award some major contracts soon after.

At the same time it is expected that the private sector, which will become active again when essential services have been restored and the banks reopened, will begin awarding contracts for the repair of buildings.

It is already clear where the big contracts will be. Apart from the oil field fires, which are regarded as separate from the main reconstruction effort, the worst damage has been to the airport, the international telecommunications system, power and desalination plants, the Meridien, Sheraton and Regency hotels, the Salhiya office complex, Shuwaikh port, and the Emir's palaces.

The interior of the museum has been burnt out, though the basic structure of the building remains intact. The superb Islamic art it contained was taken to Baghdad. Banks, city centre offices and the stock exchange are largely undamaged. Most buildings have suffered pillage and wanton destruction rather than demolition. There will thus be many contracts for refurbishment and replacement of stolen items.

Meanwhile, the USACE is overseeing seven contracts for emergency repairs. The companies involved are Blount of Montgomery, Alabama, which has two contracts, American Dredging, Al-Harbi Trading and Contracting of Riyadh, Brown and Root, the Kuwaiti company Mohammad Abdul-Mohsin Kharafi, in partnership with Wimpey, and Shand of the UK.

The contracts cover repair of power plants and transmission lines, the sewerage system, which has been little damaged, a few essential public buildings, the airport runway, roads and a marine survey at Shuaiba port.

All of these contracts, which average $3m, are contained in the overall $45m USACE contract. USACE has 150 of its own staff in the state, working with Kuwaiti engineers on contract supervision and damage assessment.

None of the emergency repair contracts is very detailed. In most cases they define an objective in general terms, such as "to get power to Kuwait City", and tell the contractor the types of work he should expect to be doing. It is for this reason that the price of each contract has been left flexible, being stated as "up to" a certain sum. As their inspection of the damage progresses, USACE and the contractors are defining exactly what work should be done in each contract and what the eventual price will be.

It is thought that most of the firms involved see their small initial contracts as a means of finding out the type of work that is going to be available later and making contacts in the government, so they will be well-placed to win the major contracts in the summer.

Some of the Kuwaiti engineers involved in the assessment work are expected to branch out on their own, in joint ventures with foreign companies, when the major reconstruction work starts.

0150

관리번호	91/146

외 무 부

종 별 :

번 호 : THW-0655 일 시 : 91 0320 1000

수 신 : 장 관(경이,중동일,사본:아동경유 주태국대사)

발 신 : 주 태국 대사대리

제 목 : 걸프지역 전후 복구사업관련 지원요청

1. 주재국 외무부의 PRADAP 경제국 부국장은 3.19(화) 당관 배영환서기관을외무부로 초치, 주재국의 걸프지역 전후복구사업 참여와 관련한 아국정부의 지원을 요청한바, 요지 아래보고함

가. 태국의 걸프지역 복구사업참여는 신정부의 우선정책과제의 하나임

나. 이와관련, 태국정부는 걸프 복구사업에 진출하는 한국기업이 하도급계약, 외국인력고용, 자재구입등 경우에 태국측을 우선 고려해 주도록 한국정부측의 적극적인 지원을 기대함

다. 이러한 협력은 한. 태 양국간 실질협력관계강화를 위한 중요한 계기가 될것임

2. 동 부국장은 금번 복구사업에 진출하는 아국기업명단, 수주계약내용, 태국측의 참여가능분야등을 알려주기를 희망한바, 검토후 가능한 경우 회보바람

3. 주재국측은 금번 복구사업참여를 적극 추진하기 위해 당지 주재 미국, 일본, EC 제국 및 이집트등 관련국가의 대사관 관계관을 초치, 상기와 동일한 요청하고 있음을 첨기함

(대사대리 정해문-국장)

예 고 : 91.12.31. 까지

검 토 필(1991. 6. 30.)

경제국 차관 1차보 2차보 아주국 아주국 중아국

PAGE 1

91.03.20 13:17

외신 2과 통제관 BW

0151

원 본

외 무 부

종 별 :

번 호 : USW-1291　　　　일 시 : 91 0320 1635

수 신 : 장 관(통일,상공부)

발 신 : 주 미 대사

제 목 : 미국 상품전 개최

Copy : 중동국 / 이선상

1.걸프전 이후 쿠웨이트내 복구및 물자 공급을 주목적으로 하는 미국 상품전이 국제 전시회 전문기관인 GLAHE INT'L 사 주관, 미 국무부, 상무부, 중소기업청 및 쿠웨이트 상공회의소등 후원을 91.5.13-17간 UAE 의 DUBAI 에서 개최될예정임 (현재 쿠웨이트 상공회의소가 DUBAI에 소재하고 있음)

2.동 전시회를 주관하고 있는 GLAHE 사에 의하면, 동 전시회에는 미국 기업만이 참가 할수 있으나 많은 미국이업이 이미 참가 의사를 밝히고 있으며, 약 500개 사가 참여할것으로 예상된다고 밝힌바, 참고 바람.

(공사 손명현-국장)

통상국　2차보　상공부

PAGE 1　　　91.03.21　13:07 WG

외신 1과 통제관

0152

건 설 부

해건 30600-7575 (503-7416) 1991. 3.21.

수신 외무부장관

제목 쿠웨이트 국내지뢰제거 용역 참여

주쿠웨이트대사로 하여금 이라크 점령 당시 쿠웨이트 국경지대에 매설된 지뢰지대에 대한 쿠웨이트 정부의 제거계획 및 이에 대한 아국 해외건설업체의 참여 가능성을 조사하여 조속 보고토록 훈령조치하여 주시기 바랍니다.

건 설 부 장

건설경제국장 전결

8018

0153

원 본

외 무 부

종 별 :

번 호 : KUW-0040 일 시 : 91 0321 1600

수 신 : 장 관 (중동일),사본:상공부,대한 무역진흥공사

발 신 : 주 쿠웨이트 대사

제 목 : 쿠웨이트 기업 연락창구 지정

3.21(목), 외교단 브리핑에서 AL-SHAHEEN 주재국 외무차관은 쿠웨이트 민간 기업인들이 아직 쿠웨이트와 외부와의 통신이 되지않고 있어 두바이와 카이로의 상공회의소를 연락창구로 지정하였다 하므로 동 내용을 무역협회등 관계단체에 알려 주시기 바람.끝.

(대사-국장)

중아국 상공부 KOTRA

PAGE 1

91.03.22 09:01 WG

외신 1과 통제관

0154

관리번호	91/156

외 무 부

종 별 : 지 급

번 호 : USW-1312 일 시 : 91 0321 1740

수 신 : 장관(경일,중동일,미북,건설부)

발 신 : 주 미 대사

제 목 : 쿠웨이트 전후 복구 사업

대 : WUS-0870

연 : USW-1198

당관 민태정 건설관은 3.20 미 토목 기술자 협회 워싱턴 지부가 주관한 -쿠웨이트 복구 공사 수주및 공사 자금 조달-이란 제한의 강연회(연사미 공병단 기획 참모장 JAMES RAY 소장)에 참석한바, 동 강연 요지 하기 보고함.

0 미 공병단은 쿠웨이트내 피해 복구 상태 조사를 대부분 완료하였는바, 건물, 도로, 전력시설등 INFRASTRUCTURE 의 피해는 당초 추정보다 적은것으로 평가되었음.

0 미 공병단은 조사 완료후 상세 자료를 쿠웨이트의 공공 사업부(MINISTRY OF PUBLIC WORKS)에 인계 하였는바, 향후 중.장기 복구 공사는 쿠웨이트 정부가주도하여 발주하게될것임.

0 강연회 참석자의 신행정수도 건설 계획(NEW KUWAIT CITY PLANNING)이 있느냐는 질문에 대해 동 참모장은 쿠웨이트가 결정할 사안이라고 언급하며, 답변을 회피하였음.

(대사 현홍주-국장)

91.12.31 까지

검 토 필(1991 . 6 . 30 .)

경제국 건설부 장관 차관 1차보 2차보 미주국 중아국 청와대 안기부

PAGE 1

91.03.22 09:54

외신 2과 통제관 BW

0155

외 무 부

종 별 :

번 호 : UKW-0720 일 시 : 91 0321 1500

수 신 : 장 관(기협,중동1)

발 신 : 주 영대사대리

제 목 : 쿠웨이트 복구사업 참여

1.당지소재 WESTMINSTER MANAGEMENT CONSULTANT LTD.는 상공성 후원하에 3.18 영국기업의 쿠웨이트복구사업 참여에 관한 세미나를 개최하였던 바, 동 세미나 발표 내용에 따르면 쿠웨이트는 1단계로전기.상수도 긴급 복구공사(90일간 10억 달러소요)을 실시중이며 2단계는 향후 2-5년간, 3단계는 5-10년간 계획하에 실시 예정이라고 함

2.영국 정부는 현재 쿠웨이트가 계엄하므로 민간인 입국이 불가능하니 복구사업참여희망업체는 상공성 특별대책반을 통하도록 권고하고 있으며 복구사업 참여 지원을 위하여 주쿠웨이트 대사관내에 정부 및 관계기관 대표수명을 파견하고 있음

3.동 세미나에 아국의 현대건설과 대우 주재 대표자가 참가하였음

4.쿠웨이트 국립은행 배포 참고자료:UKWF-0169.끝

(대사대리 최근배-국장)

공람							차 관	장 관

경제국 차관 중아국 정문국 안기부

PAGE 1

91.03.22 10:12 WH

외신 1과 통제관

0156

원 본

외 무 부

종 별 :

번 호 : MNW-0037 일 시 : 91 0321 1400

수 신 : 장 관(중동일)

발 신 : 주 몬트리올 총영사

제 목 : 아국근로자 송출

대:WMN-0037

연:MNW-0029

1. 대호 문의사항은 KODCO 토론토 지사에 직접통보함.

2. 동 CONSULTANT사에 의하면 4.10.경 정부 주관으로 쿠웨이트 진출관련 회의가 개최되며, 이때 동사의 작업준비, 능력등에 관한 자료제출상 아국근로자 송출관계를 문의하는 것이라하며, 또한 미국내 원청자와의 하청교섭에도 필요하다함.

3. 아국근로자를 선택하는 이유는 쿠웨이트 건설우선 순위는 수자원, 위생, 전기, 통신, 석유, 가스사업등인바, 이는 짧은 공기내 완공을 필요로하는 것이어서 임금이 높더라도 중동지역 건설경험과 능력이 있는 아국인을 선택코자하는 것이라함.

4. 기타 주재국 외무, 국제무역성에는 쿠웨이트 진출관련 특별반이 설치되고, 연방산하CCC (CANADIAN COMMERCIAL CORPORATION)가 정부간 건설계약을 전담하고 있으며, 쿠웨이트 건설총계약의 5-10획득을 전망하고 있다함. 끝.

(총영사-국장)

중아국

PAGE 1

91.03.22 10:14 WG

외신 1과 통제관

0157

관리 번호	91/165

원 본

외 무 부

종 별 : 지 급

번 호 : THW-0691　　　　일 시 : 91 0322 1800

수 신 : 장 관(중동일,아동)

발 신 : 주 태국 대사대리

제 목 : 걸프전 간접 피해액

대 : WTH-0517

연 : THW-0537

1. 대호 정참사관이 3.22(금) MR.CHAIYONG 외무성 정책기획과장을 접촉, 파악한바에 의하면 걸프전으로 인한 본국 송금감소액은 약 1 억불 정도로 비공식 집계되었다고하며 동 비공식 집계시점은 90 년 12 월말 이라고함

2. 한편, 당지언론 보도에 의하면 KASEM S.KASEMSRI 수상실장관을 단장으로하는 주재국 사절단이 쿠웨이트 복구사업에 태국 노동력을 참여시키는 문제를 협의하기 위해 금명간 쿠웨이트를 방문할 예정이라고하는바, 본건 추보예정임

(대사대리-국장)

예 고 : 91.12.31. 일반

검 토 필(1991. 6. 30.)

중아국　차관　1차보　2차보　아주국　청와대　안기부

PAGE 1　　　　91.03.22　20:52

외신 2과　통제관 CF

0158

외 무 부

종 별 :

번 호 : FRW-0904 일 시 : 91 0322 1820

수 신 : 장 관(경이, 중동일) 사본: 건설부

발 신 : 주 불 대사

제 목 : 쿠웨이트 복구 사업

연: FRW-0787

1. 쿠웨이트 복구 사업이 2차 대전후 최대 규모가 될것으로 전망되고 있는 가운데, 불 유력 경제지

'' LA TRIBUNE DE L'EXPANSION '' 은 '' 세기의 복구사업은 환상'' 이라는 제하로 현지 피해 규모를 관찰한 정부 및 업계 인사의 언급 내용을 아래와 같이 보도함.

가. 쿠웨이트 산업 시설중 석유 분야를 제외 하고는 도로, 교량, 상.하수시설등은 파괴되지 않았으며 대규모 상가 및 주택의 피해도 크지 않은바 (일부피해는 VANDALISM 에 의한 정도) 전후 복구사업이 세기적 규모 일것이라는 주장은 환상임.

나. 예로 BOUBIYAN 교량도 손상된 4개 교각 부분만 수리하면 되는바 이는 수천만 프랑 정도 사업이며, 쿠웨이트 시내 TV 통신탑도 다국적군이 안테나만 손상을 시켰을뿐 구조물에는 아무런 이상이 없음.

다. 쿠웨이트 공항 격납고는 파괴 되었으나 활주로에는 별다른 이상이 없으며, 공항에서 시내로 진입하는 도로변에도 폭탄 피해 (CRATERS OF BOMBS) 가거의 목격되지 않음.

라. 수도 시설도 별다른 피해가 없으며, 현재 식수가 제대로 공급 되지 않는 주된 이유는 전기 시설이 복구되지 않아 펌프가 작동 하지 않기 때문으로 판단됨

5개의 담수화 공장중 1개만이 피해를 보았으며, 4개 공장의 경우 기술자가 오게되면 조만간 가동될것임

마. 불란서의 수주는 최악의---- (문의중)------ 숙소용 임시 가건물 건축정도에 그 칠수도 있을것임

2. 상기와 같이 최근 쿠웨이트를 방문한 업계인사는 공통적으로 전후 복구 사업의 규모가 예상보다 크지는않을것으로 전망하고 있음.

경제국 중아국 건설부 1차보 2차보

PAGE 1

91.03.23 09:45 WG

외신 1과 통제관

0159

연이나 전후 팔레스타인이 없는 쿠웨이트의 행정공백을 사실상 미국이 보충하고 있으므로, 불업계는 전후 사업 참여 확보를 위해 불정부 최고위층의 적극적 지원을 요청하고 있음.

3. 이와 관련 , RAUCH 불 대외 무역성 장관은 미국의 전후 복구 사업 독점은 있을수 없다고 주장하고 4.5- 6 간 경제인단을 인솔코 쿠웨이트방문 예정이며 동 방문 직후인 4월 하반부에 불-쿠웨이트 정부간 공동위를 개최키로 양측간 합의한 것으로 알려짐.끝

(대사 노영찬- 국장)

PAGE 2

0160

91-200

→ 중동국 이관

주 미 대 사 관

미국(건)762-45 1991. 3. 22.

수신 : 장관

참조 : 건설부장관(건설경제국장)

제목 : 쿠웨이트 전후복구사업에 대한 종합 보고 (현시점)

쿠웨이트 전후 복구사업에 아국 건설업체의 참여에 필요한 각종 정보수집 활동 내용 및 앞으로의 추진계획을 별첨과 같이 종합 보고 합니다.

별첨 : 쿠웨이트 전후 복구사업에 대한 종합 보고 각 1부 끝.

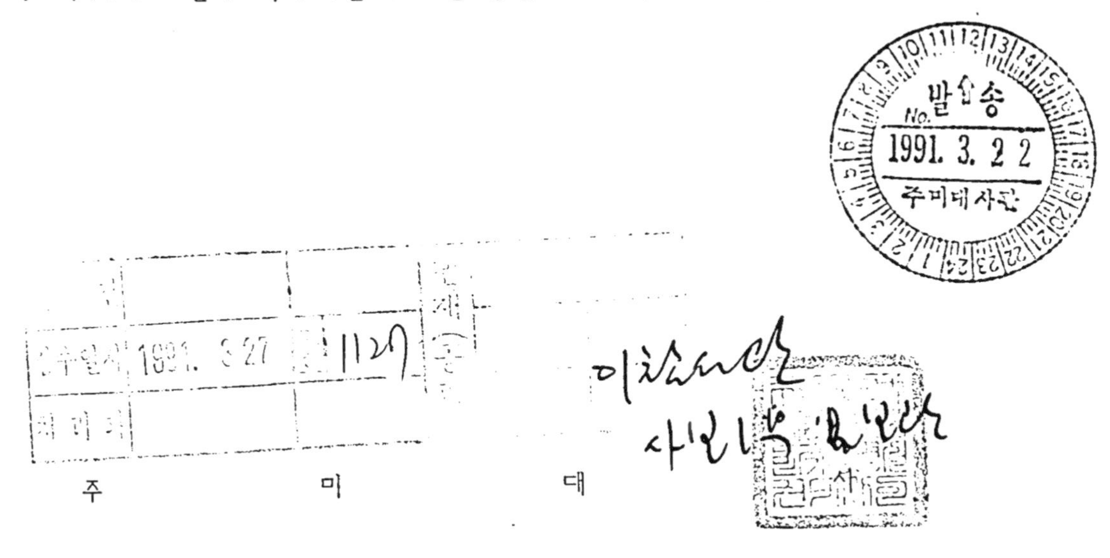

주 미 대 사

0161

쿠웨이트 전후 복구사업에 대한

종합보고(현시점 기준)

1991. 3.

주미 대사관 건 설 관

0162

쿠웨이트 전후 복구사업에 대한

종합보고(현시점 기준)

I. 쿠웨이트의 피해 현황

1. 쿠웨이트내 각종 시설물의 파괴 원인

가. 1990.8.2. 이락이 쿠웨이트 점령후 각종시설물을 사용하지 않은되서 오는 노화 현상
나. 걸프전중 파괴
다. 이락크군의 철수시 고의적 파괴

2. 쿠웨이트 피해내용(실조사단 현지보도)

가. 약 30%의 발전시설 및 상당부분의 송전시설의 파괴
나. 상수도시설(해수- 담수화시설) 의 파괴
다. 공공시설 및 민간 상업, 주거시설의 파괴
라. 석유산업시설 파괴(상당부분이 70 년대 건설되어 다소 노후된 시설이라함)

- 약 530개의 유정 발화 상태
- 약 300개의 유정 줘치시설 파괴
- 다수 송유관 및 저장시설 파괴
- 정유시설의 파괴
  * 발화된 유정의 80%는 진화가능 (약 1년이상 소요)

0163

3. 쿠웨이트의 피해 추산액

가. 걸프전중의 피해 추정액: $600억-$1000억

나. 현지 실 피해조사에 의한 금액추정:
종전의 피해 추정액보다 상당히 축소 전망

- 상업 및 공공청사의 피해는 건물의 구조물상의 피해가 매우적음. (청소나 보수로 사용 가능)
- 도로시설의 피해상황 경미
- 지하 공공시설물의 피해가 적음.
- 남부지역의 전력 생산시설(전체 50%생산) 의 피해가 없음.
- 석유관련 산업시설 피해는 추정치와 비슷함.

0164

II. 쿠웨이트 전후 복구 현황

1. 복구전략(3단계 추진)

가. 1 단계: 종전후 90 일이내 최소한의 국민편익 및 사회질서 유지에 필요한 긴급 복구

나. 2 단계: 국민편익 및 사회안정 유지를 위한 완진한 복구 단계

다. 3 단계: 경제부흥을 위한 산업시설 완전복구 및 신규사업 완성

2. 추진계획

가. 긴급복구 : 종전후 3개월이내 완료
나. 완전복구 및 경제부흥 : 종전후 5년이내 완료
(일부 군사도시 신규 건설계획 전망)

0165

3. 추진 담당 기관

(응급복구)

가. 쿠웨이트 긴급복구 기구(KERP)

- 구성
  . 본부 : 사우디 담만
  . 실업무 추진 사무소: 와싱톤 D.C.(1510 H Street N.W.)
  . 책임자: Dr. Ibrahim Majid Al-Saheen
  . 와싱톤 D.C. 사무소장: Dr. Abdul Hadi Al Awadi
  (확인중임)

- 임무
  . 종전즉시 응급복구를 위한 각종 생필품조달:
  약 $8 억계약(70%가 미국업체)
  . 석유시설의 응급 및 완전복구를 위한 업체 선정
  * Bechtel, Fluor, Caterpillar Parsons 사등의 참여가
  유력시됨.

나. 미국 육군 공병단

- 구성
  . 쿠웨이트 정부의 위탁($45백만계약) 에 의한 임무 수행
  . 미육군 공병단 산하 중동 아프리카 건설단에서 총괄담당
  . 현지(쿠웨이트) 에 전문기술인력 120 명 파견

- 임무
  . 90일간 시한부
  . 도로, 항만, 상하수도, 전력, 정부 주요청사등 긴급복구사항
  . 각종 전쟁파괴물(전차등) 및 지뢰등 폭발물 제거
  . 피해조사 복구계획, 공사비산정, 복구업체선정(계약) 및
  감독업무

0166

- 복구업체 선정 방법
  . 사전 참가희망업체 신청접수(3.20 까지 완료)
    * 현아국업체 신청중에 있음.

  . 신청업체중 자격심사후 적격업체 선정
  . 입찰방법은 RFB (Request for Bid: 수의 또는 지명경쟁)

* 참고사항

  . 36개 적격업체 선정(미국 22, 영국 10, 사우디 1, 쿠웨이트 1, 사이프라스 1, 에집트 1)
  . 이중 8개업체와 긴급복구사업 계약

다. 현지 긴급 복구 진행 현황

  . 전력 공급시설의 복구(최우선)
  . 항만, 도로, 비행장 교통시설 복구
  . 정부주요청사에 설치된 부뢰등 위험물 제거 및 피해조사 대부분 완료
  . 발화된 유정의 진화작업 착수

0167

III. 앞으로의 쿠웨이트 전후복구 전망

1. 현 쿠웨이트의 사회 현상

가. 왕위계승자 Mr. Saad Abdullah Sabah 수상의 실권자로 부상
(수상, 국방장관 및 계엄사령관으로서 3월4 일 입성)

* Mr. Sheik Jaber Al-Ahmed Al-Sabah
왕은 3월14일 입성

나. 사회안정의 불안요소 상존

- 약 20 만의 팔레스타인과의 불화(이락 점령시 이락편에서 쿠웨이트인 압박)
- 국민들의 민주화 요구 증대
- 다수 현주거민들이 이락군 철수시 버린 무기 소지

다. 현 계엄하에서 쿠웨이트내 주거민의 출국이나 외부의 쿠웨이트 국민의 입국등이 통제

라. 발화된 유정으로 부터의 매연등 환경조건 악화
마. 도로, 항만등의 시설복구 지연으로 생필품 공급의 어려움.

0168

2. 쿠웨이트 전후복구 전망

가. 복구사업 진행 전망

. 긴급복구 사업은 사회여건상 다소 지연될 전망
. 사회안정 및 경제부흥단계도 초기에는 다소지연될 전망이나
앞으로의 사회여건에 따라 자우될 것으로 보임

나. 공사 추진 우선 순위

. 긴급복구단계와 더불어 석유산업 시설복구에 최우선
순위 부여

. 공공시설물의 복구
. 민간차원의 상업시설 및 주거시설 복구

다. 쿠웨이트 정부의 공사발주 방법

. 쿠웨이트 국토수복에 공헌한 국가에 우선권을 부여
(주영, 주미, 쿠웨이트 대사들의 발언)

* 공헌국가 서열로는 미국, 영국, 에집트, 프랑스등의
순위라함.

. 수의계약
* 시간이 지나면 아랍인들의 성격상 시공경비가 저렴한
업체(동양계) 에게 수행토록 할 것으로 서방
기업들은 전망하고 있음.

0169

7

라. 공사발주 기관

. 컨설팅 : 쿠웨이트기획성(Consultant Department)

. 군수부문 건설공사: 쿠웨이트 국방성
(Engineering Department military Project)

. 공공부분 건설공사 : 쿠에이 트 공공사업성
. 석유부문공사 : 쿠웨이트 중앙입찰위원회
. 긴급복구와 관련되는 사업: COE 에서 당분간 계속 담당

마. 복구자금 조달

. 쿠웨이트 정부가 보유한 해외자산을 담보로 융자 조달
. 공사시공업체가 쿠웨이트 정부 지불보증 융자받아 시행
. 쿠웨이트 정부보유 해외자산처분으로 자금조달
(현시점에서 희박함)

바. 주요 복구공사 및 신규사업 추정

. 석유관련 시설의 대대적 보수 및 교체
. 전력, 상수도등 Intrustvanture
. 이락의 위협에 대비한 군사도시건설(사우디에서 건설한 것과 유사할 것임)
. New Kuwait City Planning
. 각종 정보산업시설(예 은행고객의 예금관리, 주민등록 관리등 각종 정보관리)

0170

IV. 주미 한국대사관에서의 이에관련 대처

1. 현재까지 업무수행(기 본국 보고완료)

가. 91.2.1자로 " 쿠웨이트의 전후 복구사업에 관련 건설 시장의 전망" 에 대한 업무 보고

나. 쿠웨이트 전후복구기관(KERP)에 대한 조사 보고

- 책임자 : Mr. Ibrahim Al-Shahe
- KERP와싱톤 사무소: 1510 H St., N.W., 3rd Floor
- 책임자 : Dr. Abdul Hadi Al-Awadi
- 관련자 접촉시도 : KERP및 Kuwait대사관의 관련인사 접촉 시도했으나 일체 반응이 없었음.

다. 걸프전 후의 중동지역에서의 지역경제개발 촉진을 위한 " 중동 부흥개발은행 설립에 관한 조사 보고

- Baker 미국무장관이 미하원 청문회에서 발언한 것으로서 아직 구체적인 작업은 없었음.

- 현재로서는 중동지역 경제개발을 위한 자금조달에 관해 4 가지 방안을 놓고 검토중임(재무관 조사)

(제 1안) 중동부흥개발은행(미국을 중심으로한 다수국의 참여) 설립

(제 2안) IBRD의 주관 Special Facility 설치

(제 3안) 중동국가 협의체(기존 존속기구의 업무범위)

0171

(제 4안)   재정원조 공여국 조정회의(기존 존속기구의 업무범위 확대)

경제개발을 위한 은행(기구) 설치의 문제점:

걸프지역내의 빈국과 부국간의 재원의 분배

정치적인 상황

현시점에서의 개발자금 긴급 필요

재정출자국간의 협의 전망 불투명

라. 미육군 공병단(COE) 의 쿠웨이트 전후복구사업 참여에 관한 조사보고

. 업무수행기구 : 미공병감 산하 중동아프리카 건설단

. 계약금액 : $45 백만불 단, 긴급복구공사의 량에따라 증액됨. (현 $1 억 증액)

. 업무수행범위 : . 도로, 항만, 비행장, 정부주요청사등 긴급복구

. 전쟁파괴물 및 폭발물 제거

. 피해의조사, 복구계획, 복구공사비산출 시공 업체 선정, 공사감리

. 미육군 공병단 참모장 Mr. Edgar 소장에게 아국업체에 관해 호의적인 대우와 또한 상호 실무자의 면담을 주선토록 서한 발송(현 면담 주선중)

마. 기타 아국업체의 쿠웨이트 복구사업에 많은 참여를 위한 주미대사관의 지원 활동

. 미육군 공병단은 쿠웨이트 복구참여 희망업체 신청토록 공고한바, 이를 입수, 본국 송부

0172

- 이기관에 희망서를 제출하여 사전 적격업체로 인정받아야 만이 미육군 공병대 발주 공사 수주 가능

  * 미육군 공병대는 주요 공공시설물의 긴급복구 및 이의 항구적인 복구사업에 공사 감리등 장기적으로 간여할 것으로 추정

  * 향후 쿠웨이트의 안전을 위한 군사시설의 확충에 관여 할 것으로 보임. (사우디에서 5개의 군사도시 건설한바 있다함).

. 미상무성은 미업체들의 쿠웨이트 전후 복구사업 참여지원을 위한 " 걸프지역 복구지원 센타설립 운영하고 있으며, 이기관으로 부터 필요자료 획득 이를 송부

. 미국 업체의 쿠웨이트 복구사업에 참여 명단 수집중 (Engineering News Report 사의 자료실에 요청)

. 와싱톤지역에 진출한 아국 건설업체에게 수집된 정보를 신속전달 및 상호 정보교류등 ~~확산~~을 위해 간담회 개최등 활동

. 주미 진출 아국업체에게 쿠웨이트에 관한 정보 및 미육군 공병단의 업무등을 통보

0173

2. 앞으로 주미대사관에서의 활동 방향

가. 공사의 원천수주를 위한 지원 활동

. 미육군 공병단 발주 공사에 아국 건설업체 수주활동 지원
- 실무자의 접촉으로 정확한 공사정보 입수

. 쿠웨이트 정부발주공사에 아국 건설업체 수주활동 지원
- 걸프지역 복구사업 참여업체 지원센타로부터 수시 정보 입수
- 미국 소기업 관리청(Small Business Administration)로부터 쿠웨이트 복구공사 관련 정보 입수
- 관련 정부 및 단체로부터의 정보입수(상무성, 미국건설 협회)
- 각종 도서로부터의 정보 입수

나. 공사의 Joint Venture 또는 Subcontractor 수주를 위한 지원 활동

. 미국회사들의 공사 수주 정보 입수
- ENR 자료실과의 긴밀연락을 통한 자료 입수
- 미국 건설협회 관계자와의 긴밀연락을 통한 자료입수 (이미 아국업체 명단전달 및 미국업체에 홍보토록요청)
- 각종 도서로 부터의 정보 입수

. 미국 회사들의 아국업체 현황 요구시 즉시 응답
- AIG-American Intertrade Group 사로부터의 요청에 의한 자료 제공

다. 이락에서의 전후 복구사업 관련 자료 및 각국의 대응전략 조사

0174

12

. 피해 추상금액 : $2000억 이상

. 현재 해외부채 : $800 억

. 석유부존 자원은 세계 2위임.

* 단 이락국내 정치사항 및 미국의 중동전략을 요주시 하면서 추진함이 바람직함.

0175

원 본

외 무 부

종 별 :

번 호 : KUW-0047

일 시 : 91 0323 1600

수 신 : 장관(중동일)

발 신 : 주쿠웨이트대사

제 목 : 현대건설 직원

대:WKU-24

1.쿠웨이트 외무부 당국자(의전장)는 금 3.23.대호, 10명 전원에 대하여 쿠웨이트 입국을허가하겠다고 하고, 이들에 대한 입국비자발급지시를 금일중으로 사우디 주재 쿠웨이트대사관에 전문으로 지시하겠다고 확약하였음.

2.의전장은 '원한다 면 지금이라도 사우디로 출발하게하라'고 말했으나, 확실하게 하기 위하여 리야드주 재해당회사 책임자로 하여금 현지 쿠웨이트대사관에서 비자발급 지시 수령사실을 확인 한후,그에 따라 조치하게 할것을 건의함.끝.

중아국 1차보 2차보

PAGE 1

91.03.24 04:57 BX

외신 1과 통제관

0176

外務部 걸프戰 事後 對策班

題 目 : 最近 쿠웨이트 復舊事業 豫想 規模 評價

91. 3. 25.
中 東 1 課

1. 槪 要

걸프戰後 歐美 主要 國家들이 당초 豫想한 쿠웨이트의 緊急復舊(90일간) 및 長期 復舊事業 總所要額은 약 800-1,000억불로 推定하였으나, 最近 主要國家 駐在 우리公館 報告에 의하면 豫想보다 크지 않을것으로 展望된다 함.

2. 主要國家 業界等 評價 (要約)

美 國

ㅇ 美 工兵團이 現地 被害 狀況調査를 大部分 完了한바, INFRASTRUCTURE 被害는 當初보다 적음 (3.20. 美土木技術者協會 워싱턴지부 主管 講演會에서 工兵團 企劃參謀長 發表)

英 國

ㅇ 90日間 緊急 復舊工事 所要額 10억불정도(3.18. 商工部 後援 WESTMINSTER 經營諮問會社 開催 세미나 發表)

佛蘭西

ㅇ 現地 出張한 政府, 業界 人士들에 의하면, 石油分野를 除外하고 道路, 橋梁, 上下水 施設은 破壞되지 않았으며, 大規模 商街, 住宅 被害도 크지 않은바 쿠웨이트 復舊事業이 世紀的 規模가 될것이라는 主張은 幻想에 不過(最近 佛蘭西 有力經濟誌 LA TRIBUNE L'EXPANSION 報道) 끝.

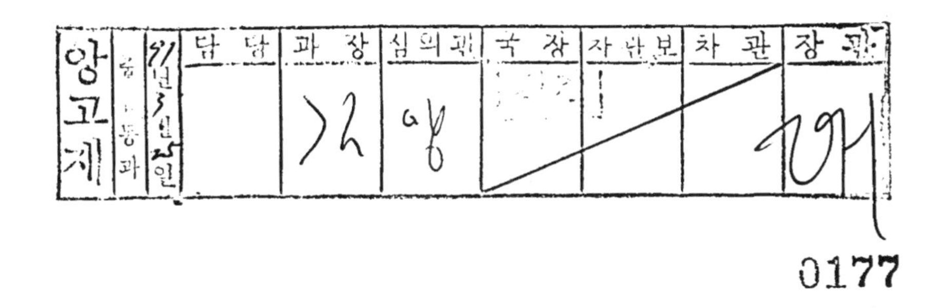

0177

원 본

외 무 부

종 별 :

번 호 : AKW-0038 일 시 : 91 0325 1800

수 신 : 장관(중동일,경일,미북,정이)

발 신 : 주앵커리지 총영사

제 목 : 미상무성 지원단 중동파견

(자료응신 제4호)

1.본직은 금 3.25(월) CHARLES BECKER 미상무성알라스카 사무소장을 오찬에 초청하였는바,동접축요지를 다음과같이 보고함.

가.BECKER 소장은 미상무장관 지시로 상무부직원2명과함께 중동 전후복구사업 진출에 일본,독일등 업체와 경쟁을 하고있는 미국업체들을 지원하기위해 3.29 당지출발2-3개월간 주사우디 미대사관에 주재하게 될것임.

나.동인은 89.4월 동직 임명이전 알라스카 최대의 석유사업 써비스회사인 VECO 에 장기 근무한 경험이있어 발탁되었다고함.

다.사우디 국영회사인 ARAMCO 는 걸프전이전에 300억불의 원유생산 배가를위한 시설확장에 착수한바있어 금번 걸프전으로인한 원유유출정화작업에 추가,수년간 미회사 에 사업참여기회를 제공할것이나 현재로서는 계약이 결정된바는없다함.

라.공사계약 결정은 쿠웨이트정부가 할것이나 미정부가 상당한 영향력을 행사하게 될것임.

2.본직은 아국이 심한 무역적자등 경제적 어려움에 처해있음에도 불구,걸프전과관련,미정부에 적극 협조코자 5억불의 현금및 군수물자제공,154명의군의료지원단및 5대의 군수송기를 파견한점을설명하고 아국 진출업체에대해 호의적으로 지원해줄것을 요청한바 동인은 힘이 미치는대로 배려하기로 약속하였음.

3.동인은 친한단체인 ALASKA-KOREA BUSINESS COUNCIL의 이사로 선임된 친한인사로서 금번 전후복구사업 공사수주에 상당한 영향력을 행사할것으로 판단되는바 동지 진출 아국업체가 필요시 동인을 접촉하는것이 좋을것으로사료됨.끝.

(총영사 허방빈-국장)

중아국 1차보 2차보 미주국 경제국 정문국 청와대 안기부

PAGE 1

91.03.26 13:39 BX

외신 1과 통제관

0178

관리번호	91/185

외 무 부

종 별 : 지 급

번 호 : USW-1422　　　　일 시 : 91 0327 1755

수 신 : 장관(경일,중동일,건설부)

발 신 : 주 미 대사

제 목 : 건설 업체 추천

1. 당관 민태정 건설관은 3.26 현지 건설업자인 ALAN I. KAY 의 요청으로 동인을 면담한바, 그 내용을 하기 보고함.

가. 소련으로부터 년 300,000 명이 향후 3 년간 계속 이스라엘로 이주할 예정이며, 이스라엘 정부는 이를 위해 대단위 주택 건설을 추진하고 있다하며, 이중 약 20,000 세대 아파트 건설 공사를 ALAN I. KAY(ALAN I.KAY CO. 메릴랜드 주베데스타 소재 건설업및 부동산 개발업 사장)가 이스라엘 정부로부터 수주를 받기 위해 추진하고 있다함.

나. 상기인은 이사업을 이슬라엘 정부로부터 수주하게 되면 시공 분야는 한국 건설업체에게 하도급 시공을 희망한바, 이에 관련 견실한 한국 건설업체를 추천해줄것을 요청해왔음.

다. 동인이 제공한 공사 개요는 다음과같음.

1)개요

0 20,000 세대 아파트(세대당 800 FT2(약 22 평))

0 4 층 이하의 목조 건물 다수

0 5 층 이사으이 철골 콘크리트 건물 일부

0 건물 시공은 완전 조립식 공법

0 공사 기간 1 년(공기 철저 수행)

0 공사 금액 약 5 억불 소요(MR. KAY 의 제의)

2)공사 특별 조건

0 공사 기간 철저이행이 요망되며, 공기 지연에 대해서는 벌칙금이 중과되고, 공기 이내에 완료될시는 특별 격려금이 지급된다함.

0 조립식 건설 공법에 따른 부분품 제작에 있어 아국에서 제작시는 이스라엘

경제국　중아국　건설부

PAGE 1　　　　91.03.28 08:47
외신 2과 통제관 CA
0179

정부로부터 융자를 받지 못하고 이스라엘이나 미국에서 공장 설치제작시는 민수출입은행(EXIM BANK)등으로부터 85 프로 융자 가능하다 함.

0 본공사를 위해 이스라엘에 진출하는 기술 인력에 대해서는 어떠한 제재도받지 않으며, 또한 아랍 진출 기업체도 무방하다함.

2. 상기건 검토시 다음과같은 점을 유의 바라며, 검토 결과 회시 바람(동사에 대한 소개 책자 파편 송부 예정)

가. 검토시의 유의 사항

0 소련으로부터의 이주민 일부가 -가자-및- WEST BANK-지구에 정착하고 있는것으로 알려져 아랍국가의 반발은 물론 미국도 이에 대한 관심을 나타내고 있음. 따라서 본건 추진 관련 아랍국가의 반응을 신중히 고려해야 할것으로 보임.

나. 기타 참고 사항

0 대부분 건물이 목조로 건축되며 이에 소요되는 나무의 조달, 재질등 검토

0 공사 금액 적정 여부 철저 검토(전체 물량 16 백만 FT2 약 44 만평)

0 MR.KAY 는 4.8 이스라엘에 여행 계획이며 이기간중에 수주 여부가 확정될전망임.

(대사 현홍주-국장)

91.6.30 까지

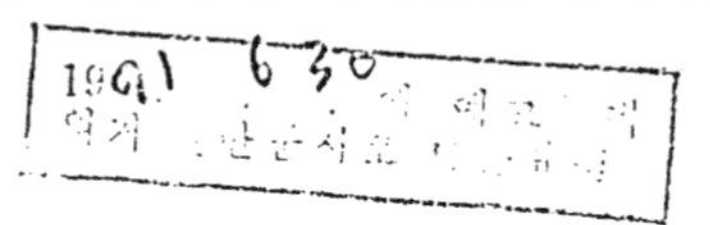

PAGE 2

0180

분류번호	보존기간

발 신 전 보

번 호 : WKU-0062 910329 1303 FL 종별 :

수 신 : 주 쿠웨이트 대사. /총영사

발 신 : 장 관 (중동일)

제 목 : 쿠웨이트 국내 지뢰제거 용역 참여

1. 이라크 점령당시 쿠웨이트 국경지대에 매설된 지뢰에대한 쿠웨이트 정부의 제거계획 및 아국 해외건설업체의 참여 가능성을 조사 보고 바람.

2. 본부가 파악한 바로는 미국 COE가 귀 주재국내에 매설된 지뢰제거 작업 및 전쟁 피해 상황조사 용역계약을 귀주재국 정부와 체결한바 있다함을 참고~~하시기~~ 바람. 끝.

(중동아국장 이 해 순)

보안 통제	기

앙고재	91년 3월 28일	중동1과	기안자 성명		과 장		국 장		차 관	장 관
					기	양	전결			양

외신과통제

0181

원 본

외 무 부

종 별 :

번 호 : KUW-0088 일 시 : 91 0330 1600

수 신 : 장관(중동일)

발 신 : 주쿠웨이트대사

제 목 : 쿠웨이트 지뢰제거 참여

대:WKU-62

1.그간 쿠웨이트에서의 지뢰제거 작업은 기 보고한 '91.긴급 복구작업'에 필요한일부 특정지역을 국한하여 연합군 공병대들이 시행하여왔으나(유전지대:미군,해안:불란서군,SHUWAIKH항구:영국군등),당지 미국대사에 의하면 COE를 포함한 연합군 공병대의 지뢰제거작업반은 곧 철수하고, 나머지 지역에 대한 지뢰제거작업은 쿠웨이트정부가 시행케 될것인바,이경우 쿠웨이트 정부는 외국의 전문회사에 용역을 주게될것이라함.

2.또한 미국대사는 현재로서는 쿠웨이트정부가 지뢰제거 작업에 관한 구체적인 계획을 전혀 세우지 못하고 있는 형편이라고 말함.

3.상기 정보를 기초로 쿠웨이트 관계당국으로 부터 추가 정보를 수집,보고하겠음. 끝.

(대사-국장)

중아국 1차보 2차보 정문국 청와대 안기부

PAGE 1 91.03.31 00:25 BX

외신 1과 통제관

0182

김명준

외 무 부

종 별 :

번 호 : KUW-0095 일 시 : 91 0331 1600

수 신 : 장관(중동일,통이)

발 신 : 주쿠웨이트대사

제 목 : 기중기

1.한국 중공업이 1984년도에 쿠웨이트의SHUWAIKH항에 납품하여 설치한 컨테이너기중기(GANTRY CRANE) 2대를 이라크 군대가 완전히파괴하였음. 기단부분에 폭약을 장치하여폭파한것 같음.

2.SHUWAIKH 항구 관리청 관계자는 약 두달후에항구가 개항될것이라 하며, 그동안각종시설물수리,교체작업을 하게되며, 컨테이너 기중기2대도 다시 설치할것이라고 말하였음. 또한SHUWAIKH항에는 컨테이너 기중기외에 0.5톤이상수톤 능력의 화물기중기가 32대 있는데상당부분이 파괴되고 또 남아있는 것도 '구식이되어' 전부 교체할 계획이라고 함.

3.한국중공업이 다시 기중기 납품에 관심이있으면 우선 당관에 알려 주시기바람.끝.

(대사-국장)

중아국 1차보 2차보 통상국

PAGE 1

91.04.01 04:41 DU

외신 1과 통제관

0183

외교문서 비밀해제: 걸프 사태 47
걸프 사태 전후복구사업 참여 1

초판인쇄 2024년 03월 15일
초판발행 2024년 03월 15일

지은이 한국학술정보(주)
펴낸이 채종준
펴낸곳 한국학술정보(주)
주 소 경기도 파주시 회동길 230(문발동)
전 화 031-908-3181(대표)
팩 스 031-908-3189
홈페이지 http://ebook.kstudy.com
E-mail 출판사업부 publish@kstudy.com
등 록 제일산-115호(2000. 6. 19)

ISBN 979-11-7217-009-7 94340
979-11-6983-960-0 94340 (set)

책에 대한 더 나은 생각, 끊임없는 고민, 독자를 생각하는 마음으로 보다 좋은 책을 만들어갑니다.